De erfzonde

Susanne Staun

De erfzonde

2001
uitgeverij Signature / Baarn

Europese thrillers van wereldniveau

Speur nu ook op het Internet
www.signa.nl

Eerste druk, juni 2001
Tweede druk, juni 2001

© Susanne Staun & Gyldendalske Boghandel, Nordisk Forlag A/S 1999
Oorspronkelijke titel: *Som arvesynden*
Vertaling: Gert Nip,
verbonden aan het Scandinavisch Vertaal- en
Informatiebureau Nederland
© 2001 uitgeverij Signature, Baarn

Omslagontwerp: Wil Immink
Typografie: v3-Services
Druk- en bindwerk: Drukkerij Groenevelt

ISBN 90–6801–712–8
NUGI 332

0

Het was een dor mannetje met grijs haar en een grijze snor.

Op het bed lagen zakken van grijs linnen, zo groot als gymnastiekzakken. Alles bij elkaar waren het er zeven, maar dat kon je niet zien, want ze lagen op een hoop.

Hij zat op het bed, zijn gezicht asgrauw, de handen in gebed gevouwen. Hij staarde naar de grijze wand.

"Waar zijn ze dan, je goden, die je gemaakt hebt? Laat hen opstaan! Kunnen zij je verlossen in tijden van nood?"

Hij veegde een traan weg en kwam overeind. Hij keek naar de deur en wist dat het weer tijd was om de pijn op te zoeken.

Hij dreef ze de slaapkamer binnen; de twee kleinsten trachtten via de keuken de benen te nemen, maar hij pakte ze bij hun lurven en slingerde ze de kamer in. Hij smeet de deur dicht en zette zijn rug ertegenaan. Hij haalde langzaam adem en keek naar ze.

De twee kleinsten, die hij de kamer in had gekeild, lagen op de vloer, een van hen huilde. Misschien had hij zijn hoofd bezeerd aan de gebeitste commode. De anderen stonden hem midden in de kamer aan te kijken.

Met zijn blik nagelde hij de kinderen aan de vloer. Toen riep hij haar. Zijn ogen rolden naar rechts, alsof ze haar zochten achter de dichte deur en haar met geweld naar binnen wilden sleuren.

Er werd zacht op de deur geklopt. Hij keek weer recht voor zich uit. En stond zo een poosje.

Er werd opnieuw zacht op de deur geklopt. De kinderen verroerden zich niet. Hij deed een stap opzij en opende de deur op een kier zodat het pezige vrouwtje, ouder dan haar leeftijd, naar binnen kon glippen. Ze keek naar de vloer, haar handen hield ze op haar buik gevouwen.

Hij deed de deur op slot en keek hen aan. Werktuiglijk begonnen de kinderen hun hemden uit te trekken, en lieten die op de kale, cementen vloer vallen. Ze had de vloer met haar ogen losgelaten en keek naar het plafond, maar zag alleen hoe het stof als grote grijze schilfers begon te vallen. Ze zag niet hoe hij zijn grijze kleren uittrok. Ze keek naar de dalende schilfers en begon de knopen van haar jurk los te maken.

Op het laatst stonden ze allemaal in hun blootje, met neergeslagen ogen. Hij ging op zijn buik op de grond liggen, smeekte hen te beginnen.

Een voor een begaven ze zich naar het bed, waar ze stuk voor stuk een zak pakten. De oudste liep voorop. Hij hield de zak boven zijn vader en zag niet hoe zijn moeder haar armen optilde om als het ware te verhinderen wat hij zou gaan doen. Maar ze liet het afweten, haar armen gleden langs haar lichaam; ze wendde zich naar het bed en nam de laatste zak.

De oudste sloeg zijn vader met de zak. De zak rammelde en zijn vader schreeuwde. In elke zak bevond zich een halve kilo spijkers. Nu begonnen de anderen. Ze moesten oppassen dat de zakken elkaar niet raakten.

Hij schreeuwde hartgrondig telkens wanneer hij door een zak werd getroffen op zijn dij, op zijn achterwerk, op zijn rug. Hij verontschuldigde zich toen de zakken van de twee kleinsten zijn achterhoofd raakten.

De slagen vielen aan één stuk door, en nu kwam zij, nu zat zijn lichaam onder de slagen. Hij wrong zich in allerlei bochten, hij probeerde zich om te draaien, maar toen schopte ze hem zoals hij dat wilde hebben. Ze deed haar ogen dicht en schopte hem tegen zijn ribben en sloeg hem met de zak net als haar zes zoons, die de slagen in een niet-aflatende stroom lieten vallen.

Algauw zat hij onder de schrammen en scheuren; hij smeekte hen door te gaan. Het bloed begon uit de wonden in zijn lenden te druppelen, en nu hamerde hij zijn hoofd tegen de cementen vloer en siste: "Tucht ons, Heer, maar met mate, om ons niet minder in getal te maken!"

Nu begon hij te bloeden uit zijn achterhoofd en uit zijn rechterdij. Maar ze gingen door met de zakken te laten regenen, want ze waren beducht voor hun leven als ze dat niet deden.

De zak van de oudste ging kapot en ook die van haar; de spijkers regenden op zijn murw geslagen lijf en op de vloer. De oudste en zij gingen op het bed zitten, de kapotte zakken in hun handen.

De vijf kinderen gingen door, en hij bloedde en verontschuldigde zich.

De kleinste huilde. Hij kon niet zo hard slaan. Zijn zak was als nieuw. De anderen sloegen aan één stuk door en gluurden naar de vrouw op het bed. Ze kwam overeind en pakte de zak van de kleinste, duwde hem naar het bed toe. Toen liet ze de zak regenen tot die stukging.

"Stelen, moorden, hoereren, meineed plegen, offervuren voor Ba'al ontsteken, vreemde goden vereren die jullie niet kennen ..."

Een voor een gingen hun zakken stuk, en een voor een namen ze plaats op het bed. Op de vloer lag hun vader, bloedend. Hij hief het hoofd, keek naar het bed en zond haar een gloeiende blik. Toen keerde hij zijn gezicht weer naar het cement.

Ze stond langzaam op en liep op hem toe. Hij verontschuldigde zich toen ze hem in zijn gezicht trapte, en hij riep God aan toen ze hem tegen zijn ribben aan schopte. Toen ze tegen zijn schouder trapte, vroeg hij mat om nog een trap. Ze trapte hem tegen zijn achterhoofd.

Toen ging ze naast de kinderen op het bed zitten. Hij kwam overeind, zijn rug een bloedende wonde. Hij hoefde hun niet te vragen om op hun knieën op het bed te gaan liggen, dat deden ze uit zichzelf. Hij stond een poosje te kijken, mat, maar nog lang niet klaar. Toen begaf hij zich naar de gebeitste commode; hij opende de bovenste la en haalde een lange dot watten en een flesje aceton tevoorschijn. Hij goot de aceton op de watten, verdeelde de lange dot in acht kleinere stukken. Toen pakte hij een aansteker. Met de dotten watten en de aansteker in zijn hand liep hij naar zijn vrouw en zijn kinderen en perste de watten in hun reet.

Toen stak hij de watten in brand met de aansteker. Een voor een. De laatste dot watten was voor hemzelf.

~

Het stof viel als sneeuwvlokken en wist van geen ophouden. Ze keek naar de stofschilfers, grijs en groot, die aan één stuk door vielen, overal, grijs tegen de achtergrond van de grijze wand, grijs tegen de achtergrond van de oude gebeitste commode, grijs, bijna onzichtbaar wanneer ze neerdaalden in de koffer, op haar grijze kleren. De koffer was open, half gepakt. Als versteend zat ze naar het gapende vertrek te kijken en naar de vlokken, die dicht en dik als een tapijt op haar grijze kleren gingen liggen. Ze was versteend, ze moest wakker worden, er stond een kind naast haar te kijken. Hij zag de dalende stofschilfers niet, hij keek alleen maar naar haar. Toen keek hij naar de koffer en greep naar haar hand, en ze trok die terug. Ze werd wakker en voelde een huivering. Hij greep opnieuw naar haar hand, maar vanbinnen explodeerde ze. Ze sprong bij hem vandaan, ze haatte hem, ze schreeuwde, en ze hield haar handen voor haar mond. Ze kon er niet op passen. Ze begroef haar gezicht in haar handen. Dat kon ze niet.

Ze viel huilend op de vloer en er verspreidde zich een stofwolk om haar heen. Heel even zag ze hem helemaal niet, maar toen stak hij opnieuw een arm naar haar uit. Toen ze vol walging haar hand terugtrok, stonden ze er opeens alle zes, ze keken van haar naar de open, half gepakte koffer. Ze zag hun blikken en sloot haar ogen. Ze moest ervandoor, nu was het zover, ze moest haar besluit ten uitvoer brengen, door de pijn heen gaan naar iets daarbuiten dat een beetje minder zeer deed, want je kunt de wereld niet redden, alleen jezelf. Nee. Ze moest zich nu de haat en de schaamte herinneren, zodat ze hier vandaan kon. Ze sloot haar ogen en herinnerde zich alles wat ze had gedaan en alles wat ze verzuimd had te doen. De haat. Ze herinnerde zich de haat en de afschuw en de walging. Ze zagen het en deinsden terug, naar opzij, naar de grijsgekalkte wand. De kleinste ging met zijn rug tegen de commode aan zitten, hij was naakt, de scharnieren sneden in zijn rug, maar hij huilde niet, hij kromp ineen. De vijf anderen keken haar aan, bang, toen ze met een klap de koffer sloot; ze wilden met haar mee, ze wilden mee naar buiten, ze liepen achter haar aan. Zij liep op blote voeten, ze had geen jas aan, ze droeg haar koffer de stromende regen in; de kleine bleef zitten, ineengekrompen, met zijn rug tegen de commode aan; de anderen holden achter haar aan, ze trapte naar hen, ze klampten zich aan haar vast, ze trapte opnieuw en gaf de oudste een klap tegen zijn hoofd; ze pakte een steen en gooide die naar de oudste; die raakte hem op zijn jukbeen; ze schreeuwde, en ze stapte verder, de anderen huilden; ze pakte een grotere steen en smeet die, wist niet naar wie, ze hoorde hoe hij doel trof en hoorde een schreeuw, en er was iemand die aan haar rok trok; ze trapte naar achteren, maar ze bleef doorlopen. Ze keek niet om.

Het trekken was opgehouden. Nu stonden ze stil te kijken en zagen haar verdwijnen in de modder.

~

Het was een dor mannetje met grijs haar en een grijze snor, die afhing langs zijn wangen. Zijn gezicht was geteisterd en zijn handen waren constant in beweging: hij balde zijn vuisten en opende ze weer, balde, opende.

9

Toen hij bij de brandtrap kwam stond hij stil. Hij bekeek zijn broek en zag hoe de plekken waar de regendruppels landden donkerder blauw werden.

Hij pakte de leuning van de smalle, ijzeren draaitrap beet. Hij trok zichzelf een stap omhoog en stond daar een tijdje, op de onderste trede. Hij sloot zijn ogen, haalde adem. Hij opende zijn ogen, liet de leuning los met zijn rechterhand en onderzocht zijn handpalm. De leuning had een roestspoor achtergelaten; hij likte het af, sloot zijn ogen en proefde ervan. Maar hij dacht niet; hij zag. Achter de dichte ogen zag hij wat hij kreeg voor al zijn geploeter. Het achterwerk, ui, wortels. Als een kalfje. Hij opende zijn ogen en keek naar zijn pink. Hij moest de aandrang weerstaan om die beet te pakken en te breken. Niet nu, hij had die vinger nodig. Hij had al zijn vingers nodig. Later. De pijn zou later komen.

Langzaam begon hij omhoog te klauteren langs de roestige ijzeren trap. Halverwege bleef hij staan. Hij liet de leuning los, leunde ertegenaan en haalde een paar keer adem. Hij keek naar het roest in zijn handen. Hij pakte de leuning beet en trok zich op naar de volgende trede. Trede voor trede trok hij zich op langs de trap, tot hij op het platte dak stond. Het was bedekt met zwart asfaltpapier, dat hier en daar wat afschilferde.

Het platte dak had hij gekozen, op dezelfde manier als hij haar had gekozen. Of wellicht hadden zij hém gekozen. Eerst zij en toen het platte dak.

Midden op het platte dak bevond zich de trappeningang naar het flatgebouw. De deur moest op slot zijn. Hij pakte de klink beet. De deur was open. De flatbewoners vierden de dag des Heren binnenshuis. Dat deden mensen 's zondags wanneer het regende, wist hij.

Het gebouw had er leeg uitgezien. Het zag er nog steeds leeg uit. Er waren geen mensen te zien zo ver het oog reikte.

Hij droeg een vaalblauwe Kansas-overall en een versleten leren werkriem. Er hingen een staalborstel, een schroevendraaier, een snoeischaar en een leren zakje aan de riem. Hij liep naar de andere kant van het dak. Het uitzicht op de gele bungalow was uitstekend.

Hij keek om zich heen en zocht naar iets waarop hij kon gaan zitten, maar er was niets, er was alleen het platte dak. Hij liep verder naar de rand, zodat hij de hele heg kon zien die de tuin van de bungalow omringde. Van hieruit kon hij alles zien. Hij merkte de dode hoeken op, daar moest hij gebruik van maken. De heg was oud, maar dicht, wist hij. Ze hielden hem goed bij en lieten hem twee keer per jaar knippen, dat had de Man in het Huis zelf gezegd.

Hij knikte. Ja, ze hielden hem goed bij. Hij zou er een gaatje in snijden, besloot hij, daar in de dode hoek, nee, hij zou een gat snijden, – nee – hij zou een gat creëren met zijn snoeischaar. Tenzij de engel kwam en hem verzocht het te laten. Het was een bevel. Hij keek op. Het was opgehouden met regenen. De zon stond op het punt tevoorschijn te komen. Hij keek om zich heen.

Het flatgebouw was het hoogste punt in de verre omtrek. Aan alle kanten lagen de villa's en bungalows bijna als poppenhuizen voor zijn voeten. Ver weg zag hij vaag Cornwells stadscentrum met de dicht bij elkaar liggende wolkenkrabbers in staal en glas. Hier had je bepleisterde muren en pure bakstenen en tuinen met kinderen erin. Verderop, verder dan hij kon zien, lagen de boerderijen en de velden. Hij wierp een korte blik op de bungalow en prentte zich opnieuw de dode hoek in het hoofd. Toen draaide hij zich om, een beetje duizelig, en begaf zich naar de dakingang. Hij opende de deur, deed een stap naar binnen en nam plaats op de bovenste trede. Hij opende zijn overall, wrong zijn arm eruit en bekeek zijn witte onderbroek. Hij duwde die naar beneden, pakte zijn ene teelbal beet en trok die naar opzij. Hij zat er een tijdje naar te kijken. Hij opende het leren zakje aan de riem en haalde er een speld uit, een gewone speld. Hij keek ernaar, en zijn ademhaling verdichtte zich en werd sissend. Hij trok de teelbal tegen zijn buik aan en boorde toen langzaam de speld in de perineum. De pijn was spits en snijdend en liet een smaak van koper in zijn mond achter. Hij kreunde. Hij zag dat het lid overeind was gaan staan, maar hij raakte het niet aan. Hij nam de volgende speld en stak die naar binnen achter de andere teelbal. Zijn lid werd keihard, hij richtte zich op en zag dat het bijna tegen zijn buik aan sloeg; voordat de pijn helemaal was weggeëbd, nam hij nog een speld uit het zakje en stak die in zijn lid bij de wortel. Hij sloot zijn ogen en begon te wiebelen. Hij pakte werktuiglijk nog een speld en boorde die een eindje hoger in het lid, langzaam, maar helemaal naar binnen. Nu begon een kriebelen bij de wortel zich te mengen met de brandende pijn. Hij nam nog een speld, en op het moment dat hij die, gebogen over zichzelf, in de eikel dreef, spoot hij. Iets van het zaad ving hij met zijn tong op, terwijl zijn bovenlijf zijdelings heen en weer wiebelde.

Hij stopte, haalde langzaam adem, veegde zijn mond af met zijn hand. Hij haalde de spelden eruit, een voor een, en legde ze terug in het zakje. Hij trok de onderbroek op zijn plaats, duwde de armen in de mouwen en knoopte toen de blauwe overall dicht. Hij was nu een beetje moe. Hij zou naar beneden moeten gaan. Hij zat een poosje. Toen ging hij op het smalle afstapje liggen. Hij kromp ineen. Dat moest onaangenaam zijn. Maar hij had er geen erg in. Hij wilde even wat uitpuffen. Toen sliep hij.

Toen hij een paar uur later wakker werd, scheen de zon, groot en warm, aan een hemel zo klaar als hij. Ja, hij was klaar. En eigenlijk hongerig.

1

Ik ben eigenlijk een soort vuilnisman. Soms ben ik dom genoeg om in een leven na de dood te geloven. Tegen beter weten in.

Elke ochtend moet ik rechtop in bed gaan zitten om los te komen van de ijzige mantel, die altijd als een klamme dauw op me ligt wanneer ik tussen waken en slapen in zweef.

Zo ook die ochtend. Maar toen blafte mijn Persoonlijke Digitale Assistent en maakte me definitief wakker: "Goedemorgen, Fanny. Je moet opstaan. Het is 04.34 uur, je Air France vliegtuig, AF299, vertrekt uit Marseille-Provence om 06.45 uur, laatste check-in 06.30 uur. Lezing over Jeugdtrekken bij Seriemoordenaars om 09.15 uur. Meer is er niet ingevoerd. Het aantal berichten is 52, en het weer in Cornwell: bewolkt met wat regen, zwakke tot matige zuidwestenwind en temperaturen tussen de twaalf en zeventien graden. En daarmee ben ik klaar met je nieuws in volgorde van belangrijkheid." Ik draaide hem de nek om, maar toen ging de telefoon van het hotel. Ik nam op en een Franse vrouw zei: "*Bonjour, mademoiselle Fiske. Il fait très beau aujourd'hui, il est 4 heures 35 et la temperature est de 12 degrés Celcius. Le petit déjeuner continental est servi dans ...*"

"*Merci*", mompelde ik slaperig. Ik smeet de hoorn op het toestel en schudde het doodsgevoel van me af. Ik wierp een blik op de slapende Franse forensische patholoog-anatoom en voelde een zuigende frustratie in de maagstreek.

Inspecteur Moulard had gisteravond een afscheidsdineetje voor me georganiseerd, en we hadden tot diep in de nacht warme geitenkaas gegeten en demi's gedronken. Na een week in zelfverkozen celibaat had ik behoefte aan een man, en mijn keus viel op de forensische patholoog-anatoom omdat hij bijna niets zei. Mijn probleem met Fransen is dat ze Frans spreken, een fenomeen dat al mijn hormonen in een winterslaap kan brengen.

Het enige wat Remi Moulard de afgelopen nacht had gezegd toen hij mijn naakte heupen aanraakte, was een enkel enthousiast: "*Mon dieu! Un corps chaud!*"

Maar toen waren zijn handen verder gegleden, zijn hoofd was zwaar op mijn buik geland. Even later rolde hij van me af en viel in slaap op het hotelbed. Kennelijk was hij nog niet klaar met lijkje spelen – ik was blij toe. Ik controleerde even zijn oogspleten en neusgaten om te zien of er sporen van vliegen aanwezig waren, maar vond niets.

Ik sprong het bed uit en deed 60 *push-ups*. Na een snelle douche trok ik zo geruisloos mogelijk mijn bourgognekleurige Chanel-pakje van vlas en linnen aan. Ik wilde hem niet wekken, want ik vind het moeilijk me op twee dingen tegelijk te concentreren, en op dit moment had ik maar één wens: inpakken en wegwezen. De weekendkoffer had ik die nacht al gepakt, begeleid door monsieur Moulards snurken.

Met mijn jas en mijn kalfsleren tas over mijn arm beurde ik mijn koffer op, wierp een laatste blik op de patholoog-anatoom, wurmde me door de opening van de deur en deed die behoedzaam dicht. Toen ik kamer 333 passeerde, zoemde mijn PDA, die in mijn rokband stak. Ik boog me voorover en las het nummer. Het was die vent weer van telefooncel 13 in Cornwell, dus ik liet de zaak aan mijn antwoordapparaat over, in de wetenschap dat er kilo's kul over zonde en seks op me lagen te wachten wanneer ik dat zou afluisteren.

In de Salle de Petit Déjeuner sloeg ik het continentale over en ging direct aan de slag met on-Franse ham en ei en worstjes.

Ik ben dol op eten.

De kelner was gekleed in een onberispelijk gestreken zwarte broek en een bordeauxrood jasje met gouden knopen. Hij sprak een soortement Engels. Ik knipoogde naar hem toen hij de worstjes voor me neerzette.

Ik ben dol op mannen.

Ik checkte mijn horloge, maar het was een belachelijk idee. Dan moest ik immers eerst de forensische patholoog-anatoom eruit gooien, en verder zou ik te laat komen voor mijn vliegtuig. En ik moest op een gegeven moment immers weer met hem aan de slag, dus het was erg genoeg dat ik 'm domweg gesmeerd was zonder dag te zeggen of een briefje achter te laten. Dus, nee, nee. Geen kelner voor een *ménage à deux*. Ik glimlachte naar hem en vroeg om nog een portie worstjes. Mijn PDA zoemde een paar keer, maar het is onbeleefd om met volle mond te praten, dus ik liet hem zoemen. Op het laatst zette ik hem af.

Mijn rokband spande toen ik de rekening betaalde met een fikse fooi, en ik knipoogde nog een keer naar de goedgestreken kelner toen ik opstond en mijn spullen oppakte. Ik suisde de trap op, ging door de draaideur van glas en koper naar de taxichauffeur met ochtendhumeur, die tegen zijn auto aangeleund Le Monde las. Ik nam plaats en zei "L'Aéroport Marseille-Provence", waarna ik mijn aantekeningen uit mijn tas haalde. Ik moest immers om kwart over negen een lezing houden over Jeugdtrekken bij Seriemoordenaars, en hoewel ik vijf jaar lang dezelfde aantekeningen had gebruikt, kon het geen kwaad die nog even door te nemen.

Mijn naam is Fanny Fiske, dr. Fanny Fiske, en laat me het nodige commentaar voor zijn – ik ruik frisser dan mijn naam aanduidt. Ik ben gedragspsycholoog, gespecialiseerd in de profilering van seriemisdadigers en lector aan het onlangs opgerichte Internationale Instituut voor Criminologie, dat deel uitmaakt van de afdeling Gedragspsychologie van de Europa Universiteit en dat op een akker midden tussen Cornwell en

Grafton ligt. Hier geef ik les aan politiemensen en agenten over de vele aspecten die deel uitmaken van misdadigerprofilering. Ik werk ook als consulent voor de EFBI, European Federal Bureau of Intelligence, en voor de staatspolitie overal in Europa's Verenigde Staten. Dus mijn *frequent flyer*-score is vrij hoog. Mijn scores zijn al met al vrij hoog, en ik sta bekend als de beste profileringsexpert in de EVS. Mijn zojuist voltooide profilering in Marseille leidde tot de arrestatie van de misdadiger precies een week nadat ik die had uitgewerkt. 'Arianes tante' was een 29-jarige pedofiele dwerg, die erin slaagde acht tien- tot twaalfjarige meisjes te verkrachten, voordat Inspecteur Moulard zich wist te vermannen en mij opbelde. Ze willen het liefst alles zelf opknappen, die Fransen. Die bijnaam had de pedofiel gekregen omdat hij zich verkleedde als een Franse huisvrouw en de meisjes ertoe overhaalde met hem mee naar huis te gaan omdat ze dachten dat hij Arianes tante was. Want welk Frans meisje heeft er geen vriendinnetje dat Ariane heet?

Mijn werk bestaat uit het tekenen van een portret – en profil – van de onbekende dader op basis van de sporen die de politie, de technici en de forensische pathologen-anatomen hebben verzameld, zodat de politie de jacht tot een bepaald type kan beperken. Of zoals een arrogante rechercheur die ik ken het uitdrukt: "Zodat we een steuntje in de rug hebben voor onze eigen theorieën."

De vraag luidt altijd eender: wat voor een persoon had dit kunnen doen?

Als profileringsexpert is mijn uitgangspunt dat gedrag de persoonlijkheid weerspiegelt. Ik heb de sporen leren vertolken die een moordenaar achterlaat, op dezelfde manier als een arts symptomen beoordeelt om een diagnose te kunnen stellen. Hoe meer sporen een dader achterlaat, hoe meer hij over zichzelf vertelt. Daarom gebruikt men profileringen het vaakst bij dat soort zaken waar de misdadiger het meest over zichzelf vertelt – de meeste gedragssporen achterlaat – en dat is primair bij moordzaken en zedenmisdrijven.

Het problematische van een profilering is dat die verkeerd kan zijn en daarmee het onderzoek op een dood spoor kan brengen. Profilering is namelijk geen objectieve wetenschap, ondanks het feit dat ze wordt uitgevoerd op basis van het verzamelde aantal sporen in de zaak. Tegelijkertijd is het voor profileringsexperts uiteindelijk altijd een gevoelskwestie, maar in mijn geval zijn die gevoelens gebaseerd op een jarenlange ervaring, zodat mijn profileringen in de buurt komen van objectieve waarheden. De politie noemt me helderziend, en dat irriteert me wel eens, want dat heeft er niets mee te maken. Waar het om gaat, is dat ik zo veel geweldsmisdrijven tegen alle soorten mensen heb meegemaakt en zo veel geweldsmisdadigers heb geïnterviewd dat ik een patroon in mijn hoofd heb, een beeld dat me vertelt welk soort mensen welk soort misdaad begaat. En verder is er zo langzamerhand zoveel statistiek op dit gebied dat dit op zichzelf vaak volstaat.

Ik ben zo door de wol geverfd dat ik het me kan permitteren af te zien van de sporen die er in feite zijn, als mijn gevoel me dat zegt. Ik heb bijvoorbeeld ooit een profiel moeten maken van een dader die een jonge man met een potlood had neergestoken en vermoord. We waren met zijn tweeën bij die opdracht, de ander was een jonge psychiater. Hij was van mening dat de politie zich moest concentreren op een persoon die in de gevangenis had gezeten, omdat een potlood daar namelijk als een moordwapen wordt beschouwd. Hij was van mening dat we hier te doen hadden met een oudere, ervaren crimineel. Er was niets aan de hand met zijn conclusie, behalve dat die verkeerd was. Ik wist dat de misdadiger jong en extreem onervaren was, dat hij in affect had gehandeld en het eerste het beste voorwerp had gegrepen. De politie viel voor het profiel van de jonge psychiater en verspilde maanden door een ex-gevangene achterna te zitten die ze nooit vonden. Toen ze de dader eindelijk arresteerden (met mijn assistentie, moet ik er even aan toevoegen), bleek hij dan ook een zestienjarige te zijn die voor het eerst een misdaad had begaan. Hoe ik dat wist? Tja, dat kan ik niet zeggen. Mijn hersenen assimileren alle beschikbare inlichtingen, en dan wacht ik erop dat de computer tussen mijn oren mijn ervaring raadpleegt en ten slotte het resultaat uitspuugt in mijn bewustzijn, zodat ik het vervolgens kan doorgeven aan de wachtende rechercheurs. Een profilering – als ik die heb gemaakt tenminste – zorgt ervoor dat de politie de misdadiger sneller en gemakkelijker kan vangen. Maar ze gebruiken het profiel – en extra adviezen van mij – ook bij het organiseren van de beste verhoormethode voor een bepaald type misdadiger. En verder gebruiken ze me ook als deskundig getuige in de rechtzaal, omdat ik juryleden zo goed kan uitleggen hoe gewelddadige criminelen denken.

Ik merkte op dat de taxi stilstond en keek op. Werk in uitvoering. Zo ver als het oog reikte stonden de auto's stil op de vijfbaansweg.

"*J'ai un vol à prendre*", zei ik tegen de chauffeur, terwijl ik hem op de rug tikte. Hij haalde alleen maar zijn schouders op. Het liet hem kennelijk totaal Frans of ik een vliegtuig moest halen of niet. Ik had enorm veel zin om mijn nieuwe stunknuppeltje uit te proberen dat altijd in mijn kalfsleren tas ligt, en 160.000 paralyserende volt door zijn luie, onverschillige donder te jagen, zodat hij van zijn zitplaats zou druipen als een opgelost ongewerveld dier. In plaats daarvan vroeg ik hem of hij enig idee had of we er om halfzeven konden zijn? Hij haalde zijn schouders op, maar mompelde:

"*Et votre jet perso, est-il en panne, quoi?*"

Ik verstond niet wat hij zei, en het kon me eigenlijk ook niets schelen. Ik liet me gewoon achterovervallen in het zachte leer en besloot, aangezien ik niet bestand was tegen Fransen en chaos, dat ik net zo goed het nieuws kon beluisteren. Ik activeerde mijn PDA weer en leunde achterover: een tienjarig meisje uit Cornwell was spoorloos verdwenen, terroristen van Lubelski's Bevrijdingsfront hadden in Warschau drie politici vermoord, de Beurs was gekalmeerd en Saddam was eindelijk overleden aan zijn geheime ziekte.

Ik keek op en zag dat er beweging in de file was gekomen. Ik toetste mijn code voor "berichten" in en hoorde inspecteur Moulard vertellen dat hij me mijn bordeauxrode Dior-sjaal zou toesturen die ik op zijn kantoor had laten liggen. Mijn overbuurvrouw, Sonia, nodigde me uit voor een etentje: ravioli met koolvis en kreeftsaus vanavond om zeven uur. Mijn vader verkondigde dat ik hem net zo goed van een rots af kon duwen, hij was toch maar een sta-in-de-weg. "Liever dat dan sterven aan de vergeetachtigheid van mijn dochter", zei hij met tragische intonatie. Daarna kwamen er twee berichten van de oude man, die de vorige week met zijn telefoonterreur was begonnen. Het eerste klonk als volgt: "Sla uw ogen op naar de naakte hoogten, en zie: waar hebt ge u níet laten schenden? Zo hebt ge het land bevuild met uw ontucht en boosheid, en uw talloze minnaars zijn u een valstrik geworden. Ge hebt het voorhoofd van een meid, nooit hebt ge schaamte gekend." Het volgende bericht luidde: "Door uw lichtzinnig overspel hebt ge het land bezoedeld en echtbreuk gepleegd met steen en hout."

Dat klonk idioot. "Echtbreuk plegen" klinkt niet fraai, maar de activiteit staat centraal, alleen liever niet met steen of hout. Het klonk tamelijk oudbakken ... bijbels? Ik heb er geen idee van, ik lees geen bellettrie. En zolang het geen bedreigingen waren, was het alleen maar irritant. De telefoontjes waren vannacht om halfdrie en tien voor vier gepleegd en waren afkomstig van telefooncel 315 en 13 in Cornwell. Ik keek op en zag dat we terminal 11 naderden, zette de PDA af en wiste de resterende 47 berichten.

Dieu merci pour les petits miracles.

2

Het regende pijpenstelen toen ik de auto de parkeergarage uitreed in de richting van Cornwell. Het regent altijd in deze contreien. Wanneer het niet motregent, drupt en miezert, dan plenst het, zodat de regen de lucht verdringt en overal gaten en erosies achterlaat waar er aarde is. Zelfs in mijn dromen regent het onophoudelijk, het druppelt, druilt en sijpelt.

Maar vandaag paste de regen perfect bij mijn humeur. Ik voel me altijd beroerd wanneer ik een lezing moet houden over de jeugd van de seriemoordenaars, en dat komt gedeeltelijk door de erfzonde. Hier heb ik het niet over de bijbelse erfzonde, de onvermijdelijke neiging van de mens om te zondigen. Waar ik het over heb is dat wij, of we het willen of niet, opgroeien en de nalatenschap van onze ouders worden, de som van hun genen en van het gedrag waaraan ze ons blootstelden. In mijn ogen is het feit dat we ons niet allemaal kunnen ontpoppen als individuen zonder deze bij tijden enorme overlast, de grootste zonde. En de seriemoordenaars en hun jeugd, dat is toegepaste erfzonde wanneer die op z'n ergst is.

Wanneer ik de gruwelijke jeugd van de seriemoordenaars doorloop, is het soms moeilijk om geen medelijden te hebben met deze kinderen van wrede ouders, maar hier is het van belang te focussen: ze zijn zelf wreed geworden, ze hebben de boot gemist, nu moeten we op de jeugd van de anderen passen, de jeugd van hun slachtoffers. We bestuderen de jeugd van de seriemoordenaars om de gemeenschappelijke trekken in kaart te kunnen brengen die er deel van uitmaken, gedeeltelijk om begrip op te brengen voor de slechtheid die ze van kindsbeen af leren uitoefenen – daar moeten de rechercheurs en de agenten zich op concentreren – maar ook om de gezinnen die de seriemoordenaars produceren beter te kunnen identificeren, om ze voor te zijn voordat er nog meer worden uitgebroed – dat valt dan onder het terrein van de maatschappelijk werkers.

Het is soms moeilijk voor de jonge rekruten om het kwaad te veroordelen dat de seriemoordenaars berokkenen, wanneer je kijkt naar het kwaad dat hun is aangedaan, maar dat moeten we.

Het is belangrijk te focussen. We hebben te kampen met twee dingen die het altijd winnen. De erfzonde en de dood. We erven allemaal de zonden van onze ouders, en gaan allemaal dood; ons werk bestaat erin de zonden van de ouders te minimaliseren en de dood uit te stellen. En wanneer ik van die jonge rekruten verlang dat ze focussen, dan dwing ik mezelf te kijken naar deze nuchtere feiten die mijn leven bestieren. Daarom voel ik me beroerd wanneer ik een lezing moet houden over de jeugd van de seriemoordenaars. Het is de naakte aap in optima forma.

Ditmaal had ik geen problemen toen ik mijn auto uit de garage voor langparkeerders reed, maar het was uitsluitend aan de nieuwe vijfbaans autoweg te danken dat het me lukte precies om kwart over negen in de collegezaal te zijn. Al terwijl ik naar mijn oeroude aantekeningen aan het zoeken was, kreeg ik oogcontact met een van de jongemannen op de eerste rij. Hij was een jaar of twintig, en zijn mond en zijn krullenkop brachten me ertoe hem naar de katheder te wenken, waar ik hem mijn adres gaf en hem te verstaan gaf wat ik van hem wilde en wanneer. Als ik hem verraste, dan gaf hij daar geen blijk van. Hij knikte en stopte het briefje in zijn zak.

Toen stak ik geroutineerd mijn verhaal af: verwaarlozing, tortuur, afwijzing, geestelijke en lichamelijke mishandeling.

Voorbeelden uit de werkelijkheid. Ed Kemper, die in zijn jeugd 's nachts werd opgesloten in een kelder zonder ramen. Arthur Shawcross, wiens moeder een bezemsteel in zijn endeldarm stak. De uitzondering op de regel: Ted Bundy, die merkwaardigerwijs (voor zover wij wisten) een knusse jeugd had gehad. En dan de gouden homicidiale triade, zoals ik dat noemde in goed Latijn, de drie gedragselementen die men gebruikt om gewelddadig, afwijkend gedrag te voorspellen en die vrijwel altijd optreedt in de jeugd van geweldscriminelen: dierenplagerij, brandstichting en bedwateren tijdens de *teenage*-jaren.

De lezing duurde vijftig minuten, net als altijd. Ik gebruikte precies zo veel tijd wanneer ik een praatje voor de maatschappelijk werkers hield, behalve dat ik dan een lang addendum had waarin ik het belang van tijdige interventie benadrukte.

Ik raapte mijn aantekeningen bij elkaar en wilde weten of er vragen waren. Ze voelden blijkbaar dat mijn hoofd daar niet naar stond, want er waren geen vragen. Op een holletje verliet ik de collegezaal, ging even langs mijn kantoor om mijn jas en mijn weekendkoffer te halen en holde de gang uit in een poging Rosa, mijn secretaresse, te vermijden, die gegarandeerd een stapel gele telefoonbriefjes voor me had. De regen was afgenomen, constateerde ik toen ik op de draaideur afstevende, maar zodra ik de vierkante glasstructuur had verlaten en buiten stond, begon het opnieuw te regenen. Ik hoorde haar hakken op het asfalt op het moment dat ik de sleutel in het autoportier stak. Toen ik me omdraaide, zag ik Rosa aan komen klikken met een hand vol gele briefjes, die ze me met een wraakzuchtige blik toestak met een effectief *bitte schön*. Toen draaide ze zich om en liep weg. Rosa heeft er een hekel aan telefoonberichten aan te nemen. Ze heet ook nog Knopp van achteren; dat is geen grapje, ze komt gewoon uit Bonn. Zij is ook degene die zich het meest ergert aan die gele briefjes – niet zozeer aan de briefjes als zodanig, maar aan wat ze vertellen over mij, namelijk dat ik een anachronisme ben. Maar anachronismen hebben ook bestaansrecht, en gele briefjes passen goed bij mij. Dat ik een heksluiter ben is een probleem voor iedereen, behalve voor mij. Maar ik ben nu eenmaal niet opgegroeid met computerspelletjes en Internet en e-mail, maar met inktpotten en schoonschrift en de Montblanc die ik nog steeds gebruik. Ik heb een oude archiefkast, terwijl anderen elektronische archieven hebben. Ik doe niet mee aan videoconferenties, bezit geen computer en ontvang nooit elektronische dossiers. Mijn PDA heb ik me in een ogenblik van zwakte laten opdringen, en ik ben eraan gewend geraakt. Toch sta ik erop dat ik ook een privé-telefoon heb met een stekker in de wand en een antwoordapparaat met een uitgestorven microcassette erin.

Ik opende het portier, smeet de tas en de jas op de achterbank, nam plaats en racete door de briefjes heen. Tweederde was afkomstig van jongelui die graag bij mij in de leer wilden, gratis ... En ze zouden geen woord zeggen ... ze zouden me niet storen ... Dat stond natuurlijk niet op de briefjes, maar dat zouden ze zeggen. Verder waren er een paar Noorse journalisten die mijn commentaar wilden hebben op hun collectie weduwnaars die door een onbekende dader doodgemarteld waren. En verder waren er een paar schrijvers die me wilden interviewen. "Het duurt op z'n hoogst een uur, en ik kom met alle plezier naar u toe." Dat stond natuurlijk ook niet op de briefjes, maar dat zouden ze zeggen. Een berichtje van mijn vader, in Rosa's formulering: 'Bel je vader toch op, verdomme!' stond er alleen maar. En ten slotte waren er de gebruikelijke berichtjes van een paar heren die mij in naakte toestand hadden gezien. Ik verfrommelde de briefjes, gooide ze in de auto-asbak, stak ze in brand en startte de auto.

De regendruppels waren nu zo groot als jonge katjes.

Toen ik mijn carport indraaide, zag ik Sonia Sutcliffe in de achteruitkijkspiegel. Ze woont vlak tegenover me in een kopie van een chalet, dat een vermogen heeft gekost en dat er belachelijk uitziet met die trossen plastic geraniums die uit al te weelderige bloembakken puilen. Het chalet staat in contrast met de rest van de buurt als 'een mee-eter op een mooi meisje' zoals mijn buurman het onlangs uitdrukte. Hier zweren we namelijk bij stijlvolle discretie, en de algemene walm van goede smaak laat zich gemakkelijk in beroering brengen.

Sonia en Peter, haar man, wonnen een paar miljoen door goed te antwoorden op drie vragen in een quizprogramma, dat 'Weet Je Wat?' heet. Ik herinner me niet hoeveel miljoenen het waren, maar ze hielden allebei onmiddellijk op met werken, Sonia om zich aan de haute cuisine te wijden en Peter om een gat in de dag te slapen en 's nachts door de straten te zwerven.

Ik registreerde nog net dat ze glimlachte en haar armen vol had met mijn brieven, toen ik de tas van de achterbank pakte en uit de auto stapte. De regen was opnieuw afgenomen tot kleine druppeltjes, en Sonia bewoog haar hoofd koket naar rechts en links om ze te vermijden. Ze heeft een volslank figuur, geeft er de voorkeur aan zich te kleden in combinaties van roze en bruin, en verder heeft ze haar haren zwart 'gespoeld' – op het paarse af.

Ik nam de brieven aan en bedankte haar, en kon niet vermijden te zien dat haar blik verried dat ze mee naar binnen wilde. Ze wilde iets horen "over al die spannende dingen die je hebt meegemaakt", zou ze zeggen met enthousiaste gilletjes. Ik legde een hand op haar schouder voordat het zover kwam, en voerde als excuus aan dat ik doodmoe was en hoognodig moest slapen. Ik heb behoefte aan mensen als Sonia, nog afgezien van het feit dat Sonia aardig is, dus het heeft geen zin haar kapsel te bekritiseren of haar nieuwsgierigheid af te wijzen.

Voor vermoeidheid had ze begrip, en glimlachend liep ze terug naar haar hoorn des overvloeds van cement en plastic.

"À propos", zei ze. "Je hamster bijt." Ik liet mijn ogen rollen bij wijze van excuus. Ze liet een ontstoken, bepleisterde vinger zien. "Ik probeerde hem te aaien."

"Ja, van hem moet je met je vingers afblijven. Ik laat hem afmaken."

Ze draaide zich om en ging weg, maar ik denk niet dat ze zag hoe mijn jonge student zijn auto achter de mijne parkeerde, want ik had het idee dat ik haar deur hoorde dichtvallen op het moment dat hij de motor afzette.

Ik gaf hem de sleutels en vroeg hem of hij de deur wilde openen, want ik stond met de enorme stapel brieven, mijn weekendkoffer en mijn kalfsleren tas in mijn hand, en met mijn jas over mijn arm.

"Ik ben net terug uit Marseille, dus ik moet eerst even in bad", zei ik, terwijl ik de brieven op de keukentafel smeet. Vanuit mijn ooghoeken ving ik het rode knipperen van mijn antwoordapparaat op, maar besloot het te negeren. "Pak maar wat uit de koelkast als je ergens zin in hebt." (Pas later bedacht ik dat de koelkast leeg was.) Ik smeet de tassen en de jas op de keukenstoel en haastte me naar de badkamer, waar ik allereerst een forse slok uit de fles Vecchia Romagna nam, die ik in de toiletkast heb staan.

Toen de warme stralen van de douche me likten, voelde ik dat ik Sonia niet alleen maar een leugentje om bestwil had verteld. Ik was werkelijk dood- en doodmoe en had nu spijt van de jongeman, die vermoedelijk op een van mijn Provençaalse rieten stoelen in de open keuken op zijn nagels zat te bijten. Ik voelde me niet in staat om met hem te converseren. Ik draaide de douchekraan dicht, greep naar een handdoek en besloot dat ik hem zou verzoeken om weer weg te gaan, maar toen ik de slaapkamer binnenging, nog steeds met alleen maar de handdoek om me heen gewikkeld, lag hij al spiernaakt in mijn bed. Daar kon ik geen nee tegen zeggen. Hij had een heerlijke vierkante borstkas en een ongebreidelde vrijpostigheid, waardoor al mijn sluimerende attributen werden gewekt, en hoewel ik me zijn naam niet herinner, misschien omdat hij er niet aan toe kwam mij die te vertellen, was hij zeer bevorderlijk voor een zalige slaap na afloop.

3

Er werd aan één stuk door gebeld in mijn hoofd. Ik werd wakker en zocht op de tast naar de hoorn op het nachtkastje, en hij begon zonder dat ik een woord had gezegd: "Wat de mond uitgaat, komt voort uit het hart, en dat verontreinigt den mens. Want uit het hart van de mens komen slechte gedachten voort: ontucht, diefstal, moord, overspel, hebzucht, boosheid, bedrog, zedeloosheid, het boze oog, godslasteringen, hoogmoed, opvliegendheid. Al dit kwaad komt voort uit het hart en bezoedelt den mens."

Ik verbrak de verbinding en checkte het display; ditmaal kwam het telefoontje van cel 9 in Cornwell. Wat was hij toch irritant, wie het ook mocht zijn.

Ik stond net op het punt mijn bed uit te stappen toen de deurbel ging. In plaats daarvan begon ik met mijn benen te spartelen.

Zo veel lawaai, zo vroeg!

Ik checkte de wekker: 14.33 uur. Tja. Zo veel lawaai midden op de dag dan. Ik stak een hand uit naar mijn bloedrode zijden kimono, die een verliefde FBI-agent me had toegestuurd vanuit Japan als bedankje voor 'de verleidelijke vangst, Fanny Fiske', en aldus uitgedost liep ik naar de intercom en vroeg wie daar was.

"Sam!" klonk het sarcastisch.

Rechercheur David Berkowic was gewend geraakt aan de naam die ik hem had gegeven toen ik eenmaal begon samen te werken met de politie in Cornwell. Maar hij had het me nooit vergeven.

Sam is mijn privé Berko-*witz*. Zoals gezegd heet hij in werkelijkheid David Berkowic. Hij is geboren in een afgelegen dorp in Lublin, Polen, uit twee zeer boerse ouders, die er natuurlijk geen idee van hadden wat er zich van juli 1976 tot juli 1977 in New York had afgespeeld. In dat jaar werd de stad geterroriseerd door een serie satanische moorden, die de 'Zoon van Sam'-moorden werden genoemd. Gedurende de hele periode waren de Newyorkers met paniek geslagen, want de onbekende dader schoot er op los met zijn .22-kaliber pistool en vermoordde diverse paartjes die elkaar zoenden of met elkaar zaten te praten in hun geparkeerde auto's. De terreur stopte toen de 24-jarige David Berkowitz werd gearresteerd, en diezelfde Berkowitz is sindsdien een van de beroemdste seriemoordenaars in de geschiedenis van de vs geweest – hoewel hij in feite niet voldeed aan de criteria voor een seriemoordenaar, maar meer gemeen had met de lustsluipmoordenaar of de seriepleger van aanslagen.

Maar deze Sam, mijn Sam, is ontzettend lief. Als hij niet uit de Griezelboom zou zijn gevallen en op zijn weg naar beneden alle takken had geraakt, denk ik dat ik hem met huid en haar zou hebben bemind. Hij is niet groter dan twee sofakussens en is net zo zacht. Zijn halflange, zwarte haar is in de regel vettig, en er zit altijd roos op de rug van zijn zwarte, goedkope pak als sneeuwvlokken op een duistere daad. Zijn neus beslaat de helft van zijn gezicht, en verder spuugt hij wanneer hij opgewonden raakt – ik bedoel: kwaad, geïnteresseerd, ijverig – dát soort opwinding. Hij is niet ouder dan een jaar of 35, 40, maar zijn gezicht is grondig geruïneerd door grillroomvoedsel, hardvochtigheid en onregelmatige slaap. Wanneer je bij de politie werkt, kun je het je niet permitteren om die manco's te verhelpen.

Toen ik opendeed, rolde zijn compacte gestalte naar binnen, alsof hij tegen de deur had staan leunen. Hij had zijn armen vol met boodschappentasjes.

"Die stonden voor de deur", mompelde hij, en hij voegde eraan toe: "Je tuinman is pisnijdig." Ik stak mijn hoofd naar buiten, en daar stond kleine, dorre Eisik me zoals gewoonlijk lelijk aan te kijken in zijn beige werkplunje. Ik groette hem vriendelijk en vroeg of ik iets voor hem kon doen, maar hij schudde gepikeerd het hoofd, pakte zijn schop en liep weg.

In de keuken zette Sam de boodschappentasjes op tafel en begon ze te legen. Hij kan nooit stilzitten, dus ik liet hem zijn gang gaan en begon koffie te zetten. Zelfs met mijn rug naar hem toe voelde ik dat er vandaag iets faliekant mis met hem was.

Sam is erg emotioneel en heeft altijd met een of ander gevoel te kampen. Soms is hij neerslachtig of sentimenteel, dan weer is hij verliefd of hatelijk en sarcastisch, dan weer is hij gewoon razend. Hij kan zo razend worden dat zijn kleine, compacte lichaam in een smeltende atoomreactor verandert, en wanneer dat het geval is, kun je maar beter je zevenmijlslaarzen aantrekken. Ik vergeet nooit die keer dat hij in blinde woede zijn auto aftuigde en ten slotte de 'ogen' ervan uitstak met zijn blote vuisten.

Maar vandaag leek hij niet aan razernij te lijden.

Ik draaide me om en vroeg het hem.

Hij zette de melk en de op mayonaise gebaseerde salades in de ijskast, legde het fruit in het koelvak, het vlees in de vriezer en de pasta in de keukenkast naast het fornuis. En hij zei geen woord voordat hij helemaal klaar was. Toen draaide hij zich om, en ik kon duidelijk zien dat hij trilde.

"Ik werk nu al zeventien jaar bij de politie", begon hij met zijn ogen op het aanrecht gericht. Zijn stem beefde. "En ik heb nog nooit mijn .38-kaliber gebruikt. Ik heb nog nooit iemand doodgeschoten, ik heb nog niet eens iemand in zijn brachiale zenuw geschoten." Hij begroef zijn hoofd in zijn handen.

"Tot vanmorgen."

Hij keek op. "Ik stond bij de receptie en nam telefoonberichten in ontvangst toen ik om acht uur op mijn werk kwam,

en opeens kwam dat krankzinnige vrouwspersoon aangelopen, zo'n 45 à 50 jaar, zag eruit alsof ze in een moeras had
gezwommen. Ze richtte dat .32-kaliber pistool op me, mikte
op het plafond en verbrijzelde een peer – toen mikte ze op
mij en zei dat als ik haar niet neerschoot, zij mij neerschoot.
Ik weet niet meer precies hoe ze het zei, maar het klonk volkomen lijp. Ik was totaal onvoorbereid, nog steeds niet helemaal wakker, ik trok mijn pistool en mikte op haar schouder,
maar trof haar recht in haar hart, en ze viel ter plekke dood
neer."

Ik schoof een stoel aan en liet hem plaatsnemen. Toen
schonk ik koffie in en zette een kopje voor hem neer. Ik ging
naast hem zitten en legde zijn hoofd op mijn schouder. Toen
liet hij zijn tranen de vrije loop, stilletjes en zonder ophouden.
Ik streek hem over zijn haar. Soms was hij als een kind, en misschien hield ik juist daarom zo veel van hem. Hoewel hij veel
te gevoelig was om die baan te hebben, was hij niettemin de
bekwaamste rechercheur met wie ik ooit heb samengewerkt.
Ik voel me genoodzaakt dit te benadrukken, want vaak hoor ik
het commentaar dat Sam 'incompetent overkomt'. Sam zal
onvermijdelijk incompetent overkomen wanneer ik verslag
uitbreng van ons werk hier in Cornwell, want hij gebruikt uitsluitend zijn linkerhersenhelft, terwijl ik geneigd ben de rechter erbij te betrekken. En verder vind ik het natuurlijk ook
leuk mezelf een beetje te verheerlijken, daar kom ik eerlijk
voor uit.

Maar Sam is mijn vriend. Hij is een brave man en een goede
politieman. En van tijd tot tijd – mijn minnaar.

Ik begon tegen hem te praten zoals ik dat gewend was te
doen wanneer hij instortte. Ik praatte aan één stuk door; stilletjes en zachtjes verzekerde ik hem dat de bedoeling goed was
geweest. Hij had weinig keus gehad en kon er niets aan doen.
Langzaam hield hij op met sidderen, en langzaam hield hij
op met huilen. Op het laatst keek hij op en staarde naar de
ijskastdeur, schudde zijn hoofd.

Zelfmoord met assistentie van de politie. Dat – daarover waren we het snel eens – was een idiote manier om de politie te gebruiken. Een misselijke streek. En iets wat Sam nooit zou vergeten.

"We hebben er geen idee van wie ze is. Ze had geen identiteitsbewijs bij zich, geen papieren, *gówno*, niks!" Hij nam een slok koffie. "Er is niemand als vermist opgegeven, dus we moeten het proberen met haar tanden en het DNA-archief."

"Is ze nu bij Lisa?" Lisa was de forensische patholoog-anatoom. "De vrolijke Zweedse" noemden we haar, om de evidente reden dat ze zowel vrolijk als Zweedse was.

Hij knikte. Zijn maag knorde, en ik wist dat hij vandaag nog niets had gegeten. Na de echtscheiding was hij opgehouden met eten, tenzij hij werd gevoerd. Hij wist niet hoe hij dat moest aanpakken. Ik geloof niet eens dat hij wist wat honger betekende, dat je honger met eten kon doen ophouden. Ik stond op en smeerde een paar sandwiches met kippensalade voor hem, terwijl hij bleef zitten en zichzelf therapeutisch herhaalde, de gebeurtenissen van die ochtend keer op keer doornam.

"Maar wat heb je al die tijd dan gedaan?"

"Ik heb me met haar beziggehouden, *do diabla*, wat anders?"

"Duurde dat de hele ochtend?"

"Zo goed als." Nu kauwde hij. "We hebben ook dat tienjarige meisje, dat verdwenen is."

"Hoe lang is ze al weg?"

Hij schudde zijn hoofd. "Drie dagen."

"Dat is te lang", zei ik, zijn hoofdschudden vertalend.

Hij knikte. "Dat is veel te lang. De hele afdeling werkt eraan, en alle drie padvindersclubs kammen de heide en het bos uit. We doen wat we kunnen. En de ouders ..." Het laatste woord verdronk in een keelgeluid, en nu begon hij weer te huilen. "Die zijn volledig kapot." Sam had zijn mond vol met kippensalade, en het leek alsof er water uit al zijn spleten kwam. Hij had twee dochters, een van tien en een van acht, en hij deed wat hij kon om uit te buurt te blijven van zaken met kinderen. Hij was daar niet tegen bestand. Hij zag elke keer zijn eigen meisjes in de plaats van de slachtoffers, en telkens wanneer hij met een zielsbedroefde ouder praatte, was het alsof hij met zichzelf praatte. Het is best mogelijk dat sommige politiemensen gehard raken. Sam wordt dat nooit.

"Waar woont ze?" vroeg ik om de politieman in hem weer tot leven te wekken.

"Forest Hill", snikte hij met een radeloze blik. De uitdrukking op zijn gezicht kwam door het feit dat Forest Hill een district is waar welgestelden wonen. Hier zijn de huizen peperduur, onder andere omdat er vrijwel nooit wordt ingebroken. De wijk ligt aan de rand van de stad, in het zuiden, en elk perceel is groot en goed beschermd door alarminstallaties en heggen.

"Ellen Frosh", vervolgde hij monotoon. "Ze speelde in de tuin. Ze was aan het schommelen. Haar moeder was in de keuken koekjes aan het bakken met haar broertje. Haar vader was zijn gereedschapskist op orde aan het brengen in de garage. Verdomme, Fanny, die garage lag tien meter van de schommel vandaan, maar om een hoek, zodat hij haar niet kon zien. Maar als je een tienjarig meisje niet in haar eigen tuin kan laten spelen, op een zondag, wat kan ze dan wel? Waar kun je je dan veilig voelen?" Ik zag dat hij zich opnieuw identificeerde. Hij had zelf een huisje met een heggetje om een tuintje, waar ook schommels en – om het weekend – kinderen waren.

Hij vervolgde: "Er is een heg om de hele tuin, een hoge. En onze unsub had op zijn dooie gemak een gat in de heg geknipt. Een heel sierlijk gat. Alle hoeken waren in zijn voordeel. Haar vader kon haar niet zien, haar moeder kon haar niet zien, en zijzelf kon het gat in de heg niet zien, want het ging schuil achter een speelhuisje. Dit hier moet een waanzinnig koelbloedige unsub zijn."

Ik zei niets. Eerlijk gezegd ergerde ik me aan zijn jargon. Een onbekende dader heette een 'unsub', een verkorting van 'unknown subject'. Dat woord was in de jaren 70 door de FBI bedacht. Nu hebben alle plaatselijke smerissen in de hele wereld het over unsubs omdat ze dat onwijs gaaf vinden. Ik scheer ze gewoon allemaal over één kam, ik noem ze smeerlappen. Dat vind ík onwijs gaaf.

"En nu moet ik weer met die ouders gaan praten", zei hij huilend. "Ze moeten met meer mensen op de proppen komen met wie Ellen in contact is geweest. Meer mannen. Dit hier is geen vreemde. Ze is met hem meegegaan. Er waren geen getuigen, maar het kan zijn dat die zich naderhand melden. Niemand heeft een schreeuw gehoord of een meisje gezien of een man of een verkeerde auto of wat dan ook. Ik denk dat ze vrijwillig met hem is meegegaan. Ze kent hem."

"Ze kent hem oppervlakkig", zei ik. "Het is een persoon die ze eerder heeft ontmoet, maar het is niet zeker dat de ouders hem kennen. Het is een man die een paar keer met haar heeft gepraat, die vriendelijk is geweest, haar heeft geholpen, maar ik denk niet dat het iemand is die de ouders kennen."

"Daar weet jij geen *gówno wiecz* van, Fanny. *Gnoj!* Schei toch uit."

"Het klinkt alsof hij de zaak heel goed heeft georganiseerd", vervolgde ik. "Hij heeft het goed gepland, en hij laat zich niet een, twee, drie vangen. Dit soort lui wordt de beste maatjes met de kinderen zonder de ouders erbij te betrekken."

"Als jij het allemaal zo goed weet, *kurwa mac*, waarom ga je dan niet naar die ouders toe om met hen te praten?"

Ik haalde mijn schouders op. Hij wist best dat dit niet onder mijn werkbeschrijving viel, nog afgezien van het feit dat de politie van Cornwell mijn services niet eens had gehuurd. Mensen als ik doen niet mee aan het onderzoek. We bemoeien ons niet met het werk van de politie. We maken onze profielen en onze analyses, en geven die aan de politie door, en dan trekken we ons terug tenzij de politie extra vragen of nieuwe inlichtingen heeft die tot wijzigingen in de profilering zouden kunnen leiden. Maar natuurlijk is het wat anders wanneer ik voor de politie in Cornwell werk. Hier sta ik uiteraard dichter bij het onderzoek. Ik woon hier immers, ik ken iedereen bij de politie van Cornwell en op de afdeling forensische geneeskunde – de officieren van Justitie, de procureur-generaal en de rechters, die ken ik door en door.

Vandaar ook dat Sam me vorige maand had gevraagd of ik met de procureur-generaal, P.J. Harvey, wilde praten over de nieuwe instructies voor Cornwell-Grafton. Omdat ik haar zo goed kende. Volgens haar instructies moest de politie het motief en het ontbreken van een alibi aantonen, en tenminste met één concreet bewijs of één getuigenverklaring op de proppen komen voordat een verdachte voor 24 uur in verzekerde bewaring kon worden gesteld en voordat het huis van een verdachte kon worden onderzocht. Dat maakte het werk van de politie natuurlijk onmogelijk, nog afgezien van het feit dat ik nooit heb begrepen wat 'betrouwbare getuigenverklaringen' in feite waren. Ik had met P.J. gepraat, maar het was me alleen maar gelukt de eis te laten verwijderen dat de politie het motief moest aantonen, door erop te wijzen dat er maar zelden een motief bestond in een wereld waar vreemden door vreemden werden vermoord.

Tijdens mijn gesprek met P.J. kreeg ik de indruk dat de instructies een soort strafmaatregel of opvoedkundige actie vormden die speciaal was gemunt op Sam en de andere (net zo heetgebakerde) rechercheurs in Cornwell en Grafton. Ze hadden domweg te veel mensen voor te weinig gearresteerd en ze te lang vastgehouden, en P.J. zat tot over haar oren in klachten en processen van onschuldige mensen, die van mening waren dat hun mensenrechten door Sam & Co waren geschonden. Wat waarschijnlijk ook zo was. Maar het was ook zo dat de politie van die instructies af moest, anders hadden ze geen schijn van kans. Dus vorige week had rechercheur Julio Estevez tegen de instructies geprotesteerd in een brief aan de Europese Raad van Justitie, die de politiesamenwerking in de evs coördineert. (Hij had ook een ingezonden stuk geschreven.)

"Heeft Julio antwoord van de Raad van Justitie gekregen?" vroeg ik aan Sam, die ver weg leek te zijn. Er ging een schokje door hem heen, hij lachte honend.

"Ja. De behandelingstijd is zes à negen maanden. Dat was het antwoord." Hij schudde het hoofd en keek een andere kant op. "Dan kunnen we het werk er net zo goed bij neerleggen."

Ik stond net op het punt hem te vertellen dat de ellendige situatie gedeeltelijk zijn eigen schuld was, toen hij me in de rede viel: "Ken jij overigens Cormio Vittantonio niet?"

"Ja, heel goed zelfs."

Cormio Vittantonio was een vroegere rechercheur in Siena, en ik had nauw met hem samengewerkt in verband met een reeks moordzaken een paar jaar geleden. Op een gegeven moment werd hij ervan beschuldigd op de loonlijst van de maffia te staan, en toen dat (valse) nieuws op de voorpagina van alle mogelijke kranten verscheen, was het vergezeld van een foto van hem en mij, arm in arm, bij het verlaten van een restaurant dat in het bezit was van de maffia. Dat was niet bevorderlijk voor mijn reputatie, en het duurde enige tijd voordat mijn naam weer gezuiverd was.

"Hij is nog twee jaar voorzitter van de Raad van Justitie", vervolgde Sam. "Kun jij niet met hem praten en ervoor zorgen dat er spoed achter de behandeling wordt gezet?"

Ik zuchtte. Natuurlijk kon ik met hem praten. Maar als ik alle vriendendiensten zou moeten uitvoeren waar ik om gevraagd werd, omdat ik zo langzamerhand iedereen kende die een leidende post had in Europa, kon ik wel aan de gang blijven. Maar kon ik nee zeggen tegen Sam?

"Jawel", zei ik, opnieuw zuchtend. "Zodra ik er tijd voor heb. Ik moet morgen vroeg naar Rome."

Ik keek op mijn horloge. De middag werd zo dadelijk avond, en ik had nog heel wat andere dingen door te nemen.

"Roberto Piqueri heeft een afschuwelijke zaak waarmee hij niet verder kan komen."

Ik zag aan Sam dat hij opnieuw ver weg was. Maar toen ging de telefoon. Sam werd wakker toen het antwoordapparaat werd ingeschakeld:

"Vlucht de ontucht! Iedere zonde die de mens bedrijft, is buiten het lichaam, maar de ontuchtige zondigt tegen zijn eigen lichaam."

Sam maakte een grimas naar mij, die ik niet direct begreep.

"Wie was dat in godsnaam?"

Ik haalde mijn schouders op. "Geen idee."

"Paulus' eerste brief aan de Korintiërs, hoofdstuk zes, vers achttien", zei Sam bijna werktuiglijk.

"Ik vond het ook bijbels klinken, maar hoe weet jij welke passage het was? Ben je, mmm – bijbelvast?"

"Ik heb op een seminarie gezeten in Krakow. *Uchowaj boze.* In mijn vroegere leven. Vier weken lang."

Mijn mond viel open van verbazing. Hij mocht dan een gevoelige jongen zijn, maar een priester zag ik niet in hem.

"Waarom – waarom hield je daarmee op, ja, ik vermoed dat je bent opgehouden?"

"Dat lijkt er sterk op!" Hij trok zijn wenkbrauwen op. "Omdat het *bzdura*, flauwekul, is. Goedbeschouwd is het lariekoek."

"Is de bijbel lariekoek?"

"Er is te veel larie. Neem nou ..." Hij dacht na. "Ach, Jahweh, mijn Heer: zie, ik kan nog niet spreken, ik ben maar een kind."

"Ja?" probeerde ik, want ik begreep niet wat hij bedoelde.

"Ja, als hij niet kan spreken omdat hij maar een kind is, is hij immers niet meer dan twee, drie jaar. En dan kan hij niet zo goed zeggen 'Ach, Jahweh, mijn Heer, ik kan nog niet spreken, ik ben maar een kind!' Nietwaar? Je kunt toch zeker niet zeggen dat je niet kunt praten wanneer je daarmee aantoont dat je wel kunt praten?"

"Nee, nee. Als jij zo geleerd bent, wil je dan misschien ...?"

Hij viel me in de rede: "En dan heb je Jeremias 9:24, dat is een van mijn favorieten: Zie, de dagen komen, spreekt Jahweh, dat ik op alle besnedenen afkom, die onbesneden bleven. Wat zeg je me daarvan? De besnedenen die onbesneden bleven? Hoe noem je dan de besnedenen die besneden zijn? Besneden besnedenen? *Opowiesci dziwnej tresci*. Ik heb er altijd lol in gehad om erachter te komen waar die besnedenen eigenlijk besneden zijn."

"Ja, ja. Maar als jij zo geleerd bent, wil je dan die andere citaten ook niet even horen?"

Hij knikte, en ik stak een hand uit naar het antwoordapparaat en drukte op rewind, en toen de band stopte, ging hij automatisch over op *play* en begon met een heleboel statisch gedruis. Toen volgde zijn raspen, waarna hij van wal stak: "Sla uw ogen op naar de hoogten, en zie: waar hebt ge u niet laten schenden? Zo hebt ge het land bevuild met uw ontucht en boosheid; en uw talloze minnaars zijn u een valstrik geworden. Ge hebt het voorhoofd van een meid, nooit hebt ge schaamte gekend." Toen klonk er een heleboel gerasp en geritsel met de telefoon voordat er werd opgehangen. Toen kwam Sonia's stem, die alleen maar zei: "Pot *au feu* met jonge haan en zomerse kruiden om halfacht." En zeer *to the point* klonk daarna mijn vaders stem, die me liet weten dat hij in geen dagen iets te eten had gehad. Vlak daarna kwam de oude man weer. "Door uw lichtzinnige overspel hebt ge het land bezoedeld en echtbreuk gepleegd met steen en hout." Ik keek naar Sam, die zijn wenkbrauwen optrok. Plotseling klonk de gebroken stem van de Franse forensische patholoog-anatoom: "Oh, main geliefde Fanny, wat hadden we het fain samen, maar toen ik wakker weird, was je wek, en ik miste je. Zien we elkaar binnenkort, main lief?" Ik voelde hoe ik bloosde, en ergerde me erover dat Sams wenkbrauwen te dicht bij zijn haargrens bleven zitten.

"Ja ja ja", zei ik kortaf terwijl ik het antwoordapparaat afzette. En op hetzelfde ogenblik, als een wandelend monument van slechte timing, kwam mijn jonge student de keuken binnen wankelen, gelukkig volledig gekleed. Hij streelde mijn wang, zei dank je wel, knikte Sam toe en verliet het huis. Zo veel stijl had ik niet op zijn leeftijd, schoot me te binnen; heel even vergat ik Sams wenkbrauwen.

Toen de deur achter hem dichtviel, voelde ik Sams blik op me gericht. Was die gekwetst? Of was die verwijtend?

"Nou en, wat zeg je ervan? Van al dat bijbelgeleuter, bedoel ik."

"Tja, ik zeg gewoon wat je al weet – dat er iemand is die niet tevreden is over jouw ..." Ik kon zien hoe hij nadacht. "... uitspattingen."

"En ik kan aan jou zien dat jij dat ook niet bent."

"Daar heb ik niks over te vertellen. Je doet wat je wilt."

Gekwetst. Hij was gekwetst. Ik stond op en omhelsde hem. Zijn geur was welbekend en knus, en hij mocht niet gekwetst zijn.

"Kom", zei ik. "Kom even mee naar binnen." Hij duwde me weg.

"Waarom doe je dat, Fanny?" Hij keek me met enige afschuw aan, en ik geneerde me opeens, zonder te weten waarom.

"We vroegen aan Ted Bundy", begon ik na een poosje, "toen we hem interviewden in de gevangenis, waarom hij die vrouwen vermoordde. Toen zuchtte hij alleen maar geïrriteerd en zei dat hij niet begreep waarom men niet gewoon kon accepteren dat hij moorden beging omdat hij daar lol in had. Waarom wij alle mogelijke andere verklaringen en motieven probeerden te vinden."

Hij keek me sprakeloos aan.

"Omdat Ted Bundy, een lijpe gozer die zijn dagen in de elektrische stoel eindigde, geen betere verklaring kan vinden, hoef jij, doctor Fanny Fiske, dat ook niet te kunnen?" riep hij uit.

"Zo bedoelde ik het niet!" schreeuwde ik hem welhaast toe, hem bij de arm pakkend op het moment dat hij overeind kwam.

"Ik weet best wat je bedoelde, Fanny", siste hij, zijn arm losrukkend. "Waarom koop je verdomme niet gewoon een dildo?"

Ik sloeg mijn ogen neer. "Daar ontbreekt iets aan", zei ik zachtjes. "Geluiden, geuren, huid, haar, spieren, pezen, polsslag, baardstoppels, lippen, woorden – moet ik doorgaan?"

Ik keek op. Hij keek me honend aan, verachtelijk. Gekwetst.

"Blijf bij me", piepte ik, mijn ogen weer neerslaand.

"Niet vandaag, Fanny. Dit is mijn dag niet. Ik ben niet in de stemming."

Hij begaf zich naar de deur. Zijn stappen klonken hard.

"Ik moet naar die ouders toe."

Het geluid van de dichtvallende deur bezorgde me een zenuwschok. Ik rukte de kimono van mijn lijf en ging in bad. Ik trachtte me te concentreren op die pot *au feu* met jonge haan en zomerse kruiden, waarin ik van zins was mijn tanden te zetten – om vervolgens af te druipen met een paar goed geplaatste excuses dat ik het zo druk had.

4

D<small>E ZAAK HAD</small> enorm veel aandacht in de media gekregen, alleen al omdat het zo'n weerzinwekkende zaak was. Zesentwintig rechercheurs hadden meer dan duizend mogelijke getuigen en verdachten ondervraagd en alle bekende seksuele misdadigers in Rome en omstreken gecheckt. Maar na een maand waren ze niets opgeschoten, alle sporen liepen dood en het onderzoek was in het slop geraakt. Toen belden ze mij op, en de dag erna kwam er een koerier met het dossier, de foto's en het verslag van de forensische patholoog-anatoom.

Ik doorliep het dossier in het vliegtuig en kwam er al snel achter dat ik deze zaak telefonisch had kunnen afhandelen. Niks aan te doen. Roberto was een bezoek waard.

Anna Pandori was een 26-jarige kleuterschooljuf. Ze was heel klein, woog niet meer dan 45 kilo en had een horrelvoet. Ze was een schuwe, verlegen jonge vrouw, die nog steeds bij haar ouders woonde in een bouwvallige flat aan de Via Appella. Zoals gewoonlijk was ze 's morgens om halfacht van huis gegaan, maar om halftien kwam er een telefoontje van de school omdat ze niet was verschenen. Dat was helemaal niets voor haar; vandaar dat haar moeder zich onmiddellijk zorgen maakte en naar vrienden en familie begon te bellen. Maar een tijdje later werd er aangebeld, en daar stond de conciërge. Een vijftienjarige jongen van de tweede verdieping had Anna Pandori gevonden op de overloop naar het dak, toen hij het dak op wilde om zijn vlieger op te laten.

Ik viste naar de foto's, maar hoorde de stewardess rommelen met het koffiewagentje en liet ze in de envelop liggen. Toen ik dit soort foto's voor de eerste keer zag, moest ik naar het toilet om over te geven, en tot de dag van vandaag kan ik me nog steeds niet samen met een lijk in een kamer ophouden. Maar aan de foto's ben ik gewend geraakt.

De koffie kwam, en ik verlangde melk, suiker en een Vecchia Romagna. Hoe zou ik eruitzien in mijn Modella Franchesajurk van rode crêpe? Ik trachtte dat af te lezen aan het gezicht van de stewardess. Kon je aan haar gezicht zien dat ik er goed uitzag en chique kleren droeg? Nee, dat was niet te zien en het kon me ook niets schelen. Ik sloeg de brandy in één keer achterover en haalde diep adem. Toen haalde ik de foto's tevoorschijn.

Het was inderdaad een zeer jeugdige vrouw, ze leek op een zestienjarige. Ze was naakt. Haar benen waren gespreid, en haar armen waren vastgebonden met een riem – de hare, stond er in het rapport – en met haar eigen nylonkousen. Haar tepels waren afgesneden en op haar borstkas geplant; volgens de forensische patholoog-anatoom was dit na haar dood gedaan. Haar onderbroek bedekte haar gezicht. Haar dijen en knieën vertoonden sporen van beten. Haar hele lichaam zat onder de oppervlakkige scheurtjes, waarschijnlijk veroorzaakt door een zakmes. De schacht van haar paraplu was in haar schede gestoken, en haar kam was op haar schaamheuvel gezet. Haar oorringen lagen op de vloer, symmetrisch aangebracht naast haar hoofd. Op haar dijen had de moordenaar geschreven NON PUOI FERMARMI en op haar buik VAFFANCULO. Dat betekende, las ik, JE KUNT ME NIET STOPPEN en LIK M'N REET – of met andere woorden: LOOP NAAR DE HEL. Een ander detail was dat de moordenaar in de buurt van het lijk zijn behoefte had gedaan en zijn excrementen met Anna's kleren had toegedekt.

Ik nam opnieuw het rapport van de patholoog-anatoom ter hand. Ze was met een bot instrument bewusteloos geslagen, en de slagen waren zo hard geweest dat haar kaak, neus en jukbeen waren gebroken en al haar tanden waren losgeraakt. De doodsoorzaak was wurging geweest. Hij had de riem van haar eigen tas gebruikt. Er waren zaadsporen op haar buik en op de vloer naast haar gevonden, dus de moordenaar had gemasturbeerd toen hij klaar was met de versiering van het lijk. Maar er was niets wat op verkrachting duidde. De patholoog-anatoom had geen kwetsuren gevonden die aantoonden dat ze zich had verweerd – geen afgebroken nagels, schrammen of wonden op en rond haar handen en armen, dus de dader had haar waarschijnlijk te grazen genomen voordat ze zich kon verweren.

Nadat hij de plaats van de misdaad had onderzocht, had rechercheur Pucini geconcludeerd dat Anna Pandori was overvallen terwijl ze de trap afliep. De moordenaar had haar bewusteloos geslagen en haar toen de trap op gedragen naar de overloop.

Ik sloot mijn ogen, leunde achterover en veranderde in Anna Pandori. Het is niet altijd gemakkelijk, maar het is altijd onaangenaam om in de schoenen van het slachtoffer en de beul te gaan staan, je met hen te vereenzelvigen. Maar dat is iets wat ik moet doen. Ik moet proberen na te gaan hoe het aanvoelt voor hen allebei.

Anna Pandori.

Ik strompel de trap af met mijn schooltas onder mijn arm. Ik ben klein, maar onbevreesd, ik heb niets te vrezen, ik heb geen enkele reden om bang te zijn, ik heb geen vijanden. Ik kom iemand tegen die ik ken, ja ik ken hem, dus ik glimlach wanneer ik hem passeer, ik voel iets zonder dat ik erin slaag te registreren wat het is. Nu ben ik weg.

Ik opende mijn ogen. De man was kwaad. Ik sloot mijn ogen weer en voelde de boosheid. Die was van hem. Nu zou die van mij worden.

Ik ben die vent, een seksuele sadist. Hoe meer mijn slachtoffer lijdt, des te prikkelender, des te bevredigender het is.

Maar – ik heb het lef niet om het te doen. Ik lees erover, ik fantaseer erover, jaar in en jaar uit – en nu ontmoet ik die kleine Anna Pandori, en zij is klein genoeg voor mij om haar te kunnen nekken. Ik heb dit niet gepland. Maar ik heb jarenlang de drang in me gevoeld, en die heeft de hele nacht in me rondgepompt, en terwijl ik hier de trap op loop, ben ik op jacht naar iets waar ik geen woorden voor heb. Ik geloof dat ik hier woon of werk, en nu komt zij daar ineens aangestrompeld, en zonder erover na te denken verkoop ik haar van achteren een dreun met iets zwaars. Er was iets binnenin me. Dit was iets wat ik moest doen.

Ik opende mijn ogen een seconde en sloot ze weer: waar sloeg hij haar mee? Het was iets zwaars, maar op de plaats van het misdrijf werd niets gevonden wat hij had kunnen gebruiken. En het was spontaan, hij had het niet gepland. Ik hoorde het ritselen van stof en het geluid van voetstappen. Ik opende mijn ogen. De stewardess kwam weer voorbij. Ik kreeg meer koffie en nog een Vecchia, die ik in één keer achteroversloeg. Ik sloot mijn ogen opnieuw, en even later was ik die vent weer.

Nu is ze omgevallen op de trap, dus ik neem haar in mijn armen en hol geluidloos de trap op naar de overloop, leg haar neer en sla haar op haar hoofd, telkens opnieuw. Ik hoor het geluid van brekende botten. Het is het begin van een fantasie die ik al jarenlang heb. Ik ben boos, nu ben ik boos op haar, erg boos, en ik kan met haar doen wat ik wil, maar voor mij is ze een willekeurig iemand. Ik voel me knap. Wat knap van me! Ik heb dit zelf gedaan, en ik heb gedaan wat ik moest. Ik voel een enorme wellust in me opkomen. Nu gaat ze eraan. Ik steek een hand uit naar haar tas, leg de riem rond haar hals en trek uit alle macht. Ik blijf trekken, misschien langer dan nodig is, maar het geeft me een kick, dat trekken, een taai, langdurig trekken dat door niemand kan worden gestopt. Ik ben de baas. Nu moet ik haar verkrachten, maar ik durf het niet en pak daarom onbewust haar paraplu, grijns er verbroederend naar en steek die in haar schede. Ik zal haar versieren, nu, ik zal haar optuigen.

Dat is mijn werkmethode. Eerst kijk ik naar de foto's, het sectierapport en de conclusie van de forensische patholoog-anatoom en naar het verslag van de verantwoordelijke rechercheur. Dan correleer ik, zowel met mijn bewustzijn als in de snelle banen daarachter, de inlichtingen met de schat aan statistische informatie die ik in mijn hoofd heb, en dan zie ik de dingen zo goed als ik kan.

Achter mijn gesloten ogen hoorde ik hoe de stewardess mijn gebruikte service weghaalde, en het geluid wekte me. De timing was in orde, want nu wist ik ook hoe de dader was. Ik schreef een memootje voor mezelf en stopte dat in mij zak. Toen hoorde ik het geluid en keek naar het *fasten seatbelt*-bordje dat oplichtte. Ik gehoorzaamde mechanisch en borg het dossier weg in mijn kalfsleren tas. Toen doezelde ik wat.

Rechercheur Roberto Piqueri haalde me op van Leonardo Da Vinci. De eerste keer dat ik de politie van Rome assisteerde, had hij op dezelfde plek gestaan als nu, vlak voor de uitgang achter een touw met een idioot bord waarop mijn naam stond. Hij was een groot vraagteken geweest toen ik met mijn hand ter begroeting gereed op hem toeliep en me voorstelde. Hij had een mevrouw op leeftijd verwacht, had hij gezegd terwijl hij me ongelovig aanstaarde, niet 'een jong fotomodel', zoals hij zich had uitgedrukt. Ik moest daarom mijn identiteitsbewijs voor zijn neus houden. (Ik liet hem het fotopasje van de EFBI zien, dat alleen maar is voorzien van mijn naam en mijn titel van aan de EFBI gelieerde profileringsexpert. Mijn geboortejaar staat er niet op. Ik ben een mevrouw op leeftijd, maar dat hoeft niemand te weten wanneer je over de technologie beschikt om dat te verbergen.) In elk geval werd zijn verbazing er niet minder op toen ik hem voorstelde dat we bij hem thuis wat zouden gaan relaxen. Roberto is nu eenmaal een Romeinse god, lichamelijke aantrekking op het eerste, tweede en derde gezicht, en het leven is nu eenmaal te kort voor uitgestelde bevrediging. Dus hebben we er een traditie van gemaakt – hij haalt me op, precies daar, voor de deur, achter het touw, zij het zonder bord, en dan gaan we naar zijn fraaie flat in het noorden van Rome en vergrijpen ons aan elkaar, zonder ons te bekreunen om de foto's van vrouw en kinderen die op het nachtkastje staan. En dan, na afloop, kunnen we ons concentreren op de reden van mijn komst.

We volgden de traditie, en na afloop ging hij koffie zetten, in zijn nakie. Ik trok mijn kleren aan en trippelde naar de badkamer, waar ik mijn bevredigende gezicht in de spiegel checkte en een slok water nam. Toen deed ik een greep in de kalfsleren tas, nam het dossier mee naar de keuken en ging aan de keukentafel zitten waar de resten van het ontbijt van zijn gezin nog lagen in de vorm van kruimels en een plasje sinaasappelsap. In een wip verving hij de ontbijtresten met versgezette koffie en manueel beschilderde keramiek van Deruta. Toen ging hij zitten. Naakt en volmaakt, zoals een onvergetelijke reclame uit mijn jeugd het uitdrukte. Hij haalde enige paperassen tevoorschijn, legde die naast zijn koffiekopje. En keek me aandachtig aan.

"*Allora*?" Hij glimlachte afwachtend. Nu moest ik over de brug komen.

"Jullie moeten je concentreren op een 25- à 30-jarige stadsgenoot die er niet zo best uitziet", begon ik. "Hij maakt in elk geval geen werk van zijn uiterlijk, hij is werkloos, een nachtdier, hij woont binnen een radius van een kilometer van Anna's woonblok vandaan, misschien in het flatgebouw. Hij is een eenzame jongen, hij heeft geen vriendin, en ik neem aan dat hij samen met een ouder familielid woont. Hij heeft geen opleiding en is waarschijnlijk al vroeg uit het opleidingssysteem gegleden omdat hij niet goed bij zijn hoofd is. Zijn gevoel voor eigenwaarde staat op een laag pitje, ziekelijk laag. Hij heeft geen auto, hij heeft niet eens een rijbewijs. Ik wed dat hij is opgenomen in een instituut voor geesteszieken of dat hij dat geweest is, en dat hij waarschijnlijk anti-psychotische pillen of antidepressiva slikt. Hij slikt in elk geval het een en ander. Wanneer jullie zijn woning onderzoeken, zullen jullie een heleboel sm-pornografie vinden. Zeg eh ... hebben jullie de laatste jaren geen soortgelijke moord gehad?"

Roberto schudde zijn hoofd.

"Heb je de pan-Europese database gecheckt?"

"*Secondo te?*" siste hij. Italianen kunnen zich werkelijk op hun staart getrapt voelen. Maar goed beschouwd was de vraag ook beledigend.

Ik keek in mijn aantekeningen. "Ik ben er eigenlijk vrij zeker van dat dit zijn eerste moord is, misschien zelfs zijn eerste misdaad. Maar het is niet zijn laatste – zijn laatste moord, bedoel ik. Als jullie hem niet vangen, doet hij het opnieuw. Dit hier was veel te leuk, kan ik je vertellen." Ik keek Roberto veelbetekenend aan. "Als jij een manier had gevonden waarop je het kon doen, die je werkelijk bevredigde, dan zou je ook proberen het succes te herhalen, nietwaar?"

Roberto trok zijn wenkbrauwen op en vertelde me daarmee dat hij volkomen normaal was. Maar dat wist ik best. Dus ik vervolgde mijn betoog.

"Maar voorlopig doet hij het niet. Hij is op dit moment en voor een tijdje volkomen bevredigd. Maar zoals gezegd, nu hij de stap van de fantasie naar de werkelijkheid heeft gedaan – is het alleen maar een kwestie van tijd."

"Je vindt dus dat die vijftienjarige jongen niet in aanmerking komt?" vroeg hij.

"Dit kan een vijftienjarige niet doen." Mijn ervaring vertelde me dat zo'n jonge man een lijk nooit op deze manier zou behandelen. Het duurt jaren om zo'n geavanceerde seksuele fantasie als die van deze man te ontwikkelen.

"De rechercheur blijft op die vijftienjarige focussen ondanks het feit dat de DNA niet klopt. Hij zegt dat dit is gedaan door een in seksueel opzicht onrijpe jongen, die niet weet hoe hij een verkrachting moet uitvoeren."

"Wanneer een vijftienjarige seksueel onrijp is, dan is dat natuurlijk. Seksuele onrijpheid op die leeftijd heeft nog nooit tot zo'n walgelijke moord geleid. Maar wanneer een volwassen man, die de tijd heeft gehad om fantasieën te ontwikkelen, nog steeds seksueel onrijp is en bovendien aan een vorm van psychose of afwijking lijdt, dan zie je zoiets als dit. Masturbatie boven een aldus mishandeld lijk is een oeroude fantasie. Niet die van een vijftienjarige."

Hij haalde zijn schouders op. "Ik geloof dat je gelijk hebt. En het is een beetje eng, want we hebben iemand die volkomen aan jouw signalement beantwoordt op onze lijst van verdachten ... dat wil zeggen, hij staat niet echt op de lijst, we hebben hem niet aan de tand gevoeld, want hij is opgenomen en was dat ook toen de moord werd begaan. Vandaar."

"Maar wanneer hij niet is opgenomen?"

"Hij is al jaren opgenomen, maar zijn vader woont op de vierde verdieping, vlak naast Anna Pandori."

"Dan moet je erachter zien te komen in hoeverre hij die ochtend werkelijk was opgenomen." Ik stond op en begon mijn spullen op te bergen. "Als ik er nu vandoor ga, kan ik het vliegtuig van twee uur nog net halen."

Ik belde een taxi en bestudeerde Roberto, die zijn papieren bekeek. Toen ik de hoorn weer op het toestel had gelegd, stak hij een hand naar me uit, nog steeds met zijn blik op zijn eigen hanenpoten gericht.

"Wacht eens even. Er zijn een paar dingen die ik niet begrijp ... hoe, hoe kom je er eigenlijk bij dat hij pillen slikt? Ik ben het ermee eens dat de man niet goed bij zijn hoofd is, dat hij opgenomen is en daarom misschien vol medicijnen zit, maar op welke manier kom jij tot de conclusie dat hij pillen slikt?"

Ik streek mijn jurk glad en pakte mijn jas.

"Wel, in de eerste plaats wijst de mate van ritualisering samen met de schijnbaar niet geplande rotzooi die hij maakte op een psychose die enige farmacologie vereist. En verder is er het excrement ..."

Hij viel me in de rede: "Ja maar, dat maakte toch gewoon deel uit van de ontering van het lijk."

Ik dook mijn tas in en viste de foto op die het toegedekte excrement toonde, en tikte er met mijn wijsvinger tegenaan.

"Moet je zien – hij heeft het toegedekt. Als hij het wilde gebruiken als onderdeel van de ontering zou hij het niet hebben toegedekt. Het excrement duidt erop dat hij er al een tijdlang was of op het feit dat hij geen zenuwen- en spierencontrole genoeg had om het op te houden. Mijn ervaring zegt me dat het laatste het meest waarschijnlijke is en dat de gebrekkige controle aan medicamenten te wijten is."

Ik stopte de foto weer in de envelop, die in mijn tas lag. Toen reactiveerde ik mijn PDA, die mij meedeelde dat het aantal berichten 46 was.

"Dat is erg ver gezocht", siste Roberto terwijl hij me uitdagend aankeek. Ik boog me voorover en drukte een zoen op zijn voorhoofd.

"Nee, hoor", fluisterde ik, genietend van zijn lichaamsgeur. De taxi claxonneerde, en ik repte me naar de deur, opende die en draaide me om naar Roberto.

"Geef me een telefoontje wanneer jullie hem hebben. Ik wil graag weten waarmee hij haar op haar hoofd sloeg. Hebben de technici de wand en de leuning onderzocht? Hij moet een van beide hebben gebruikt."

Ik deed de deur achter me dicht en had hem amper zijn *ciao* horen fluisteren bij wijze van afscheid, of mijn PDA zoemde. Ik checkte het display voordat ik in de taxi plaatsnam en zag dat het telefoontje afkomstig was van cel 214 in Cornwell. Alweer een klusje voor mijn antwoordapparaat.

5

De automaat verslond het kaartje toen ik stilstond voor de slagboom, die nu omhoog zou moeten gaan zodat ik het terrein voor kortparkeerders kon verlaten. Dat deed hij niet. Dus ik moest de auto weer op zijn plaats zetten en het hele eind naar de terminal teruglopen om de wind van voren te krijgen van een nijdige geüniformeerde kantoorpik, die mijn vliegticket wenste te zien als bewijs voor het feit dat ik niet een of ander crimineeltje was dat gewoon gratis wilde parkeren. Ik ben te welopgevoed om te gaan schelden, dus ik volstond ermee om het hele stuk naar het terrein voor kortparkeerders zachtjes te vloeken. Ditmaal had ik meer geluk met de automaat. Zodra ik buiten was, begon het te regenen. Weldra zou mijn uitzicht uit de welbekende grauwsluier bestaan, die ik zo langzamerhand had geaccepteerd als de Wereld volgens Cornwell & Omstreken.

Dus ditmaal kon ik er best inkomen dat hij nijdig was, Eisik. Zijn oude mondhoeken hingen er slap bij aan weerskanten van zijn kin, registreerde ik vanuit mijn ooghoek toen ik de auto in de carport parkeerde. Ik stapte uit en constateerde dat tuinman Eisik drijfnat was, maar dat hij niettemin gewoon bleef staan met zijn snoeischaar diep in mijn mahoniestruik. Waar was dat nou goed voor?

"Je moet daar niet verkouden staan te worden", riep ik hem toe terwijl ik met de tas boven mijn hoofd naar de voordeur holde en naar de sleutels zocht. "Kom toch even binnen om een kopje koffie te drinken en een beetje droog te worden!"

Maar hij staarde me nijdig aan en schudde zijn hoofd. Toen ging hij door met snoeien. Had ik ooit iets anders van hem gehoord dan gromgeluiden? Ik dacht het niet. Hij schudde zijn hoofd, knikte en gromde, tot mijn grote irritatie. Maar hij was een goede tuinman, en met die oeroude gigantische tuin van mij had ik hem hard nodig.

De PDA zoemde toen ik de deur achter me dichtgooide. Ik zette de tas neer en trok het zwarte ding uit mijn riem. Het was Sam, zag ik. Ik nam op.

"Hoi", zei ik met de PDA tussen hoofd en schouder geklemd zodat ik me van mijn jas kon ontdoen.

"Wil je dadelijk hiernaartoe komen?"

"Waar naartoe?" Ik opende de koelkast en haalde er een kan sap uit.

"Naar het bureau." Zijn stem klonk huilerig.

"Ik ben net binnen, wat is er aan de hand?"

"Ze hebben haar hoofd gevonden."

"Wie d'r hoofd?"

"Het hoofd van Ellen Frosh, kalfskop. Dat tienjarige meisje ..."

"O, verdomme."

"Ik wil graag dat je met me meegaat."

"Ja maar ik wil niet bij jullie onderzoek betrokken raken."

"Ik vraag je om een vriendendienst. Ga met me mee. Ik wil er niet in mijn eentje naartoe, en ik wil niemand van de jongens meenemen. Ik wil niet dat ze me zien janken."

"Je zult wel moeten, ik wil niet naar lijken kijken."

"Het is alleen maar een hoofd. Wil je het niet voor me doen?"

"Waar is het?"

"Op de grote vuilstortplaats achter de heide. Daar staat een man op ons te wachten. Ik haal je nu op." Hij legde de hoorn op het toestel.

Ik zette de PDA af en keek door het raam naar buiten. Ik had geen zin om kleren aan te trekken die bij die regen pasten. Dus ik stiefelde met tegenzin de slaapkamer in, ontdeed me van dat rode crêpegeval en stapte in een spijkerbroek. In de bij-keuken vond ik mijn gele Ocean Technology-regenkostuum en bijbehorend waterdicht schoeisel. Ik bekeek me in de grote spiegel in de gang en moest nogmaals constateren dat het er in feite niets toe deed wat ik aan had, ik zag er altijd goed uit.

Buiten toeterde Sam, dus ik checkte mijn sleutels en mijn PDA en opende de deur die uitkwam op de stromende regen, waarvan de om zich heen grijpende vochtigheid hier in de deuropening nog te voelen was. Eisik stond met zijn rug naar me toe onverdroten in de mahoniestruik te knippen, en ik ver-beeldde me dat ik zijn weerzin jegens alles en iedereen en mij in het bijzonder kon voelen toen ik langs hem suisde naar Sams gehavende Mercedes. Toen ik plaatsnam in het leer van de passagiersbank, deed ik dat in gezelschap van verscheidene liters water, dat langzaam van me afdroop, op de bank, op de vloer.

Sam zag er verbeten uit en zei niets toen hij de auto keerde. Ik had evenmin zin om te praten, dus ik sloot mijn ogen en leunde achterover en plande een dutje in het halve uur dat het zou duren voordat we voorbij de heide waren. Maar juist toen ik een aantal zeer inciterende details van mijn verpozing in Roberto's bed voor mijn geestesoog zou laten passeren, begon Sam te praten. Zijn stem was hees en verbeten, en hij zat over het stuur gebogen. Hij had het over de ouders. Aan één stuk door. De breakdown van de moeder. De verbetenheid van de vader. Het rusteloze onbegrip van het broertje. De moeder had gehuild en geschreeuwd en zich aan het broertje vastge-klampt, alsof ze bang was ook hem kwijt te raken. Ze had Sam gesmeekt haar kleine meid te vinden, ze was voor zijn voeten gaan liggen, had aan zijn broekspijpen getrokken en constant gehuild. Het jongetje had ook gehuild, maar de vader had al-leen maar verbeten getracht Sams vragen te beantwoorden door het niet-aflatende huilen heen. Ze hadden alle kennissen doorgenomen, de oppervlakkige en de nabije, in het leven van de kleine Ellen Frosh. Wie ze was, wat ze deed, waarom. Elke minuut van Ellens dagelijkse leven hadden ze uitgepluisd. En die ochtend, die zondagochtend, voordat ze uit de tuin verdween, hadden ze steeds weer opnieuw doorgenomen. Om een uur of halftien had het hele gezin ontbeten. Het had die ochtend aan één stuk door geregend. Maar toen was de regen afgelost door stralende zonneschijn, en het leek een fijne dag te zullen worden. Aan de ontbijttafel overlegden ze hoe ze de dag zouden vullen met prettige dingetjes. Wat herstelwerkzaamheden, het bakken van koekjes, wat spelletjes, misschien later op de dag een wandeling in het bos. Een dag zonder grootse plannen, het zou een ontspannen, vredige zondag worden. Er was absoluut geen enkel teken van onrust geweest. Na het ontbijt was Maria Frosh voorbereidingen gaan treffen voor het bakken van brood en koekjes, waarbij de vierjarige Erik Frosh haar zo graag wilde helpen. Michael Frosh had de krant uitgelezen voordat hij naar de garage was geslenterd om wat te werken aan zijn raamstijlen en wat op te ruimen in zijn gereedschapskist, die door de kleine Erik was getorpedeerd. Ellen had wat met haar nieuwe haarmascara gespeeld voordat ze besloot dat het weer dermate was opgeknapt dat ze kon gaan schommelen. En zo was iedereen in pais en vree met iets in de weer, zoals elk gezin dat doet aan het begin van zo'n dag – en zeker op een zondag.

Sams identificatie was totaal. Hij had zijn echtscheiding nooit geaccepteerd, en in zijn hoofd maakte hij nog steeds deel uit van een gezin onder hetzelfde dak. Ik liet hem kletsen, dat was de beste therapie voor hem. Hij was zelf zo bang hen te verliezen. En hij deed het zo geconcentreerd en zo totaal dat hij me een blik liet werpen in de gevoelsmatige schacht die het in zijn gemoed teweegbracht.

Zelf heb ik godzijdank geen kinderen. Jaren geleden heb ik me laten steriliseren, want ik besefte al vroeg, niet hoeveel pijn het doet een kind te verliezen – ik geloof dat je een ouder moet zijn om dat gevoel te kunnen vangen – maar hoe moeilijk het is om een behoorlijke ouder te zijn, en hoeveel er zijn die dat niet zijn, en hoe vervelend de consequenties kunnen zijn. Ik wist te veel af van de dingen die ouders verkeerd deden, en durfde er zelf helemaal niet aan te beginnen. Er zijn genoeg kinderen in de wereld, en het is mijn taak niet om een bijdrage te leveren aan de kudde, redeneerde ik indertijd. Het is mijn taak om onbekende, verziekte daders te profileren, wanneer hun jeugd is teruggekomen om hen en hun slachtoffers definitief in de vernieling te laten gaan.

En hoe, redeneerde ik verder, zou mijn werk überhaupt gecombineerd kunnen worden met kinderen? De helft van mijn tijd breng ik in vliegtuigen door of in vreemde hotels met het uitvoeren van dingen die ik aan een kind nooit zou kunnen uitleggen. En alleenstaande moeder zou ik sowieso worden, want ik zou het niet in mij hoofd halen om langer dan twee dagen achtereen met dezelfde man samen te wonen. Maar er waren jaren, toen ik rond de dertig was, dat ik periodes had waarin ik rondliep met kussens op mijn buik en me amuseerde met ingebeelde oedemen en het kopen van luiers, die ik weer van de hand deed wanneer de aanval achter de rug was.

Sams therapeutische woordenstroom was gestopt. Nu zag hij er verbeten uit. Moe. Hij zei: "Maar we hebben een lijst gemaakt. Michael Frosh en ik hebben een lijst gemaakt met meer dan vierhonderd personen met wie we moeten praten. Er zijn 25 man op de zaak gezet, maar dat is lang niet genoeg."

Sam schudde zijn hoofd. "Vreemde kerel, die Frosh. Weet je wat hij doet wanneer ik met hem praat? Hij zit op zijn computer te schrijven. Volkomen verbeten, hij noteert alles wat ik zeg, elk woord. Ik stond achter hem en zag het. En zijn eigen vragen noteert hij ook. Hij wil alles weten. Alles wat we doen, hoe we het doen, met wie en waarom."

Hij hield een pauze en nam een kauwgumpje. Hij was jaren geleden gestopt met roken, en was sindsdien aan kauwgum verslaafd geraakt.

"Begaafde man overigens", vervolgde hij, nog steeds met zijn blik op de weg. "Ook Maria Frosh. Ze zijn allebei datalogen.

Zij ontwerpt stuursystemen voor airbussen, en hij is hoofd databeveiliging bij de Federale Bank."

Wie mijn relatie tot computers kent, zal begrijpen waarom ik nu afwezig begon te worden. Ik probeerde me voor te stellen hoe Ellen eruitzag, en toen flapte ik eruit: "Hoe wist de vuilnisman eigenlijk dat dat hoofd van Ellen Frosh was?"

Sam bracht de auto vrijwel tot stilstand om me beter misprijzend te kunnen aankijken. "Maak het een beetje!" spuugde hij bijna voordat hij de snelheid weer opvoerde tot normaal. "Lees je geen kranten?"

"Nee", antwoordde ik naar waarheid. "Elke ochtend ligt er een op mijn mat, maar de afgelopen week heb ik alleen maar het nieuws gehoord dat mijn PDA voor me heeft gesorteerd."

"Haar foto heeft in alle staten in alle kranten gestaan, en op de voorpagina van alle dag- en avondbladen van Cornwell."

"Heb je een foto van haar bij je?"

"Hij ligt in het dossier." Hij knikte naar de enigszins vochtig geworden map op de vloer naast mijn voeten. Ik boog me voorover, nam het in mijn handen en opende het. Helemaal bovenaan lag de krant van die dag met een grote foto van Ellen op de voorpagina en een tekst die me kippenvel bezorgde:

"Ergens in Cornwell bevindt zich de kleine Ellen Frosh – of haar lijk. Een legertje agenten, padvinders en vrijwilligers kamt de stad uit om sporen te vinden van het spoorloos verdwenen meisje ..." Ik stopte en keek naar de foto. Een lief meisje. Ze had donkerbruin, naar mahonie zwemend haar, sproeten op haar neusje, een grote, vrolijke mond, die een grote glimlach liet zien met een paar iets te grote tanden achter haar lippen. Haar ogen waren vrolijk. Ze had vlechten met rode strikken. Ik legde de foto terug. Ik voelde het zelf ook. Het was altijd een beetje erger wanneer het om kinderen ging. Het was duidelijk dat die kinderen iets onschuldigs over zich hadden, zij hadden de wereld nog geen ander kwaad berokkend dan het verkiezen van het ene speelkameraadje boven het andere, of wanneer ze weigerden hun kamer op te ruimen. Ik voelde de woede weer. Die woede hield me aan het werk.

Ik besef heel goed dat mijn werk alleen maar bestaat uit opruimen, en dat het om de preventieve inzet gaat. Daarom geef ik een hoge prioriteit aan mijn werk met de maatschappelijk werkers. Ik houd elk jaar misschien ruim dertig lezingen en daarbij nog een aantal cursussen voor maatschappelijk werkers in de hele Gemeenschap. Ze zijn goed op de hoogte van de vroege symptomen waarop gereageerd moet worden, maar mijn verhalen kunnen ervoor zorgen dat ze de zaak werkelijk serieus nemen. Wanneer ik met voorbeelden en met foto's vertel hoe die kinderen opgroeien en wat ze doen, dan levert dat een perspectief op waar ze niet omheen kunnen. Er moet meer toezicht worden gehouden op zwakke families. Als er iets verdachts is, moet dat onmiddellijk onderzocht worden. De vroegste blijken van misbruik en verwaarlozing moeten een reactie uitlokken. Dat is mijn boodschap wanneer de mensen luisteren. Maar wanneer ik mezelf in de ogen kijk, wanneer ik mijn eigen inwendige naakte aap nader bekijk – en dat gaat me vrij goed af – dan is en blijft het de jacht op de smeerlappen en het vangen van hen waaraan ik werkelijk bevrediging beleef. Wanneer ik in de rechtszaal zit en hen recht in de ogen staar, terwijl ik kort en bondig en met geconcentreerde haat een resumé van hun trieste en inslechte persoonlijkheid geef – ja, dan ben ik werkelijk in mijn nopjes. Het denken aan een moordenaar alleen al steekt de dolk in mijn doodsangst, die brandstof levert aan mijn bestaan. Elke keer wanneer ik een bijdrage heb geleverd aan een vangst, wreek ik me op mijn eigen sterfelijkheid. In de tussenliggende tijd moet ik ermee volstaan zowel mezelf als mijn kalender tot barstens toe te vullen.

"We zijn er", hoorde ik Sam zeggen. Hij draaide de sleutel om en nam hem eruit. Toen keek hij me aan en haalde diep adem. Ik borstelde wat roos van zijn revers, en toen stapten we uit.

De regen was afgenomen, er vielen nu alleen nog maar toevallige druppeltjes, en de vuilstortplaats lag er schijnbaar verlaten bij. In feite heet het een 'recycling- en inzamelplaats'. Hier worden vuilniscontainers naartoe gereden om gesorteerd te worden, en hier ontdoen families zich van hun onbruikbare inboedel. We hadden de auto geparkeerd naast een enorme stapel matrassen, oude betegelde tafels, en half gesloopte commodes, dressoirs en chiffonnières. Daarnaast stond een open vrachtwagen gevuld met ijzer en metaal. En daarnaast stond een rij volle containers met van alles en nog wat, voorzover ik dat op die afstand kon zien. Helemaal aan het eind van de stortplaats, of in elk geval zover als mijn bijziende oog reikte, werd ik een gedaante in oranje kleren gewaar die in onze richting liep. Sam stak een arm op en zwaaide, waarna hij in de richting van de man liep die afwachtend stil bleef staan. Ik liep achter Sam aan, maar hoorde een auto achter ons stoppen en draaide me om. Het waren de technici van de afdeling, Kenneth en Angelo. Ik wuifde even, draaide me om en draafde achter Sam aan. De man in de oranje kledij stond te wachten en hij keek niet bepaald vrolijk. Nu zag ik twee mensen in GORE-TEX-regenkleding met hun rug naar ons toe. Ze stonden in een container te kijken. Een van hen maakte foto's. We gaven de man in de oranje kledij een hand, ik herinner me niet hoe hij heette. Maar nu zag ik dat de twee mensen in de GORE-producten Lisa Selander, de forensische patholoog-anatoom, en Store Koontz, de fotograaf, waren. Lisa draaide zich om toen ze ons hoorde; ze kwam onmiddellijk naar ons toe, omhelsde me en zei hoe lang geleden het was, en hoe blij ze was om mij te zien, en of we niet gauw uit eten zouden gaan om naar jongens te kijken – "*och spanar på killar?*"

Ze maakte me moe in de loop van een paar seconden, een kunst die ze heeft beoefend zolang als ik me kan herinneren.

Lisa lijkt op een paard, een mooi paard, een charmant paard – maar een paard. Ze heeft prachtig dikke, zwarte manen, die ze

wellustig laat wapperen, en een mond die groot en zacht is –
en uitermate rood.

Sam praatte met de man in de oranje kledij. Store Koontz
zei dat hij klaar was. Toen kwamen de technici, en toen begonnen ze door elkaar heen te praten. Ik wilde graag weg. Ik heb
geen last van te veel empathie of te veel distantie. Ik kan er gewoon niet tegen om lijken te zien. En ik wilde hier op dit moment niet zijn. Ik was in feite flink nijdig op Sam omdat hij me
hiernaartoe had gesleept. Lisa en de fotograaf en twee technici
en een ongetwijfeld sympathieke man in oranje kledij – was dat
niet genoeg? Wat moest hij in hemelsnaam met mij? Ik hoorde
de man in de oranje kledij net vertellen dat de container uit het
stadscentrum afkomstig was toen ik hem in de rede viel door
tegen Sam te zeggen dat ik met Lisa en Store Koontz terugging. Toen pakte hij mijn schouders beet en manoeuvreerde
me naar opzij, weg van de anderen.

"Fanny, je hoeft niets te zien, maar wil je alsjeblieft blijven?"
fluisterde hij indringend.

"Ja maar het is hier overbevolkt met je goede, oude collega's, dus wat doe ik hier?"

"Wil je hier alsjeblieft blijven, je kunt er met je rug naartoe
staan, wil je hier niet blijven en met mij naar huis rijden?
Blagam?" Ik schudde mijn hoofd en bleef staan waar ik stond.

Lisa omhelsde me van achteren en vroeg op haar gebruikelijke uitgelaten manier of ik daar weer de zot stond uit te hangen.

"*Står Du där och fjantar, pussgurka?*" zong ze.

"Blijkbaar wel", zei ik bits. "Sam heeft om mijn aanwezig-
heid verzocht."

"*Ni två är lika fåniga*", zong ze verder; ze zou gegarandeerd
in geuren en kleuren hebben willen beschrijven hoe dwaas wij
waren, als de ongeduldige fotograaf haar niet bij haar mouw
had gepakt en haar met zich mee had getrokken.

"*Titta in på bårhuset och av dagarna, jeg saknar dej*", riep ze –
of ik 's bij haar in het lijkenhuis wilde langskomen – hangend
aan de arm van de fotograaf. Deze had zijn gezicht in zijn PDA

59

begraven en was vermoedelijk een taxi aan het bellen. Ik had in elk geval geen auto gezien.

Ik draaide me om en zag hoe Sam op zijn tenen in de container stond te kijken. De oranje man stond naast hem en sprak op gedempte toon. Ik kon geen woord horen. Aan de andere kant van de container stonden de technici met lange pincetten te vissen. Ik draaide me om. Ik voelde me duizelig. Want nu kwamen de beelden in mijn hoofd aangemarcheerd, iets wat ik nooit helemaal had leren controleren. Een mes sneed door huid, de ingewanden rolden uit de gebarsten huid. Toen kwam de misselijkheid. Ik begon Amerikaanse staten te tellen. Oregon. Montana. Maine. California. Florida. Texas. Hawaii. North Carolina. South Carolina. Ik haperde. Toen kwam het beeld van een doorgesneden keel. South Dakota. Idaho. Wyoming. Toen ik de eerste keer zoiets had gezien, was ik niet erg oud en niet erg gehard. En hoewel het maar een beeld was, rende ik hals over kop naar het toilet. Pennsylvania. Washington. Het beeld van een doorgesneden halsstructuur, in close-up van bovenaf gezien. Kansas. Massachusetts. Louisiana. New Mexico. Meer staten wilden me niet te binnen schieten. En ik wist niet hoe ik van het beeld moest afkomen. Ik boog me voorover en moest overgeven.

Ik stond te spugen tot ik Sams hand op mijn rug voelde.

"Bedankt voor het wachten", zei hij. "Nu kunnen we ervandoor."

Ik spuugde nog een keer en richtte me op. Sam reikte me een zakflesje aan. Ik snoof eraan. Het was maltwhisky. Alweer. Ik werd misselijk van de gerookte lucht. "Nee, merci", zei ik, terwijl ik het hem teruggaf. Hij begon in beweging te komen. Ik volgde hem tot ik naast hem liep.

"Wat heb je te zeggen?"

"Wat kan ik zeggen – het was haar hoofd. Het was afgesneden. Hij had haar schijnbaar eerst gewurgd en daarna het hoofd er afgesneden. Maar dat moet Lisa uitmaken. Er loopt een dunne blauwe streep vlak boven de snede."

Hij sloot zijn ogen en zijn lippen veranderden in twee smalle strepen.

"O *kurwa*", zei hij vol afschuw. "Ze was helemaal opgezwollen en blauw en haar lippen waren tot over haar tanden gestroopt en haar oogleden waren zo opgezwollen dat je alleen maar gruwelijke spleetjes kon zien. Ze leek op ... een nachtmerrie."

Zijn ademhaling werd sneller. Hij draaide zich om en liep, snel en boos, recht voor zich uitkijkend. "Die unsub is een van jouw jongens, Fanny, dat weet ik honderd procent zeker. En wat moeten we met een hoofd, verdomme?" Ik holde achter hem aan.

"Wat moet Lisa met een hoofd beginnen?" Hij begon iets te snel te ademen en met zijn hoofd te zwaaien. "En wat moet ik tegen die ouders zeggen? Wat moet ik tegen hen zeggen, verdomme?"

Tja, welke troostende woorden kon hij bedenken? Hij kon nu vertellen dat ze dood was. Hij kon nu vertellen dat haar hoofd was afgesneden. Maar hij kon hen niet vertellen hoe ze om het leven was gekomen, en welke pijnen ze had moeten doorstaan voordat ze deze wereld verliet. Hij kon hen niet verzekeren dat hun dochter snel en pijnloos was gestorven. Als de onbekende dader haar alleen maar had gewurgd, had ze werkelijk geluk gehad. Wurging onderbreekt de bloedtoevoer naar de hersenen. In de loop van circa vijftien seconden verliest het slachtoffer het bewustzijn, en hoewel de dood wegens de gebrekkige, maar niet-aflatende bloedtoevoer van de *arteria vertebralis* pas later intreedt, is de pijn te overzien. Hoop ik.

Er wachtte Sam hoe dan ook nog een onaangename belevenis, en dat wist hij. Ik keek hem aan. Nu snakte hij naar adem en hyperventileerde. Ik gaf hem een mep, maar dat hielp niet. Ik gaf hem er nog een, maar hij bleef daar gewoon naar adem staan happen en kreeg een vuurrode kop.

Ik holde naar zijn auto en vond een papieren zakje, holde ermee terug en gaf het aan hem. Hij pakte het aan; ik draaide me om en zette mijn handen op mijn dijen. Ik hoorde hem in- en uitademen zodat het zakje ervan klapperde.

Ik wist dat achter ons een van de technici op dit moment het hoofd in zijn behandschoende handen had genomen en het voorzichtig in een zak van polystyreen had gelegd, die hij met twee velcro-lussen had gesloten. Toen had hij het in een doosje van zacht plastic gelegd en er zo voor gezorgd dat er geen bewijsmateriaal verloren ging en dat er geen vreemd materiaal werd toegevoegd behalve wat er al was toegevoegd doordat het hoofd Joost mag weten hoe lang midden in een container had gelegen, en daarbij ook nog dwars door de stad over vol gaten zittende wegen was getransporteerd.

Ik voelde Sams hand op mijn schouder en zag het papieren zakje in zijn hand. "Het is een van jouw jongens, Fanny. Er is geen enkele reden om nog langer te wachten. Ik doe vandaag nog een rekwisitie. Moet je morgen lesgeven?"

"Ja", zei ik, nog steeds voorovergebogen, met mijn handen op mijn dijen. "Ik ben om twee uur klaar. Dan heb ik drie uur voordat ik naar Londen moet om een lezing te houden voor duizend verpleegsters. Overmorgen is er iets dergelijks. Je kunt de tijd krijgen die ertussenin ligt. Als ik maar mag slapen."

"Heb je Cormio Vittantonio gesproken?"

"Nee, dat heb ik niet", zei ik vermoeid.

Mijn PDA zoemde. Ik liet hem zoemen. Hij ging ermee door. Ik richtte me op en nam aan. Het was Roberto. "Ik sta juist ...", begon ik, maar verbeterde mezelf. "Ik zit juist in een bespreking. Ik bel je terug." Ik zette hem uit. Hij zoemde opnieuw. Ik nam aan. Ik heb geen idee waarom. Het was de oude man.

"Houd het huwelijk immer in ere", zette hij in. "Bezoedel het echtelijke bed niet; want ontuchtigen en overspeligen zal God veroordelen." Ik keek naar de PDA, voelde hoe mijn hoofd als vanzelf begon te trillen en drukte op de *off*-knop. "Ik ben niet getrouwd", zei ik tegen mezelf.

Toen ik thuiskwam had ik in mijn tas de map met Ellen Frosh'
naam en dossiernummer op de omslag gedrukt. Eisik was
weg, en de duisternis was aan het vallen. Ik overwoog of ik
naar Sonia zou gaan om een hapje te eten, maar ik had er een
zwaar hoofd in. Ik had een paar theorieën over haar man, die
nooit thuis was. Ik had helemaal geen tijd om me daarmee bezig te houden, maar daardoor kwam het dat ik elk woord dat
ze zei wikte en woog om iets te vinden wat deze theorieën on-
dersteunde. In plaats daarvan deed ik 60 *push-ups*, smeerde
een paar boterhammen met kalkoen en ravigotesaus en dronk
koolzuurhoudend water. Daarna sloeg ik een paar Metaxa's
achterover en belde toen naar Roberto. Ik wist dat hij zou vertellen dat ze hem hadden gevangen, en dat mijn signalement
zo precies was geweest dat ik "hun net zo goed zijn telefoonnummer had kunnen geven". Hebben we dat eerder gehoord?
   "Met Fanny", zei ik poeslief toen hij zich bekendmaakte.
Hij was thuis, hoorde ik, want zijn kinderen maakten lawaai,
en het geluid van rammelend porselein was ook duidelijk te
horen. Zijn vrouw was waarschijnlijk de tafel aan het afrui-
men na het avondeten. Dat soort dingen doen echtgenotes.
Vreselijk aardig van ze.
   Ze hadden hem inderdaad gevangen. Hij was dertig jaar,
werkloos, had vroeger losse baantjes gehad als piccolo, auto-
wasser en kelner in cafés; hij woonde samen met zijn vader in
de flat naast Pandori. Hij was ongetrouwd, zwaarlijvig, had
een hazenlip en had er moeite mee om relaties met vrouwen
aan te gaan. In de eerste klas van het gymnasium was hij wegens depressies van school gegaan. Toen de politie zijn kamer
onderzocht, hadden ze stapels SM-pornografie gevonden. Hij
was vier jaar lang opgenomen geweest, hetgeen de reden was
dat de politie hem eerder van de lijst had geschrapt. Maar
toegerust met mijn profiel waren ze teruggegaan naar de inrichting, waar ze algauw hadden ontdekt dat de veiligheid daar weinig om het lijf had. Het had daarna niet lang geduurd voordat
ze vaststelden dat de man die ochtend 'een wandelingetje had

gemaakt'. De technici hadden geconcludeerd dat het botte instrument de bebloede baksteen was die ze op de bodem van
zijn klerenkast hadden aangetroffen.

"Je bent fantastisch", concludeerde Roberto verrukt. En
hoewel ik wist wat hij bedoelde, wist ik ook dat hij ook iets
anders bedoelde. Ik ben volkomen tevreden over mezelf. Dat
was de reden waarom ik uit Kopenhagen ben vertrokken.

6

Mijn vader, Roman Fiske, is beroepsschaker. Hij is groot-
meester, heeft een serie 'categorie 16'-toernooien gewonnen
en heeft een hele kamer vol met bekers, ondanks het feit dat
hij niet meer dan een paar zetten vooruit kan denken. Beweert
hij. Hij speelt intuïtief schaak, zegt hij, met 'onbewuste combi-
natoriek', noemt hij dat. Dus mijn talenten moet ik van hem
hebben geërfd.

Mijn moeder stierf als gevolg van nalatigheid door artsen
toen ik drie jaar was. Hierna kreeg mijn vader het zo druk met
rouwen over het verlies van mijn moeder dat hij elke avond
met een nieuwe vrouw uitging. Elke avond zat ik met een ba-
bysitter te rouwen over het verlies van mijn beide ouders. Nu
is het omgekeerd. Nu is hij oud en heeft mij nodig. Maar nu
heb ik helaas geen tijd voor hem.

We woonden in Andropov, dat circa drie uur rijden van
Moskou ligt, maar verhuisden naar Kopenhagen toen ik vijf
jaar oud was, gedeeltelijk omdat mijn vader in Denemarken
een stuk meer kon verdienen met schaakonderwijs. Maar hoewel ik in Denemarken op school en op de universiteit heb gezeten, voelde ik me daar nooit thuis. Het ging altijd om hen,
de Denen, nooit om ons. Ik sloeg hen gade en stelde nooit
prijs op wat ik zag en hoorde. Ze waren zo angstig, zo neuro-
tisch, zo middelmatig. En bovenal hadden ze – hebben ze – die
zogenaamde Jantewet (Denk niet dat je iemand bent), waarop
ze op een rare omgekeerde manier zo groots zijn, alsof het een

gecompliceerd streekrecht was, dat van generatie op generatie was overgeërfd.

Denen hebben nooit een goed woord voor zichzelf over, zijn niet in staat complimenten te accepteren en durven alleen maar middelmatig te zijn omdat ze anders het risico lopen door de stam te worden uitgestoten. Hun universiteiten kunnen ermee door en hebben nog steeds een zekere internationale reputatie, maar tegelijkertijd is het wetenschappelijk onderzoek net zo middelmatig als ze zelf zijn. Ze zijn zelfs bang voor bekwame mensen, in elk geval schuwen ze hen in sociaal opzicht en spreken kwaad van ze, als ze daartoe in de gelegenheid zijn. Ze concluderen, denk ik, dat als iemand bekwaam is, er een schaduwzijde moet zijn die evenredig is met die competentie.

Denemarken. Een vlakke, uitzichtloze bedoening waar alles is toegestaan en niets geaccepteerd, waar plaats is voor iedereen en waar iedereen zijn hoofd moet buigen. Waar verenigingen van pedofielen en nazi's welkom zijn en op voet van gelijkheid gedijen met handbalclubs en avondscholen. Waar meningen worden overgelaten aan de roddelpers en elk individu met een eigen mening in een kwaad daglicht staat. Waar mensen met de jaren vlak en uitzichtloos worden.

Denemarken en ik hadden weinig met elkaar op. Ik zag er veel te goed uit en was veel te slim en zette mijn licht niet onder de korenmaat. Daarom schuwden de Denen me. Ik was daar zo eenzaam dat ik soms het idee had dat ik de enige mens op de wereld was, maar ik word nooit zo eenzaam dat ik erover pieker het op een akkoordje te gooien en me aan te passen. Maar de eenzaamheid nam ik met me mee toen ik het vlakke land voor altijd verliet, en die voel ik vandaag de dag doordat ik uiteindelijk, wanneer de behoeftes zijn bevredigd, mijn eigen gezelschap verkies.

Waarschijnlijk besloot ik gedragspsychologie te gaan studeren omdat ik zo'n waarnemer ben – dat wil zeggen, eerst wilde ik antropoloog worden, maar toen realiseerde ik me dat ik met gedrag bezig was. Ik ontwikkelde een syntaxis voor lichaamstaal en uitlatingen en intonaties, en lanceerde een theorie dat er een grammatica voor menselijk gedrag moest bestaan, die ik wilde opbouwen. Ik gebruikte geweld als metafoor; dat was in het begin, voordat ik me realiseerde dat al mijn handelingen, mijn interessegebieden inclusief de interessante voorwerpen van mijn onverzadigbare begeerte, hun oorsprong in mijn doodsangst hadden. Dood en seks. Ja, gut, je hoeft immers geen psychiater te zijn om dat door te hebben. Maar je moet waarschijnlijk wel wat in je mars hebben om jezelf zo recht in de ogen te kijken als ik doe. Ik weet wat ik ben, wat ik wil hebben en wat me bevredigt. En daar is het me om te doen. Op die manier bereik ik ogenblikken van geluk en ogenblikken van vergetelheid. Vergetelheid en geluk. Dat is bijna hetzelfde.

Aan het eind van de jaren 70, voordat ik aan de gang ging met mijn dissertatie over de typologie van seriemoordenaars, kreeg ik toestemming deel te nemen aan de beroemde gevangenisinterviews van de nu overleden John Douglas. Hij was op dat moment al een ster op de FBI-afdeling voor gedragspsychologie, waar profilering nog steeds een pioniersport was. Ze hadden het zo druk met lesgeven en assisteren bij actuele zaken dat ze dolgelukkig waren met iemand met een academische achtergrond zoals ik, die daarbij ook nog in staat was de resultaten met elkaar in verband te brengen.

Samen met John Douglas en Bob Ressler nam ik interviews af van 21 seriemoordenaars in gevangenissen en inrichtingen overal in de vs en bracht alles in kaart – hun psyche, hun jeugd, hun *modi operandi*, hun signatuur. De resultaten verzamelde en bewerkte ik in de dissertatie "Seriemoordenaars: Patronen & Motieven". (John en Robert publiceerden een gereviseerde uitgave onder een enigszins andere titel zonder mijn bijdrage te vermelden, hetgeen resulteerde in een scheldpartij, waarvan de echo in alle staten te horen was.)

Velen hebben de idiote vraag gesteld wat onze interviews in 's hemelsnaam met gedragspsychologie te maken hadden –

waarop ik alleen maar kan antwoorden dat dit alles met gedragspsychologie te maken had. Het verleende ons inzicht in het waarom, terwijl we tot dan toe alleen maar iets hadden afgeweten van de manier waarop. Het gaf een beter idee van hun psychologie samen met de patronen die we al in kaart hadden gebracht, zij het rudimentair, en completeerde het beeld van geweldscriminelen zodanig dat het percentage van de opgehelderde misdaden er exponentieel door werd opgevoerd. We raakten op de hoogte van hun angst en hun oncontroleerbare lusten, en met behulp van die kennis konden we onder meer onze proactieve strategieën efficiënter maken, zodat die de spijker op de kop sloegen.

Na de dissertatie kreeg ik een baan aangeboden bij Douglas op de FBI's Nationale Academie in Quantico, Virginia, waar ik samenwerkte met de allerbesten van de FBI. Dat waren mensen die hun straatervaring hadden opgedaan in de zwaarst getroffen Amerikaanse steden, mensen die met zwaar schiettuig konden omgaan, en die een arsenaal aan snelle reacties in noodsituaties hadden waaraan ik niet kon tippen.

Ik was academicus, en dat wist hij, die John, toen hij me in dienst nam. Hij wist ook dat ik iets had wat de anderen niet hadden, een wonderlijk zesde zintuig en een doodsangst zo dynamisch dat die leek op een doelgerichte haat – ook als er niets te zoeken viel.

Veertien jaar lang werkte ik in 'de Kelder', zoals we het vensterloze vertrek noemden waar we uren achtereen zaten te kettingroken, verscheidene etages onder de aardoppervlakte, dieper dan de doden komen. Ik nam deel aan de opheldering van de kindermoorden in Atlanta, de beestachtige moord op Suzanne Collins, korporaal bij het Amerikaanse marinekorps, en op de zeventienjarige Shari Faye Smith, en ik maakte me onmisbaar in de laatste fases van de jacht op The Hillside Strangler en John Wayne Gacy – om er maar eens een stuk of wat te noemen.

Ik ben Douglas vooral dankbaar voor de manier waarop hij telkens weer het belang benadrukte van een proactieve strategie.

Een goed profiel brengt het repertoire aan reacties in kaart van de onbekende dader, zodat we hem voor kunnen zijn en hem bij zijn lurven kunnen pakken voordat hij opnieuw aan het moorden of verkrachten slaat. Dat is het proactieve – hem voor te zijn.

Als de plaats van het misdrijf bijvoorbeeld laat zien dat de dader schuld heeft gevoeld over wat hij heeft gedaan, kan een proactieve strategie op dat gevoel inspelen – je kunt de kranten bijvoorbeeld diepgaande portretten laten schrijven, zodat het slachtoffer als een heel mens, een tragisch persoon, naar voren komt. Op die manier wordt het schuldgevoel van de dader versterkt, en soms is dat op zichzelf genoeg om hem ertoe te bewegen zich aan te geven. In andere gevallen moeten we extra veel werk van de begrafenis maken, door er publiciteit aan te geven, en dan kunnen we er tamelijk zeker van zijn dat hij zich daar laat zien. Bij een proactieve strategie komt het erop aan de onbekende dader in een val te lokken, die is geconstrueerd in overeenstemming met het beeld dat we ons van hem hebben gevormd. Als hij zich laat lokken, dan verlokken we hem ertoe om toe te slaan waar wij dat willen hebben; als hij onder druk staat, oefenen we meer druk op hem uit. Een goede proactieve strategie is onwaardeerbaar – alles wat moorden kan verhinderen is onwaardeerbaar. Daarom ligt de grootste uitdaging steeds bij de wijkverpleegsters, welzijnswerkers, onderwijzers op de scholen, jeugdleiders in het clubhuis – mensen die ik over één kam scheer en 'maatschappelijk werkers' noem. Die moeten de speurhonden zijn die zo vroeg mogelijk elk teken van disfunctie bij de kinderen moeten opvangen, en er daarmee voor zorgen dat er niet nog meer van mijn jongens worden uitgebroed.

In Quantico was iedereen het er dan ook over eens dat de uiteindelijke oplossing in het preventieve werk lag. De federale regering gebruikt miljarden dollars om gewelddadige criminaliteit te bestrijden, en zo hoort het ook. Maar het is nog beter ervoor te zorgen dat vader en moeder hun kinderen behoorlijk behandelen. Dat is gemakkelijker gezegd dan gedaan – daar weet ik alles van af. Maar dat is het enige wat zoden aan de dijk zet. Tot dan toe moeten we ons met mij en de andere vuilnislieden behelpen.

Omdat ik ook graag preventief wilde gaan werken, zei ik ten slotte dag met het handje tegen de collega's in Quantico en vestigde me als consulent in Londen, waar mijn reputatie me weldra zo veel werk opleverde dat het ten koste begon te gaan van cursussen en lezingen voor maatschappelijk werkers. En dat was immers niet de bedoeling, maar zo is het nog steeds: het is moeilijk om de juiste keuze te maken, wanneer je kunt kiezen tussen een rol bij het vangen van een beestachtige moordenaar die gewoon zijn volgende kans afwacht – en deelname aan de grote preventieve inzet, die nodig is om te vermijden dat dit soort mensen überhaupt wordt geproduceerd. Het resultaat is dat ik het vaak nogal druk heb en dat ik weekendontspanning en hobby's aan andere mensen moet overlaten.

Toen Europa's Verenigde Staten eindelijk een realiteit werd, werden ik en een handvol andere Europeanen, die ook in Quantico waren opgeleid, officieel als consulenten verbonden aan de EFBI, zodat we te allen tijde beschikbaar zijn in zaken, waar de plaatselijke politie beoordeelt dat onze expertise vereist is.

7

DE VOLGENDE DAG, na vijf uur onderwijs aan de examen-
klas, was het mijn beurt om te hyperventileren. Of althans
diep adem te halen en een poging te doen me te vermannen.
Ik stond voor het lijkenhuis met mijn rug naar een van de
roestvrije stalen deuren gekeerd, en hoorde Lisa's en Sams
stemmen, die zich vermengden met het geluid van metaal op
metaal. Ik trachtte de geluiden thuis te brengen. Dát metaal-
achtige geluid was waarschijnlijk een lijk dat op een metalen
draagbaar via metalen rails in een metalen koelkast werd ge-
schoven – en dát geluid duidde erop dat een van de assistenten
een instrument, misschien een pincet, misschien een scalpel,
misschien iets heel anders, op de tegelvloer had laten vallen.
Daaraan is mijn moeder overleden. Men had onder plaatselijke verdoving een goedaardige cyste in haar borst verwijderd,
en tijdens de operatie liet de arts de scalpel vallen. In plaats
van een nieuwe te pakken of degene die gevallen was te steriliseren, raapte hij hem gewoon op en ging door. Een week later
overleed mijn moeder aan stafylokokvergiftiging.

Voorzover ik dat kon horen, hadden Sam en Lisa het over
de vrouw bij wier zelfmoord Sam tegen wil en dank had 'geas-
sisteerd'. Voorzover ik dat kon horen, toonde Lisa Sam op dit
moment de brandwonden en scheuren die volgens Lisa's stem
overal op het lichaam van de vrouw waren aangetroffen. Lisa
had ook een chronisch subduraal hematoom gevonden, dat
wil zeggen een bloeduitstorting onder het harde hersenvlies,

die ontstaat wanneer er aderen barsten. Lisa concludeerde dat de vrouw gedurende langere tijd aan uitgebreid geweld had blootgestaan. Sam zei dat haar man gisteren pas aangifte van haar vermissing had gedaan hoewel ze al ruim een week weg was, en haar vervolgens huilend had geïdentificeerd. Hij moest met hem praten. Hij wilde een verklaring hebben voor die scheuren en brandwonden. En hij wilde een verklaring hebben voor het feit dat hij niet eerder aangifte van haar vermissing had gedaan. Ik hoorde aan zijn stem dat hij met zijn hart niet bij die zaak was. Ik had de indruk dat het iets was wat hij achter de rug wenste te hebben.

Nu hoorde ik hoe ze zich verwijderden, ze liepen een eindje verder weg, want hun stemmen begonnen te vervagen. Nu moest ik me vermannen. Ik wierp een snelle blik in het lijkenhuis en trok mijn hoofd onmiddellijk weer terug. De vrouw in kwestie werd nu toegedekt met een laken door Lisa's assistent, Unn, ook al een Zweed. Ik telde tot tien en waagde toen snel nog een blik. Lisa en Sam stonden een eindje verderop en belemmerden het uitzicht op wat ik kon noch wilde zien. Lisa zocht iets in haar zak en viste een in cellofaan verpakte sandwich op. Ze nam plaats op een dissectietafeltje en begon de sandwich uit te pakken en op te peuzelen, maar was zo gaan zitten dat het uitzicht nog steeds werd belemmerd.

Typisch Lisa, dat met die sandwich. Zelfs lijken waren niet in staat het humeur of de eetlust van de vrolijke Zweedse te bederven. Vaak stond ze afwezig op een lijk te kruimelen wanneer ze klaar was met een autopsie. Hoewel desinfecterende middelen en de sigaren van de pathologen-anatomen doen wat ze kunnen, is de stank van organen in het lijkenhuis alleen al in staat een anorexiepatiënt van me te maken. Het is een stank die moeilijk te beschrijven valt, maar een varkensslachterij zou vermoedelijk zo stinken als een aantal van de dieren bedorven was.

Ik vermande me en ging met gebogen hoofd en bijna gesloten ogen naar binnen, zodat het enige wat ik zag de tegelvloer was met de baren en de sectietafels, en ik op die manier in de juiste richting kon navigeren zonder schrammen op te lopen. Toen ik schrikbarend dicht in de buurt van het schouwtoneel was, draaide ik me om en liep achteruit naar Lisa toe, waarna ik met mijn rug naar haar toe op de metalen tafel ging zitten.

Ze praatte met eten in haar mond, maar hield op en draaide zich om toen ze mij hoorde.

"*Nej, hejsan, gullet!*" zong ze – alsof ik haar lieve schatje was – terwijl ze tot mijn grote ergernis met haar hand mijn haar in de war maakte. Ik had er heel wat tijd aan besteed om mijn pagehaar te fatsoeneren, en zij moest daar geen rommeltje van maken of mijn haar aanraken met die handen die van alles en nog wat hadden aangeraakt waaraan ik niet eens durfde te denken. Maar toen stak ze van wal:

"Ik kan niet zo veel zeggen uitgaande van een hoofd!" Ze lachte. "Jullie moeten de rest vinden als jullie het hele verhaal willen horen.

Laat me beginnen met wat jullie al weten. Ze is waarschijnlijk al circa drie dagen dood, het is onmogelijk om dat helemaal precies te zeggen. Zij is gewurgd met iets duns, waarschijnlijk een stuk snoer of touw. Het is erg clean, het ziet er niet naar uit dat ze erg veel tegenstand heeft geboden of heeft kunnen bieden." Ze kauwde even. "Het is een Pietje Precies, dit heerschap. Haar vlechten zitten perfect, alsof ze net waren gevlochten, kijk zelf maar – geen haartje in de war. De strikken zitten onberispelijk. En moet je die bloedresten daar in de neusvleugel zien ... ze krijgen altijd een bloedneus wanneer er stase optreedt in het systeem, maar hij heeft het verdorie weggeveegd."

Sam deed een stap naderbij. "Ik zie geen donder. *Gówno widac.*" Lisa reikte hem een vergrootglas aan. "O ja", hoorde ik hem toen zeggen.

"Wat ik al zei", vervolgde ze, "hij heeft haar netjes schoongeveegd. Ze moest er netjes uitzien." Ze kauwde verder.

"En kijk eens naar die snede. Precies onder de plek van de ligatuur. Zijn precisie is bewonderenswaardig. Volkomen recht, volkomen perfect. Een goede vakman. Is het een stuk hals of een roulade die erop wacht in plakjes te worden gesneden – nietwaar?" Ze laste weer een pauze in, vermoedelijk om haar tanden schoon te maken met haar tong.

"Toevallig ben ik er honderd procent zeker van dat ik de zaag kan identificeren die hij heeft gebruikt, tot het merk toe."

"*O kurwa*", mompelde Sam. Lisa vervolgde:

"Ik heb in feite uitgekeken naar een lijk." Ze lachte verontschuldigend. "Een lijkdeel als dat van haar. Want na Ulf Andersons en Lars Bergströms zaagclassificatie in het maandblad voor Forensische Geneeskunde van vorig jaar, heeft Stefan ..." – ze wees naar achteren, naar de assisterende patholoog-anatoom Stefan Printz-Påhlson, eveneens een Zweed, die op dit moment met een sigaar in zijn mond de instrumenten aan het schoonmaken was in de wasbak aan het andere eind – "... lijken in stukken gezaagd met alle zagen die de afgelopen twintig jaar in de handel zijn geweest; hij heeft alles gefotografeerd en de foto's in de computer gescand. Voordat de dag voorbij is, moeten we een resultaat hebben."

Ik liet mijn blik van Stefan langs de metalen kasten glijden die aan het andere eind tegen de wand stonden. Dit blanke staal. Daarboven hing Lisa's bordje, dat ze eigenhandig met haar eigen bloed had geschilderd nadat ze zich een keer aan een scalpel had bezeerd. 'De Döda Taler' was met Zweeds bloed op een onhandig afgesneden stuk wit karton met even onhandige letters geschilderd. Het getuigde in elk geval van een beetje respect voor de doden dat ze het woord '*taler*' – spreken – had gebruikt en niet '*pratar*' – praten. Maar hoe dan ook – Lisa was en bleef de meest provocerende persoon die ik ooit had ontmoet. Achter mijn rug ging ze onverdroten verder:

"Het duurt nog even met de DNA-proeven, er wordt op het moment hard aan gewerkt, maar over een paar dagen zullen die klaar zijn. Wat vezels en vingerafdrukken en al dat soort dingen aangaat, daar zullen we morgen antwoord op krijgen." Ze kauwde verder.

"Selander!"

We keken alledrie naar de stem bij de deur, die nog steeds wijdopen stond. Met een dramatische pose middenin de deuropening stond John Smith, het plaatsvervangend hoofd, in zijn gebruikelijke op maat gemaakte tweed, met een enorme plastic zak in zijn uitgestrekte rechterhand.

"Heb je iets voor me?" vroeg Lisa zonder overeind te komen. Hij liep op ons toe, nog steeds met de zak voor zich uit alsof die een tikkende bom bevatte. Hij overhandigde hem aan Lisa, die hem, nog steeds zittend, aannam. Ze keek erin en maakte toen een grimas.

"Hoe kom je daaraan?"

"Twee jongens hebben ze gevonden in een vuilnisbak op het West-kerkhof, vlakbij het mortuarium."

Het West-kerkhof is enorm groot en is vol met nette grasveldjes, zodat het publiek er gebruik van maakt voor gewone recreatie.

"Hun vader heeft ze hier afgegeven." Hij keek op zijn horloge. "Precies zeven minuten geleden. Hij dacht dat het misschien mensenbotten waren."

"Het zijn mensenbotten." Lisa legde de plastic zak op de snijtafel, at het laatste stuk sandwich op en trok handschoenen aan. Toen haalde ze een bot tevoorschijn dat ik voor een stuk dijbeen hield en keek ernaar. Het bot was een eindje onder de gewrichtskom doorgezaagd en was niet meer dan vijftien à twintig centimeter lang. Ze bestudeerde het nauwkeurig. (Ik vind het niet problematisch om naar botten te kijken. Ik zou ze niet kunnen aanraken, maar kijken is in orde. Misschien komt het doordat botten iets schoons over zich hebben. In elk geval zijn ze niet in staat om methaangas te ontwikkelen.)

"Wel verdomme", zei ze met een wantrouwig lachje. Toen hield ze het met beide handen voor zich op. "Het heeft de juiste dimensie, maar weten jullie waarom ik denk dat het van haar is?" Wij gaven geen kik.

75

"Ik zei dat hij een Pietje Precies was, nietwaar?" Ze hield een kunstmatige pauze, nog steeds met het bot verticaal in beide handen. "En de keren dat ik soep heb gekookt van een been, zijn de beenderen erg schoon geworden, maar toch nooit zo schoon. Moet je zien!" We bewogen onze hoofden tot vlakbij het bot. Lisa pakte een vergrootglas. "Het is volkomen clean. Geen enkele spier- of peesrest op het bot te zien. *Nothing! Nada!*"

Niemand zei er iets. John Smith maakte een onvrijwillig komische beweging in de richting van de deur, wat blijkbaar zijn manier van afscheidnemen was. Toen liep hij weg. Lisa legde het stuk bot op de tafel en begon de andere op te vissen. Op het laatst was de tafel met botstukken bedekt, alle zo'n vijftien à twintig centimeter lang, die zelfs voor mijn ongeoefende blik op het geparteerde skelet van een kind leken. Ze bekeek ze minutieus en zei toen dat alles er was, op een paar kleinigheden na. Toen pakte ze het vergrootglas en bekeek ze opnieuw, het ene bot na het andere. Dat duurde enige tijd en niemand zei een woord, behalve dat Lisa een paar keer "verdomd *clean*" mompelde.

Na enige tijd liet ze het vergrootglas zakken en richtte zich op. "We moeten ze laten analyseren samen met het hoofd. Ik kan niet concluderen dat ze van haar zijn, hoewel het buiten kijf staat dat ze van een acht- à twaalfjarig meisje afkomstig zijn." Ze wees naar het bekken. Toen keek ze naar Sam, gaf hem een knipoogje en maakte een weids gebaar naar de bottencollectie. "Vrouwen zijn gracieuzer in hun beenderstructuur."

Sam vertrok geen spier. Lisa haalde haar schouders op en vervolgde: "En ik kan nog iets vaststellen. Deze botten zijn gekookt. Maar waarom eigenlijk?" Ze stak een sigaartje op en leek op iemand die nadacht. "Misschien was het lijk dermate mishandeld, en misschien weet hij zo veel van signaturen af dat het hem het verstandigst leek de signatuur uit te wissen – nee zeg, wat zullen we nou krijgen!"

Het signatuurbegrip was iets wat John Douglas had ontwikkeld in de jaren 70. Hij was van mening dat de modus operandi de manier was waarop een misdadiger zijn misdaad effectueert, terwijl de signatuur het persoonlijke detail was, dat vertelde wat hem gevoelsmatig bevredigt. Wanneer Ted Bundy bijvoorbeeld vrouwen in zijn val lokte door met zijn arm in het gips rond te lopen, was dat zijn modus operandi. Maar het feit dat hij hen verkrachtte, traumatiseerde en vermoordde en dat hij zich in enkele gevallen aan de lijken vergreep, was (een deel van) zijn signatuur. Dus Lisa was van mening dat deze onbekende dader de botten van het meisje misschien had gekookt om de gedragsaanwijzingen uit te wissen die een signatuur genoemd worden, om te voorkomen dat wij ze zouden gebruiken bij de profilering. Dat was één mogelijkheid. Een andere mogelijkheid was dat wat wij op dit moment zagen in feite een signatuur was.

Lisa begon te lachen. Tot haar verdediging kan ik aanvoeren dat haar lachen tamelijk hysterisch was. "Ik geloof verdorie dat hij soep van haar heeft gekookt."

Ze begon de botten een voor een weer in de plastic zak te leggen, een voor een, voorzichtig. En Sam en ik begonnen ons uit de voeten te maken. Stilletjes, bijna synchroon, slopen we het lijkenhuis uit, via onze eigen route, langs Stefan, die zich nu naar Lisa begaf.

Schouder aan schouder liepen we door de dubbele stalen deur en de trappen op, de straat op. We stopten bij de ingang van het politiebureau. Sam keek naar zijn voeten. Mijn PDA zoemde. Ik negeerde hem.

"Moet ik het ze werkelijk vertellen? Moet ik Ellens ouders werkelijk vertellen dat er iemand is die soep van hun dochter heeft gekookt?" Ik legde een arm op zijn schouder.

"Dat moet je beslist niet doen, vind ik. Je moet in elk geval wachten tot we het met zekerheid weten. En verder vind ik dat we met elkaar moeten overleggen wat je moet zeggen. Je moet niet altijd alles zeggen."

Sam keek op en stond op het punt de lage treden van het bureau te beklimmen, maar veranderde van gedachten.

"Mag ik met jou mee naar huis?" Zijn ogen brandden zich vast in de mijne toen hij nadrukkelijk mompelde: "*Wez mnie teraz, juz, natychmiast, kochanie.*" Ik wist niet wat het betekende, maar bij het geluid van zijn stem kreeg ik zin in zijn borstkas en zijn grote, welbekende armen te verdrinken.

Ik keek op mijn horloge. "We hebben niet veel tijd", zei ik, in de wetenschap dat er vanavond om acht uur duizend wijkverpleegsters op me zaten te wachten. Ik nam hem bij zijn arm, en we begaven ons naar mijn jeep.

8

De VOLGENDE OCHTEND voelde ik me bij het wakker worden enigszins groggy door slaapgebrek. Toen ik vannacht om één uur was thuisgekomen kon ik niet slapen, maar ijsbeerde in plaats daarvan door het huis, waar ik me liet vollopen met muizenissen en ettelijke glazen Stock. Het resultaat was dat ik pas om een uur of vier 's morgens in slaap was gevallen, en daar ben ik eigenlijk niet tegen bestand. Maar de PDA wekte me onbarmhartig om zeven uur met wat hij, ondanks mijn zeer exacte instructies, als het topnieuws van die ochtend beschouwde: dat de prijs van Caraïbische plezierjachten nu gekelderd was. Maar ik moest uit de veren, want om kwart over negen moest ik lesgeven aan een kersverse klas agenten, en 's avonds moest ik een lezing geven voor het Verbond van Vrouwen Tegen Geweld in Glasgow. Ze moesten onder meer leren tegen welk type verkrachter je je met voordeel kunt verweren, en bij welk type het tegengestelde de beste strategie is.

Ik keek geïrriteerd naar het hysterisch blinkende rode lampje van het antwoordapparaat en drukte op *play*. Sonia kwam het eerst met de uitnodiging van gisteren: in gember gemarineerde kip met chilisalsa en appeldessert à la Tatin. Toen kwamen er twee bijbelcitaten van de oude man, vervolgens een verzoek tot telefonische profilering uit Amsterdam; er was haast bij, zei Kees van Schaik, een notorisch impotente man, wiens halsstarrige pogingen om het tegenovergestelde te bewijzen alleen maar als irritant konden worden aangemerkt.

79

Toen hoorde ik Sam zeggen dat ik hem vanmiddag om één uur bij het huis van de familie Frosh moest ontmoeten, of hem moest opbellen in geval van verhindering. Hij herinnerde me er ook aan dat ik contact moest opnemen met Cormio Vittantonio; toen volgde er nog een bijbelcitaat en toen nog een verzoek tot telefoonprofilering, ditmaal uit Helsinki, waar ene Jyrki Katajainen, die ik niet kende, me verzekerde dat er haast bij was. Daarna volgde het gebruikelijke klaaglied van mijn vader. Waarom zocht ik hem nooit op? Ik zou toch zeker op z'n minst kunnen bellen! Hier zat hij, een oude man, alleen en vergeten. Ten slotte een mededeling van iemand die met enigszins zwoele stem zei dat hij zich aangenaam had verpoosd in mijn gezelschap, en vroeg of we elkaar weer konden zien. Hij gaf zijn telefoonnummer. Ik deed 60 snelle *push-ups* en vroeg me af wie die Christian Vendelbo in godsnaam was. De naam klonk Deens. Een Vendelbo was een persoon uit Vendsyssel, een van de talrijke uithoeken in dit ministaatje. Bij mijn weten had ik geen rendez-vous met een vlakke en uitzichtloze Deen gehad sinds ik het land had verlaten. Ik besloot de zaak uit mijn hoofd te zetten.

Ik trok een grijze wollen broek aan, een strak zittend T-shirt van latex en katoen dat het prijzige stuk chirurgie tot zijn recht deed komen dat bij een grote beha paste, en een getailleerde marineblauwe blazer. Op het moment dat ik mijn rechtervoet in een marineblauwe pump stak, werd er aan de deur gebeld, en ik huppelde naar de deurspion om te zien of het verantwoord was om open te doen. Ik zag een bode van UPS, een broekje van zestien. Statistisch gezien zijn er nog steeds weinig zestienjarige gewelddadige criminelen, dus ik waagde de gok en opende de deur. Hij stak me een dikke envelop van hard karton toe, gestempeld in Helsinki, en verzocht me voor ontvangst te tekenen. Ik smeet de envelop op de keukentafel en hinkte terug om de andere marineblauwe pump aan te doen, maar op het moment dat ik die aandeed, werd er opnieuw aangebeld. Door de deurspion zag ik nog een bode, van een firma die ik niet kende, ditmaal een man van een jaar of dertig die er allesbehalve knap uitzag, dus ik verzocht hem zijn envelop voor de deur te leggen en de kwitantie door de brievenbus te steken. Ik zag best dat hij zijn wenkbrauwen optrok, maar hij deed wat ik verlangde, en ging weg toen hij de kwitantie getekend en wel had teruggekregen. De envelop was gestempeld in Amsterdam, en hij belandde bij het Finse poststuk.

In de badkamer smeerde ik haastig foundation op mijn gezicht, verfde mijn lippen bordeauxrood, smeerde kohl onder mijn ogen; het lukte me geen ongewenste strepen met de mascara te trekken. Toen gaf ik de hamster eten en drinken, en herinnerde mezelf eraan dat ik Sam moest vragen hem dood te schieten. En toen checkte ik het weer. Het regende. Ik greep mijn trenchcoat, mijn kalfsleren tas en de twee spoedprofielen, en toen ik naar mijn jeep holde, dankte ik de cosmetische industrie voor waterbestendige make-up, die eindelijk na decennia op de markt inderdaad waterbestendig was. Terwijl ik de autogordel spande, ontwaarde ik Eisik, die me behendig negeerde. Ditmaal had hij zoiets als regenkleding aan en was hij de grote struiken aan de wegkant aan het snoeien. Vervolgens belde ik Sam en vroeg hem of hij mijn hamster wilde doodschieten. Hij klonk afwezig en wist niet hoe snel hij weer van me af moest komen.

Het Instituut voor Criminologie ligt zoals gezegd halverwege tussen Cornwell en Grafton, en hoewel die steden in de loop van de komende jaren één conglomeraat zullen gaan vormen, had ik nog steeds, vanaf mijn woning in Cornwells westelijke wijk, een afstand van zo'n 30 kilometer af te leggen. En over een kwartier moest ik er zijn.

Ik zat vast in een langzaam rijdende file, dus had ik alle tijd om erover na te denken hoe pijnlijk het is om te laat te komen. Hoewel ik benieuwd was naar de nieuwe klas agenten, in de wetenschap dat die voor circa 65% uit mannen zou bestaan, was er geen enkele reden om mijn kruit aan die lezing te verspillen. Ze moesten 'de voordracht voor jonge rekruten' hebben. Zo heet die inderdaad, hoewel we dat altijd zeggen wanneer een van ons iets vertelt wat zonneklaar is. Ik kon 'de voordracht voor jonge rekruten' met veel pathos en tal van zwaarwichtige pauzes reciteren, al werd ik midden in de nacht wakker gemaakt.

Ik kwam een heel kwartier te laat. De hele zaal zat me in gespannen stilzwijgen plechtig aan te kijken. De 56 reddings- en vuilnislieden in spe zaten keurig rechtop – netjes gekleed, goed opgevoed en muisstil. Ik verontschuldigde me, zette mijn bril op en keek grondig om me heen in de zaal. Het was een heerlijke aanblik, aan hen zou ik vast veel plezier beleven. Op zijn minst aan één van hen, dacht ik. Ik zette mijn bril af en stak van wal.

Om halftwaalf was ik klaar, na aan een zekere Francis Zanf op de eerste rij mijn telefoonnummer te hebben gegeven. Ik spurtte naar mijn kantoor in de hoop beide profielen te kunnen afwerken voordat ik hiervandaan moest. Ik kwam niet verder dan het Nederlandse, omdat die Kees me alsmaar aan mijn kop bleef zeuren. Toen ik eindelijk van hem af was, spurtte ik de trappen af naar het parkeerterrein, vergezeld door het zoemen van mijn PDA. Ik checkte het display. Het telefoontje was afkomstig van cel 24 in Cornwell. Het was een beproeving aan het worden.

Om kwart voor één startte ik de auto om naar Sam te rijden, met wie ik om één uur een afspraak had. Ik archiveerde mentaal het dossier dat ik zojuist had doorgenomen en begon op Ellen Frosh over te schakelen. Met wat ik op dat moment wist, kon ik de ouders gevoegelijk uitsluiten.

Het is vreselijk en volkomen onbegrijpelijk, maar toch is het zo dat er ouders zijn die hun eigen kinderen vermoorden. Ze verkrachten hen en slaan hen, ze verbranden hen en laten hen verhongeren, ze wurgen hen met hun blote vuisten of smoren hen met kussens bovenop hun hoofd. Ik heb zelfs een enkel geval meegemaakt waarbij een vader zijn dochter met een keukenmes doodstak.

Maar wat er met Ellen Frosh werd gedaan, uitgaande van wat we op dit moment wisten – dat doen ouders niet. Die snijden het hoofd niet van hun kind af om het vervolgens in een container te leggen. En ongeacht de geschiedenis die er achter die botten schuilging, is het niet erg waarschijnlijk dat ouders hun eigen kind parteren, er soep van koken en het opengesneden skelet in een plastic zak in een openbaar park leggen.

Mijn zaken bestaan overigens bijna uitsluitend uit wat wij 'afstandsmoorden' of 'geweld door vreemden' noemen. Vroeger, helemaal tot in de jaren 60, vermoordde men voornamelijk familie en vrienden, en de moorden waren daarom veel gemakkelijker op te helderen dan vandaag de dag. Er was een motief – woede, jaloezie, wraak, geld, *you name it*. Maar sindsdien wordt er in toenemende mate gewelddadige criminaliteit tegen vreemden begaan, en schijnbaar zonder enig ander motief dan wat er in het hoofd van de moordenaar te vinden is. Het is hoofdzakelijk een kwestie van macht en controle, en voorzover het om woede en wraak gaat, is er het verschil dat de gewelddadige seriemisdadiger van vandaag zelden of nooit teruggaat naar de persoon die de woede veroorzaakte om de rekening te vereffenen, maar er de voorkeur aan geeft af te rekenen met een reeks min of meer toevallige personen die hij op zijn weg tegenkomt. Ed Kemper, een van de gevangenen die in de jaren 70 mede door mij werd geïnterviewd, vermoordde en ontleedde verscheidene jonge vrouwen voordat hij zich vermande en zijn moeder vermoordde, zoals hij voortdurend had gewenst. Maar hij was dan ook in tal van manieren een bijzondertje.

Om vijf voor één parkeerde ik de jeep achter Sams Mercedes bij het huis van de familie Frosh in de groene wijk die Forest Hill heet, hoewel het er niet heuvelachtig is en er ook geen bos in de buurt ligt. Er was geen spoor van Sam te bekennen, dus ik nam aan dat hij nog steeds met de ouders aan het praten was.

Het huis lag verscholen achter een fraaigeknipte heg, die zo breed en dik was dat er in dit jaargetijde onmogelijk doorheen te kijken viel. Ik liep langs de heg, om de hoek zag ik het gat in de heg. Ik keek erdoorheen en ontwaarde het raamloze gedeelte van een speelhuisje, opgetrokken uit ruwe, nog ongeverfde planken. Ik liep wat naar opzij en probeerde opnieuw door de heg te kijken, maar die was ook hier breed en dik, en er viel absoluut niets te zien. Ik keek om me heen. Het was een villawijk. Het ene grote perceel lag naast het andere, maar achter me lag een laag flatgebouw met een plat dak. In de donkergrijze bakstenen gevel, die op het huis van de familie Frosh uitkwam, zaten geen ramen, terwijl de façades waren opgetrokken uit vensterglas, van kelder tot zolder, met balkons die eveneens van glas waren vervaardigd. Ik liep ernaartoe en rammelde aan de deur, maar die was natuurlijk op slot. Ik belde aan bij de conciërge, en even later hoorde ik zijn stem via de intercom. Ik maakte me bekend en verklaarde dat ik het dak op wilde.

"Heeft het iets met het Frosh-meisje te maken?"

"Ja", antwoordde ik kortaf. Hij hing op, en kort daarna trok hij de deur open tegen zijn vlezige buik aan, waarna hij me liet passeren met een paar nieuwsgierige vragen, die ik met een enkele grom afwimpelde.

Het dak was bedekt met zwart asfaltpapier en bood een voortreffelijk uitzicht op het rechthoekige huis van de familie Frosh – een lange smalle bungalow van gele bakstenen, gebouwd op een langwerpig terrein. Loodrecht op het huis helemaal aan het eind lag de garage waarover Sam het had gehad. Vanaf de garage was het speelhuisje niet te zien, dat in het gedeelte van de tuin lag dat op het flatgebouw uitkeek. Alles was uitermate goed onderhouden, de ruiten waren gewassen, de vensters pas geschilderd, het grasveld pas gemaaid, de heg pas geknipt.

Het gat in de heg was strategisch precies daar aangebracht waar niemand het van binnenuit kon zien, en aangezien er geen ramen in de muur van het flatgebouw zaten en er naast het flatgebouw alleen maar een bouwrijp gemaakt stuk grond lag, dreigden er niet meteen gevaren voor de dader. Maar toch? De mensen maken hier wandelingetjes. Ze laten hun honden uit. Ze rijden door de straat.

Goed gepland, maar toch uiterst riskant, concludeerde ik. Toen zoemde de PDA. 'Cornwell Bugle' stond er op mijn display. Ik overwoog het antwoordapparaat aan te zetten om van Hanif Kureishi af te zijn, zoals de plaaggeest bij die krant heette. Maar toen nam ik op.

"Hoi Fanny", zong hij.

"Hé, Hanif", zong ik terug. "Wat wil je nu hebben?"

"Wanneer leer je wat *smalltalk* te bezigen?" klaagde hij.

"Nooit", verzekerde ik.

"Ik heb gehoord dat jullie een hoofd hebben gevonden."

"Wie zijn 'jullie'? Ik heb geen hoofd gevonden. Ik heb genoeg aan het mijne."

"*C'mon!* Er doen allerlei geruchten de ronde dat het hoofd van het meisje is gevonden in een container."

"Ik heb geen flauw idee waar je het over hebt."

"Ja maar jij werkt toch mee aan die zaak, hè?"

"Ik werk aan veel zaken mee, maar welke bedoel je?"

"Ik heb er een hekel aan dat je je van den domme houdt. Heeft de politie dan niet Ellen Frosh' hoofd in een container gevonden?"

"Geen idee, dat moet je aan hen vragen."

"Werk je dan niet mee aan die zaak?"

"Als ik dat doe, weet je heel goed dat ik er geen commentaar op zal geven."

Hij zuchtte en maakte een pauze.

"Wordt het niet tijd dat we elkaar weer eens zien? Het is ontzettend lang geleden."

"Ik heb het de laatste tijd nogal druk, dus dat moet nog even een ontzettend poosje wachten."

"Waar heb je het druk mee?"

"Schei toch uit!" Ik stond op het punt op te hangen, maar toen kreeg ik een idee. Ik slaakte een diepe zucht en zei toen na een goed gedoseerde pauze: "Als je het echt wilt weten: ik heb het druk met mijn eigen onderzoek." Ik kon haast horen hoe hij ijverig zijn oren spitste.

"O ja?" riep hij hongerig uit.

"Er is een psychopaat die me constant opbelt en onbegrijpelijke bijbelcitaten in mijn oor of op mijn antwoordapparaat spuit."

"Bedreigt hij je?"

"Ik denk van wel, maar zoals gezegd – ik begrijp niet helemaal wat hij zegt – je weet hoe bijbeltaal is, hè? Enigszins cryptisch."

"Heb je aangifte gedaan bij de politie?"

"Nee, ik wil het zelf opknappen. Hij belt me op vanuit verschillende telefooncellen hier in de stad, zo'n twee à drie keer per dag, en ik sta op dit moment de telefooncel te schaduwen vanwaar hij het vaakst heeft gebeld ... Luister, ik moet ervandoor, want er komt iemand aan die het zou kunnen zijn. Vertel dit alsjeblief aan niemand door, oké?"

Ik verbrak de verbinding en was in mijn sas over mijn eigen genialiteit. Hanif had het hoofd niet gekregen, maar iets had hij gekregen, en je kon er donder op zeggen dat hij er onmiddellijk werk van zou gaan maken. Misschien zou hij zelfs een onderzoek op touw zetten. Mij best.

Ik begaf me weer naar de heg en bestudeerde het gat. Het was precies zoals Sam had gezegd een heel precies geknipt gat, een rechtopstaande vierhoek, gewelfd aan de bovenkant en dusdanig dat het onwillekeurig deed denken aan de gewelven in een kerk. Het was niet meer dan vier dagen geleden gemaakt, maar toch waren sommige takken iets sneller gegroeid dan de andere en hadden de perfectie tenietgedaan. Merkwaardig, dat met die groeisnelheden. Om de een of andere reden groeide de nagel van mijn linkerpink ook sneller dan de andere, en dat verblufte me elke keer wanneer ik erop lette.

Precies. Hij was een Pietje Precies. Hij had gewoon een simpel gat kunnen maken. Er was geen enkele logistieke reden om een gat zo mooi te maken, zo gewelfachtig. 'Pietje Precies' waren ook de woorden die Lisa had gebruikt. Ik dacht aan vlechten in perfecte orde, strikken. Ik werd het rituele in zijn gedrag gewaar. Ik dacht aan de botten op het kerkhof, maar dat aspect leverde me geen verdere sporen op.

Ik liep een eindje terug en bestudeerde het gat op een afstandje. Hij moest een werkman zijn, hij zou tuinman kunnen zijn. Ik dacht aan plantensculpturen, deze dikke heggen en struiken, volmaakt geknipt in de vorm van dieren.

Hij had het gepland. En hij kende haar. Hij had haar met zich meegelokt, koelbloedig en weloverwogen vanuit haar eigen huis, terwijl de rest van het gezin thuis was. Het was niet genoeg om de lay-out te zien vanaf het flatgebouw, hij moest ook weten dat er op een zondagochtend niemand in de huiskamer zou zijn, die uitkeek op de schommels, en hij moest weten dat de huiskamer lag waar die lag. Dat kon je vanaf het flatgebouw niet zien. Hij kende de familie.

Maar waarom had hij het hoofd afgesneden? En de botten stukgesneden?

Daar konden diverse goede redenen voor zijn, en één daarvan lag voor de hand. Hij had het lijk in stukken kunnen snijden om het vervoer ervan te vergemakkelijken. En hij had het kunnen doen om een 'statement' te maken. Om angst aan te jagen of op de voorpagina's van de kranten te komen. Ten slotte had hij het kunnen doen om een of andere perverse behoefte te bevredigen. Ik wilde nog niet aan de botten denken. Eerst wilde ik met Lisa praten. Maar in elk geval hadden we te maken met een man die lange tijd, misschien zijn hele leven, geobsedeerd was geweest door kinderen. Dit was niet zijn eerste misdrijf, en hij lag aan het oudere eind van onze statistiek. Het vaststellen van de leeftijd is het ergste, leeftijd is het moeilijkste, alleen al omdat de gevoelsmatige leeftijd niet noodzakelijkerwijs correspondeert met de chronologische leeftijd. Een man van dertig kan bijvoorbeeld best de gevoelsmatige rijpheid van een vijftienjarige hebben. De ervaring vertelt ons dat het voorspelbare tijdstip voor afwijkend gedrag op het gebied van kinderobsessies tussen de 20 en de 30 ligt. Maar deze hier had een criminele rijpheid en geraffineerdheid aan de dag gelegd die hem aanzienlijk ouder maakte.

Als hij geen pedofiele seksuele sadist was, toonde dit aan dat zijn slachtoffer een kind was, dat hij niet geschikt was om een volwassene 'aan te kunnen'. Hij kon alleen maar een hulpeloos kind hanteren, een klein meisje met vlechten dat blijkbaar vertrouwen had in een oppervlakkige kennis. Hij hoefde geen alleenstaande of zonderling te zijn. Hij kon best getrouwd zijn, maar dan waarschijnlijk met een onzelfstandige en afhankelijke vrouw.

Er waren contradicties. Enerzijds had hij haar hoofd in een vuilniscontainer achtergelaten. Wanneer dat het geval is, is de symboliek normaal gesproken dat hij daarmee te kennen geeft dat zijn slachtoffer niets anders dan vuilnis was, en dat hij het recht had om met haar te doen wat hij wilde. Maar anderzijds had hij tegelijkertijd geweten dat zij voor hem geen vuilnis was. De snede was van een slager, een trotse vakman waardig, en hij had haar neus afgeveegd, als een zorgzame ouder. En haar vlechten en haar strikken. Ik kon het haast niet uithouden om aan die twee laatste dingen te denken.

Hij had haar hoofd in een container gelegd, waarvan hij moest weten dat die gesorteerd zou worden. Wilde hij beroemd zijn? Wilde hij plagen? Of wilde hij gevonden worden?

Maar er waren nog meer contradicties. Het rituele aspect, als ik tenminste gelijk had in die veronderstelling, wees op een psychotische misdadiger. Maar deze hier was niet psychotisch. Ongeacht wat de geschiedenis achter de botten was, was hij niet psychotisch. Een dermate goed georganiseerde misdaad wijst op een man met een karakterafwijking. Psychotische mensen maken er een potje van. Die begaan impulsdelicten en zijn gemakkelijk te vangen.

Ik hoorde Sam niet komen, maar schrok me een ongeluk toen hij opeens naast me stond en op zijn horloge keek.

"Sorry hoor, het heeft veel langer geduurd dan ik had verwacht." Hij kauwde kauwgum. Ik wierp een steelse blik op mijn eigen horloge en moest geschrokken constateren dat ik al twee uur in Forest Hill was.

"Dat geeft niets, ik ben hier klaar." Ik bekeek hem nauwkeuriger. Het leek alsof hij net was opgestaan en met zijn kleren aan had geslapen. Zijn haar was door de war, zijn kleren waren gekreukeld, en hij zag er verward en enigszins gehavend uit.

"Moeilijk?" vroeg ik.

"*Nie do opsiania*. Onbeschrijflijk", antwoordde hij, terwijl hij naar zijn auto begon te lopen. Ik wist dat zijn haar en zijn kleren er zo uitzagen omdat hij in zijn vertwijfeling daar in het huis van de familie Frosh aan zijn haren had zitten trekken en met bezwete handen zijn kleren had omklemd.

"Kun je de technici dat dak niet laten onderzoeken?" Ik wees in die richting. Hij draaide zich om, knikte verstrooid.

"Lisa heeft gebeld. We moeten nu naar haar toe, ze zit in de kantine van het Forensische Instituut." Hij opende het portier van zijn Mercedes, de scharnieren kraakten van jewelste. Hij knikte naar de jeep. Ik gehoorzaamde onmiddellijk.

We raceten elk in onze eigen auto door de stad in het krankzinnige tempo waartoe Sam zich van tijd tot tijd liet verleiden, door het rode licht rijdend, inhalend waar dat onmogelijk of verboden is – en hoe dan ook levensgevaarlijk voor iedereen. Achter hem deed ik wanhopige pogingen hem bij te houden, 'omwille van de sport', zei ik tegen mezelf.

We parkeerden onze auto's in de kelder onder het politiebureau en renden de trap op, naar buiten, honderd meter door de straat en de marmeren trap op van het Forensische Instituut. We namen de lift naar de zevende verdieping, waar de kantine lag met uitzicht over de hele stad.

Mijn oog viel dadelijk op Lisa, die in haar eentje aan een tafeltje voor vier personen zat te wuiven. Ze had het tafeltje al gevuld met borden, voor zichzelf wel te verstaan. Op het grote bord vlak voor haar lagen in room gebraden kalfszwezeriken met paddestoelen, daarnaast stond een kleiner bord met spinaziesalade en aan de andere kant had ze haar legendarische knoflookbrood. Voor de zwezeriken stond een glas witte wijn, waarschijnlijk Orvieto Classico, haar favoriete label. En zoals altijd zong ze Hejsan, zodat de kruimels in het rond vlogen.

We namen plaats en keken naar haar. Ze kauwde en toonde toen glimlachend een paar kruimels tussen haar voortanden.

"*Fruktansvärt mumsigt!*" zei ze, in de richting van de zelfbedieningsbalie wijzend.

We schudden synchroon onze hoofden, daarmee eendrachtig te kennen gevend dat we geen van beiden tijd hadden om 'iets vreselijk lekkers' te eten. Ze haalde haar schouders op en nam een hap van haar knoflookbrood.

"Ik heb een paar inlichtingen die jullie volgens mij onmiddellijk moesten hebben", begon ze. Haar hoofd bewoog veelbetekenend van Sam naar mij en weer terug. Sam haalde zijn notitieblok voor de dag en keek haar afwachtend aan.

"Om te beginnen kan ik vertellen ..." Ze trok een vel papier tevoorschijn en keek erop, "... dat haar keel werd doorgezaagd met een motorzaag van het merk Fluger 230x." Ze hief triomfantelijk haar glas. "Met dank aan Anderson & Bergström." Ze knikte twee keer voor zich uit en nam toen een slok witte wijn.

Sam noteerde, maar zij schudde emfatisch haar hoofd, slikte de wijn door en zette het glas neer. "Aan klantenlijsten enzo hoef je niet te beginnen, want dit merk wordt al tien jaar niet meer geproduceerd."

Sam smeet zijn potlood op het tafeltje en rolde met zijn ogen. "*Do diabla, kobito*", spuugde hij, en hoewel Lisa noch ik er iets van verstonden, klonk het beledigend. Lisa keek hem indringend aan.

"Nou ja", zei ze. "Ik neem aan dat jullie die inlichting desondanks kunnen gebruiken."

Hij gaf geen antwoord, dus Lisa vervolgde haar relaas.

"Verder kan ik meedelen dat de man een kannibaal is." Ze stopte om te zien of deze uitspraak enig effect op ons had, maar wij staarden haar alleen maar aan, dus ze vertelde verder:

"Ze hebben sporen gevonden van bouillonblokjes – het was groentebouillon. En van wortels, ui en prei. Dus nu gaat het er alleen maar om de maaginhoud van je verdachten te checken, Berkowic." Ze hield haar handen voor haar mond, en ik zag aan haar ogen dat ze op het punt stond om in lachen uit te barsten. Waarom ook niet, dacht ik. Plotseling ontdekte ik dat er lachgeluiden uit mijn halfopen mond kwamen.

"Dat klopt ook met de lengte van de stukken bot. Geeneen daarvan was langer dan twintig centimeter – hij wilde ze kennelijk in een pan kunnen stoppen."

Geen van ons zei iets. Ik kon mijn ogen niet van Lisa's zwezeriken afhouden, waarin ze met haar gebruikelijke goede eetlust weer haar tanden zette. Wat was het verschil eigenlijk? Het was immers allemaal vlees. Mensenvlees, kalfsvlees, varkensvlees. Vermoedelijk was het alleen maar een taboe, net als naaktheid. Misschien smaakte het bovendien lekker? Misschien waren wij degenen die niet normaal waren.

Sam zag er vermoeid uit. "Voorlopig ondervragen we ongeveer vierhonderd mensen, en er zijn nog geen personen bij die we 'verdachten' kunnen noemen. We hebben een veel kortere lijst nodig en iets wat op gegronde verdenking lijkt, *pierdolony idiota*, voordat we hun maaginhoud beginnen te checken – dat geef ik je op een briefje!" Hij staarde mij aan. Dat betekende dat ik met mijn profiel de lijst moest zien te verkorten om gegronde verdenkingen mogelijk te maken. Ik sloot mijn ogen om hem te laten weten dat ik het begrepen had. Toen keek hij naar Lisa. "Heb je meer?"

"Je bent vandaag wat kittelorig, hè?" Ze keek hem plagerig aan.

"Als ik alleen maar met de doden zou moeten praten, Lisa, was ik vast in een veel beter humeur – had je meer?"

"Ja-a-a", zei ze, een briefje opvissend uit haar groene jasschort. "Er was geen vreemd bloed, er waren een heleboel vezels die we niet kunnen gebruiken omdat het in een container lag, maar ...!" Ze keek op het briefje. "Op haar linkeroorlelletje heb ik een flintertje ingedroogde, grijze, op water gebaseerde muurverf gevonden van één bij twee millimeter. Er kan sprake zijn van de volgende producten: 'Lutex 16' of 'Væggo 23'. Pigmentatie grijs 611."

"Was er geen verf of waren er geen verfresten in de container?" vroeg Sam.

"*Nada!*" Ze zond ons een brede glimlach en verwachtte blijkbaar applaus.

"Goed, hè? Krijg ik nu een kusje?"

"Kusje voor het paard", zei Sam vermoeid, een zoen op haar voorhoofd drukkend. Sam had me erop attent gemaakt dat Lisa op een paard leek. Hij had haar dit blijkbaar niet verteld, want ze keek hem vragend, maar tevreden aan toen hij weer ging zitten.

Ik keek op mijn horloge en zag tot mijn schrik dat het al laat was. Dat gedoe met die lunch had me verward. Ik was volkomen vergeten dat Lisa pas laat in de middag lunch, waarschijnlijk omdat ze zich de hele ochtend aan sandwiches tegoed doet. Ik moest het vliegtuig naar Glasgow halen en moest om halfzeven op het vliegveld zijn. Daarmee had ik gelegenheid om thuis te komen en andere kleren aan te trekken, maar ook niet veel meer. Ik stond op en excuseerde me. Sam stond ook op en zei dat hij het druk had. Hij had een uur geleden bij een zekere Bertal Sifh moeten zijn, de man van die zelfmoord-met-assistentie. En hij moest ook nog even bij die ouders langs. Die wisten nog niets van die botten af.

"Er waren natuurlijk geen vingerafdrukken?" vroeg ik terwijl ik mijn jas aantrok.

Lisa schudde haar hoofd. Vingerafdrukken op huid waren nog steeds moeilijk maar niet onmogelijk te vangen, en ik ging er sterk vanuit dat deze systematisch te werk gaande man handschoenen had aangehad.

"*Hur blir det med vor middag, raring?*" riep Lisa dwars door het lokaal, dat weliswaar halfleeg was.

Het idee dat ik met haar zou moeten gaan dineren maakte me dadelijk uitgeput. "Dat kan ik op het moment helemaal niet overzien."

Ze haalde haar schouders op en vloekte: "*Fy fan*. Verkeerd beroep."

We liepen zwijgend de straat op en de parkeergarage in. Toen we bij de auto's stonden, vroeg Sam wanneer hij een profiel kreeg. Ik voelde een tikkeltje stress de kop opsteken, maar beloofde hem dat ik het morgenmiddag zou maken. "Er is geen haast bij", zei ik. "Voorlopig doet hij niets."

Misschien was dat zo, maar het was een stomme opmerking, vooral als je naging dat Lisa de maaginhoud als een mogelijkheid had genoemd.

Sam keek me uitdrukkingsloos aan. "Er is erg veel haast bij", zei hij. "Ik voel er niets voor om aan nog meer ouders te vertellen dat het hoofd van hun dochter in een vuilniscontainer is gevonden. Als ik dat profiel niet morgen uiterlijk om 16.00 uur heb, mag jij het volgende stel ouders opzoeken."

Hij ging in zijn auto zitten en trok het portier met een klap dicht.

Ik voelde de adrenaline in mijn aderen prikken toen ik naar huis reed. Ik had Rosa beloofd dat ik het rapport voor Het Europese Centrum voor Verdwenen en Misbruikte Kinderen zou afmaken, ik had nog steeds dat Finse telefoonprofiel voor de boeg, ik had Cormio Vittantonio nog steeds niet opgebeld, ik had de voordracht van die avond niet voorbereid – en dit was er niet een die ik kon dromen. Ik kon waarschijnlijk niet eens mijn aantekeningen vinden en had er geen idee van waar ik moest zoeken. Ik zoek nog steeds een archiefsysteem dat effectief is. Het probleem is dat ik me nooit kan herinneren onder welke titels ik voordrachten en aantekeningen archiveer.

Ik toeterde naar de auto voor me, die ondanks het groene licht niet in beweging kwam. Ik kon me niet eens herinneren wat er morgen op het programma stond en moest de PDA raadplegen toen ik van het centrum vandaan reed langs de brede boulevard, die de snelste route vormt naar mijn vreedzame westwijk. Morgen moest ik van negen tot elf lesgeven en om kwart over elf was er examenplanning en coördinatievergadering; de mensen wisten nooit van ophouden, zodat vergaderingen steevast uitliepen. En ik moest me tot elke prijs aan Sams deadline houden. Ik mag mensen wel eens teleurstellen, maar dat kan ik met Sam niet maken. Maar nu moest ik gauw een man in mijn bed hebben, anders ging ik er helemaal onderdoor. Ik checkte mijn antwoordapparaat en ik had jackpot bij het eerste bericht. Francis Zanf had opgebeld en zijn telefoonnummer ingesproken en me verzocht zo snel mogelijk te bellen. Daarna volgde een bericht van de bijbelvaste geriatricus: "Ik ben bang dat mijn God, wanneer ik tot u kom, mij opnieuw zal vernederen bij u, en ik krijg verdriet van velen diergenen die voorheen hebben gezondigd en geen spijt hebben gehad van de onreinheid en ontucht en zedeloosheid die ze hebben bedreven." Daarna volgde een reeks verwijten van mijn vader, ten gehore gebracht met het gebruikelijke zelfbeklag. En dan kwam de hele artillerie van schrijvers en assistenten in spe, wier telefoonberichten ik een paar dagen geleden had verbrand. Sonia was hekkensluiter met de uitnodiging voor een diner bestaande uit kalfsentrecote, behoedzaam gebraad met een droom van paddestoelen en een exact daarop afgestemde Bourgogne, precies om zeven uur. Ik wiste alles, belde Francis Zanf en verzocht hem om vanavond om kwart over elf te komen. Als het me een beetje meezat in het verkeer, en dat was meestal zo laat op de avond, zou ik om elf uur thuis kunnen zijn.

9

Vᴿᴼᵁᵂᴱᴺ Tᴇɢᴇɴ Gᴇᴡᴇʟᴅ verdient welhaast het etiket 're-tro' – dat was althans de uitdrukking die wij gebruikten toen ik jong was. Het is een verzameling oud-feministen, en die zijn erg orthodox. En na een paar uur in hun gezelschap werd ik gewoontegetrouw erg onrustig en kreeg als vanouds zin om hen uit hun tent te lokken. Dus het was maar goed dat ik de deur uit moest om het vliegtuig te halen, zodat ik op tijd thuis kon zijn voordat Francis Zanf bij mij aankwam. Maar ze kregen toch nog een rondvraag, lang genoeg om dingen te beantwoorden die men niet had begrepen, maar kort genoeg om de persoonlijke vragen te vermijden.

Feministen ... ja, maar ik sta er sympathiek tegenover. Ik ben immers zelf ook een beetje femi – ik voel me in elk geval feminien. Maar ik heb er moeite mee om het hele pakket voor goede munt aan te nemen. Want volgens het hele pakket 'verloochen ik mijn vrouwelijkheid' en gedraag ik me 'onnatuurlijk'.

Ze vinden dat ik mijn vrouwelijkheid verloochen omdat ik kinderloos en gesteriliseerd ben – hoe ze dat weten? Ik ben een publiek persoon, ben vaak in de roddelrubrieken te vinden en heb heel weinig geheimen. Daarom is het ook een publiek geheim dat ik me door een plastisch chirurg heb laten opereren – hier komt het 'onnatuurlijke' om de hoek kijken. Feministen zijn van mening dat je met charme oud dient te worden en dat je je leeftijd moet 'accepteren'. Ik denk daar anders over. Deze wereld heeft niets natuurlijks meer over zich, en aanhangers van kleine oases van natuurlijkheid in de vorm van lange pijn-lijke bevallingen en lelijke oude mensen – om maar eens een paar dwarsstraten te noemen – die zijn bij mij aan het verkeer-de adres. En overigens weet ik toevallig dat zowel de voorzitter als de kassier van Vrouwen Tegen Geweld een stuk of wat rea-geerbuisbaby's hebben, en dan haalt het natuurlijk weinig uit dat ze thuis 'natuurlijk' menstruatieverband van puur katoen zitten te haken.

En als ze wisten ... want een paar geheimen heb ik nog, als ze eens wisten hoeveel keer ik me door een plastisch chirurg heb laten opereren, dan zou ik aan de kaak worden gesteld op de voorpagina van boulevardbladen en Fannystein worden ge-noemd en nooit meer een uitnodiging krijgen om een lezing te komen houden voor organisaties als deze, 'Vrouwen Tegen Geweld', voor een prijs van 5.000 euro per keer. Ze geloven dat ik enige correcties heb laten uitvoeren. Eenieder die de krant leest en een enig gevoel voor tijd heeft, kan op zijn vingers na-tellen dat ik al verdacht lang als schijnbaar 35-jarige meedraai, en ik weet dat er wordt gefluisterd. Maar ze vragen het me zel-den rechtstreeks. Een kop in de Cornwell Post Standard een paar jaar geleden luidde aldus:

DR. FANNY FISKE FOREVER?

Het artikel presenteerde foto's van mij uit de jaren 70, die op-vallend veel leken op de foto's die vandaag de dag vaak in de kranten te vinden zijn, en er werd uitgebreid gerekend en ge-gist. Maar ze weten niets.

Ik heb vier facelifts laten verrichten en meer keren laser re-surfacing dan ik me kan herinneren. Daarbij komen een paar voorhoofdlifts. Ik heb tegen betaling een strakke huid op di-verse plaatsen van mijn lichaam gekregen, en om de vijf maanden krijg ik een injectie met Restylane in de diepe naso-labiale voren en in de razende rimpel tussen de wenkbrauwen. Wanneer het nodig is krijg ik ook een Restylane-behandeling in de rookrimpels boven mijn lippen, hoewel ik in geen twintig jaar heb gerookt. Als ik tijd heb, laat ik elke week de huid op mijn lichaam behandelen met 'Assepoester-ampullen', waarmee ik overigens ook zelf mijn handen behandel zo vaak als ik eraan denk. Zo zit dat. En dat doe ik omdat ik me er niet bij neer wil leggen dat vrouwen maar een tijd van leven van ongeveer 40 jaar krijgen toebedeeld. Het is erg genoeg dat we allemaal dood moeten, maar dat je je als aantrekkelijke vrouw ook nog bij zo'n korte tijd van leven moet neerleggen, dat hoef je niet te pikken.

Toen ik een jaar of 39, 40 was, begonnen de mannen er zoetjesaan mee op te houden mij na te kijken. Op een dag liep ik zelfs een blauwtje. Toen nam ik het besluit, en daar heb ik nooit spijt van gehad. Met mijn werk heb ik immers geen tijd voor moeizame en langdurige courtiseringsstrategieën, die eventuele slachtoffers van mijn charme en onweerstaanbare persoonlijkheid moeten overtuigen. Er moet domweg een man in mijn bed liggen in de periodes dat ik niet werk. En nee, ik heb geen trek in oude mannen met een ritselende papyrushuid, gele tanden en impotentie.

Dus tegen feministen die mij ervan beschuldigen dat ik 'de eeuwige jeugd vier', kan ik alleen maar zeggen: ik stel me gewoon op de werkelijkheid in en pas die aan mijn behoeften aan.

Maar aan dit alles dacht ik niet terwijl ik uit het manuscript voorlas (iets wat ik anders nooit doe – ik ken mijn lezingen in de regel uit mijn hoofd). Ik had er een seconde voor nodig om dit alles in mijn achterhoofd te doorlopen – de seconde waarin ik mijn spullen uit de kalfsleren tas haalde. Bij het doornemen van de zaak Monte Rissell, waarin stond wat hij dacht toen hij een hoer verkrachtte die de richtlijnen van de politie volgde en gedaan had alsof ze ervan genoot, waarna hij haar in razernij om het leven bracht, ja toen speelde er zich in mijn achterhoofd een discussie over kannibalisme af. Dat hij een kannibaal was, geloofde ik niet. Onze man wilde alleen maar pralen en ons choqueren. Bovendien waren kannibalen meestal psychotisch, en dat was deze hier niet. Ik had Loretta Adaboy van de researchafdeling om een databaseonderzoek verzocht naar kannibalistische seksmisdadigers in de westerse wereld gedurende de afgelopen 40 jaar. Ik haalde de lijst al voor de dag toen ik in de rij stond voor de *security* in Cornwell International, en wierp er een korte blik op. Maar ik gooide hem in de vuilnisbak en stak hem in brand vlak voordat we aan boord moesten, want het was allemaal te vergezocht en te irrelevant. Dat kon ik natuurlijk niet zeker weten, maar mijn intuïtie zei het me met vrij grote letters, en daar kan ik doorgaans wel op vertrouwen.

Zelf was ik nooit in contact geweest met zaken waarbij antropofagie optrad, – wat de verzamelnaam is voor kannibalisme en het drinken van mensenbloed. Maar ik herinner me er niettemin twee. De ene gaat helemaal terug tot 1977-78 en werd de Vampierzaak genoemd. Ik kende de rechercheur die met de zaak was belast, Ray Biondi, heel goed, en hij belde me dagelijks op om me alle details van de zaak te vertellen, zodat ik mijn eetlust kwijtraakte en pijn in mijn hoofd kreeg doordat ik er voortdurend mee schudde. De smeerlap had het voorzien op jonge vrouwen, die hij om het leven bracht. Zijn seksuele motieven bleken duidelijk uit de vorm van verminkingen die hij de lijken toebracht. De andere activiteiten die hij verrichtte waren zo bizar dat de politie de moorden gemakkelijk met elkaar in verband kon brengen. Hoewel het hem eigenlijk om het bloed van de slachtoffers te doen was, waren er maar weinig lichaamsdelen waarin hij niet zijn tanden had gezet, en ik had feitelijk geen zin om een korte en aangename vliegtocht te besteden aan het memoreren van zulke weerzinwekkende en irrationele details. Hij geloofde dat vliegende schotels via een vorm van bestraling zijn bloed uitdroogden, zodat hij om het te overleven voortdurend aan nieuw bloed moest zien te komen. Catastrofaal psychotisch –

en als zodanig liet hij ook een heleboel tastbaar bewijsmateriaal achter op de plaatsen van het misdrijf en gedroeg zich al met al alsof het hem niets kon schelen of hij werd gearresteerd of niet. Hij leefde in zijn geheel eigen wereld.

De andere zaak die ik me herinner betrof Jeffrey Dahmer, die in 1991 werd gearresteerd. Hij vermoordde, sodomiseerde, verminkte, decoupeerde, liet ontbinden, begroef en vrat en legde in de vriezer – zeventien mannen en jongens. Hij was zo slordig met wat hij achterliet, en zijn gedrag was al met al zo grenzeloos, dat de enige reden waarom hij het predikaat 'psychotisch' niet kreeg vermoedelijk was dat de juryleden niet gerust waren op de veiligheid in een krankzinnigengesticht. Deze hier wilden ze domweg achter superveilige tralies hebben. Maar of hij psychotisch of alleen maar een psychopaat was, daarover maakten Bob Ressler en John Douglas jarenlang ruzie. Alsof ze niets anders te doen hadden.

Toen BA 871 uit Glasgow op Cornwell International landde, ontdeed ik mijn hersenen van de beelden die deze verhalen op gang hadden gebracht, en focuste op Francis Zanf. Of ik deed althans een poging – in feite kon ik me niet eens herinneren hoe hij eruitzag.

10

FRANCIS WAS EEN keurige jongeman, en ondanks de griep die hij onder de leden had, was hij een onberispelijke belevenis. Toen de PDA mij wekte met geprioriteerd nieuws uit de wijde wereld, hoorde ik hem zachtjes snurken.

De eerste prioriteit van de PDA was een stukje tekst uit de Bekende-Personenrubriek van de Cornwell Bugle: "De dartele diva dr. Fanny Fiske is hevig gedeprimeerd over de telefoonterreur waaraan ze de laatste tijd is blootgesteld, en ze belt wanhopig naar de redacties van de plaatselijke kranten om hen te laten ophelderen wie de anonieme terrorist zou kunnen zijn. Maar zoals onze lezers waarschijnlijk weten, is dat geen sinecure, want er zijn nog steeds 101 gladgeschoren, slechts lichtelijk geblameerde mannen in het leven van dr. Fiske –" Razend zette ik het apparaat af en staarde naar de wand. Dit zou ik Hanif betaald zetten, maar dat was van later zorg.

'Dartel.' Ik sprong mijn bed uit en deed 60 nijdige *push-ups*. Ik was helemaal niet dartel. Ik had mijn buik vol van de rol als nymfomaan die de roddelrubrieken van de kranten me gaven; op een keer hadden ze beweerd dat ik elke nacht een nieuwe man op proef had, en sindsdien hadden ze me jarenlang 'de Prinses op de erwt' genoemd, uitgaande van de veronderstelling dat er, gezien het feit dat ik voortdurend een nieuwe man moest hebben, iets mis moest zijn met mijn matras.

Nymfomaan. Dat klinkt als een ziekte. Casanova, vrouwenjager – dat klinkt leuk.

Om niet goed van te worden.

Maar dat gold ook voor het programma van die dag, hield ik mezelf voor, en meteen nadat ik op de been was gekomen, begonnen verschillende symptomen van onoverkomelijkheid de kop op te steken – nervositeit, prikkelen in de gewrichten en een wirwar aan gedachten. De telefoon ging, ik negeerde hem. Ik keek naar Francis. Hij zag er enigszins verhit uit. Ik legde een hand op zijn voorhoofd. Dat was gloeiend heet. Ik moest hem maar liever laten slapen. De telefoon ging opnieuw, maar ik voelde er niets voor om op te nemen. Toen zoemde mijn PDA. Zou ik me ziek melden? Nee, dat was geen stijl. Maar niettemin het beste overlevingsbod dat mijn matineuze mismoed kon uitbrengen.

Ik nam een douche en kreeg meer muizenissen van het type dat supergrote kwellingen nog groter maakt. Ik hoorde de telefoon een paar keer gaan, maar besloot dat ik die tijdens het douchen niet kon horen.

Ik wreef me ongeduldig droog, smeerde me op goed geluk met crème in en kleedde me aan zonder te denken aan wat ik deze dag moest. Een chamois jersey jurk met schoudervulling. Zwarte nylonkousen, zwarte pumps, een enkel gouden versierseltje op de kraag. Ik had geen zin om te ontbijten. In plaats daarvan pakte ik het Finse dossier van de keukentafel en stopte dat in de kalfsleren tas, want stel dat ik een paar minuten over had tussen onderwijs en vergaderen. De telefoon ging weer toen ik met mijn jas over mijn arm de deur opende en recht in Eisiks zure tronie keek. Stond hij te luisteren? Ik glimlachte voorkomend en zei: "Ja?"

Want waarom zou je woorden vuil maken aan een notorisch zwijgzame man?

Hij haalde alleen maar zijn schouders op, draaide zich om en liep het tuinpad af in de richting van de kruiwagen, die een eind verderop klaarstond. Ik begaf me naar de auto en riep: "Als je koffie zet, moet je stil zijn. Er ligt een man in mijn bed te slapen."

Eisik had de sleutel van het huis, zodat hij zijn lunchpakket binnen kon opeten en koffie kon zetten. Misschien was dat een fout. Misschien moest ik de oude man opdracht geven zijn antieke thermoskan in gevulde staat mee te nemen en zijn eten in zijn aftandse auto te nuttigen?

Ik keek op mijn horloge toen ik de auto keerde, en reed toen hoopvol de heuvel af naar de boulevard. Als het verkeer zich normaal gedroeg, zou ik een kwartier hebben voor een kopje koffie en wat dossierstudie vóór het onderwijs. Ik trapte op de gasplank, ervan overtuigd dat ik met enige concentratie misschien mijn eigen marssnelheid kon opvoeren, misschien een minuut of vijf kon winnen en daarmee zowaar twintig minuten tot mijn beschikking zou krijgen. Ongewild moest ik helaas wachten voor het langdurige rode verkeerslicht, dat zijn vernielingen aanricht aan de rand van Cornwell, daar waar de autosnelwegen beginnen uit te monden, dus ik benutte de wachttijd door Rosa op te bellen; ik vroeg haar een kan zwarte koffie op mijn bureau te zetten, en mijn telefoon en mijn PDA tot twee uur 's middags naar haar te verzetten.

Toen ik de auto in de modder voor het Instituut voor Criminologie parkeerde, keek ik op mijn horloge en constateerde dat ik negentien minuten had die van mezelf waren, dus ik holde zo snel als mijn pumps dat toelieten, en zat binnen een minuut met een warm kopje koffie in mijn hand op mijn kantoorstoel. Ik rukte mijn jas van mijn lijf en graaide naar het Helsinki-dossier.

Klassieke lustmoord. Klassieke psychopaat. Handelsmerk.

Om negen uur belde ik deze Jyrki Katajainen op en vertelde hem wie hij moest arresteren. Dat luchtte op. Om veertien minuten over negen legde ik de hoorn op het toestel en zocht naar de aantekeningen voor de komende lezing over victimologie. Ik had mijn aantekeningen alleen maar nodig als ik mijn hoofd er niet bij kon houden, maar ze moesten mee. Het was dertig seconden over 09.15 uur toen ik de collegezaal binnenstapte, die propvol was met door de wol geverfde rechercheurs uit Scandinavië, wier chefs van mening waren dat ze een *brush-up* nodig hadden.

Klassieke voordracht. Klassieke agenten. Handelsmerk.

De vergadering na afloop had dubbel zo snel achter de rug kunnen zijn. Ik hoopte niet dat de anderen in de gaten hadden dat ik losse gedachten over Ellen Frosh op het blok zat te krassen. Ik hoopte dat ze dachten dat ik in aandachtige stilte luisterde en overigens braaf notities zat te maken.

Klassieke vergadering. Klassieke tijdverspilling. Handelsmerk.

Om twee uur stapte ik de deur van mijn huis binnen en zag onmiddellijk dat het deurtje van het hamsterhok openstond. De hamster was weg. Was ik nu alweer vergeten hem te voeren? Niet dat ik wist. Of toch wel? Had hij zich uit pure honger een weg naar buiten geramd? Of was hij alleen maar een wilde jongen die het beu was om opgesloten te zitten? Ik keek even om me heen, maar er was geen spoor van hem te bekennen, en ik besloot dat ik nu geen tijd had om jacht op hamsters te gaan maken. Ik bemerkte ook het gewetenloze flikkeren van het antwoordapparaat, maar deed alsof mijn neus bloedde, want over twee uur wilde Sam weten welk type man Ellen Frosh had vermoord. Ik pakte de fles met Calva, die op de koelkast stond, goot een stevige scheut in mijn brandyglas en sloeg het achterover.

Ik nam de kalfsleren tas mee naar mijn werkkamer en ging zitten. Nam een wit vel papier en legde dat voor me neer. Opende de bovenste bureaula en nam mijn oeroude Montblanc ter hand. Aldus gewapend keek ik naar het papier. De telefoon ging, ik deed mijn best die te negeren. Toen zoemde de PDA. Ik schakelde hem uit.

Feiten. Strikt genomen had ik geen lijk. Er was geen plaats van het misdrijf die ik kon analyseren. Ik had alleen maar de meest algemene vermoedens om van uit te gaan. Allereerst miste ik zowel zijn MO als zijn signatuur. Ik had er geen idee van hoe de misdadiger zijn misdaad had begaan – ik wist niet hoe zij van haar huis was weggelokt en ook niet hoe ze om het leven was gebracht. En ik wist niet waarom hij het had gedaan – wat schonk hem seksuele bevrediging bij wat hij deed? Want we moesten ervan uitgaan dat het een seksueel delict was.

Wanneer ik waarom zeg, dan heb ik het over het motief. Laten we zeggen dat de politie een inbraak onderzoekt waarbij de bewoner is verkracht en vermoord – was het primaire motief dan diefstal met inbraak, verkrachting of moord? Gewoonlijk is daarachter te komen uitgaande van de toestand op de plaats van het misdrijf, en ongeacht de categorie waarvan er sprake is, is het vaststellen van de categorie het hele eiereten, wanneer ik moet nagaan wat voor soort persoon de misdadiger is.

Ik had geen flauw idee van wat zich hier had afgespeeld. Er waren geen gedragssporen achtergelaten waar ik iets aan had. "Hoe spoorlozer en gewoner een misdrijf is, des te moeilijker is het op te helderen", zei Sherlock Holmes – maar je kon niet beweren dat dit gewone kost was. Er waren ook sporen. Het probleem was alleen dat die zo diffuus waren dat de interpretatiemogelijkheden te groot waren voor een geloofwaardige profilering. De telefoon ging – ik liet hem mooi gaan.

En enkel omdat het slachtoffer een kind was, kon ik er nog niet automatisch van uitgaan dat de dader pedofiel was. Hij kon net zo goed een ondermaats persoon zijn die behoefte had aan een gemakkelijk slachtoffer. Kinderen zijn ongelooflijk goed van vertrouwen en zijn daarbij in fysiek opzicht weerloos.

Dus wat wist ik – wat kon ik weten?

Ellen kende hem. Ik kon alleen maar hopen dat haar ouders hem ook kenden, desnoods alleen maar oppervlakkig, want dan zou hij op de lijst met verdachten staan, en dan zouden we hem betrekkelijk gemakkelijk kunnen vinden. Maar dat was op dit moment niet duidelijk. Opeens realiseerde ik me dat ik het autopsieverslag niet eens had gelezen. Ik had alleen maar gepraat met Lisa. Hij had haar misschien verdoofd, hij kon een doek met ether of chloroform onder haar neus hebben gedrukt en haar de auto in hebben getrokken. Misschien kende hij haar in feite niet. Ik belde naar Lisa. Nee, er waren natuurlijk geen sporen van dat soort substanties. Ze was al veel te lang dood. Dus was ik terug bij het uitgangspunt.

Ellen kende hem.

Hij woonde hier in de stad. Dat vloeide bijna logisch voort uit het feit dat ze hem kende, en hij kende het huis.

Het misdrijf was gepland. Dat vertelde de positie van het gat in de heg me – al met al duidde het feit dat hij een gat had gemaakt niet op een plotselinge impuls, of wat we een door de situatie geconditioneerd misdrijf noemen.

Hij was een werkman. Dat bleek duidelijk uit het fraaie gat dat hij had geknipt en uit de manier waarop het hoofd was afgesneden. Maar hij kon natuurlijk ook een hobbyist zijn, een kantoormuis, die in zijn vrije tijd zeilschepen bouwde.

Hij was buitengewoon precies en had waarschijnlijk een dwangneurose gecentreerd rond precisie, misschien netheid – misschien netheid in overdrachtelijke zin. Hier dacht ik ook aan de kerkmotieven. Het gat was geknipt als een gewelf, en dan het feit dat de botten op het kerkhof lagen. Er was een waarschijnlijkheid voor religiositeit. Misschien stond hij rechtstreeks in verbinding met God, die hem hielp bij de rationalisering van zijn misdrijf – misschien geloofde hij dat hij God had geholpen door deze reine ziel de hemel in te krijgen voor ze zich vuilmaakte. Dat hadden we immers eerder aan de hand gehad. Misschien was ze zijn offerlam.

We hadden in elk geval een symbolisch toneel, en wanneer dat het geval is, is het een goed idee daar een oogje in het zeil te houden. Maar er was meer dan één toneel, er was ook de vuilnisbak op het kerkhof – en dan was er de plek waar ze om het leven was gebracht. Dat was het primaire toneel, maar waar was dat?

Ik noteerde dat er bewaking moest komen bij het huis van de familie Frosh, het kerkhof in de buurt van de vuilnisbak en in elk geval de begrafenis van het meisje, wanneer die op een gegeven moment uitvoerbaar was. Terwijl ik dit noteerde, wist ik heel goed hoe overbodig het was. Sam zou uit een natuurlijke reflex zorgen voor die bewakingen. Maar ik had hem qua profilering zo weinig te bieden dat ik alles opschreef. Zo is het vaak – woorden, woorden, woorden enkel en alleen om te verdoezelen dat er niets te zeggen valt.

Hij had een auto. Als hij geen auto had gehad, had hij haar te voet moeten meenemen, en dan moest iemand hen toch zeker gezien hebben. Er was niemand die wat dan ook had gezien. De telefoon ging. Ik rukte de stekker eruit.

Hij had een aanzienlijke ervaring. Dit was op geen stukken na zijn eerste misdrijf. Dat bleek al duidelijk uit de mate van planning. De toestand van het lijk – als je hier van een lijk kunt spreken – duidde ook op een gecompliceerde fantasie, van iemand die verschillende minder gecompliceerde misdrijven achter de rug moest hebben. De politie moest ex-gedetineerde en onder behandeling staande seksuele misdadigers checken.

Met die uitgangspunten schatte ik zijn leeftijd op een jaar of 35, 36. Misschien nog ouder. Statistisch gezien zijn deze knapen tussen de 25 en 35, maar deze hier was gepokt en gemazeld.

Wat dat kannibalisme betrof, daar geloofde ik nog steeds niet in. Ik zag ook wel dat er heel wat was dat erop duidde, maar het paste gewoon niet bij de rest. Ik kon het niet met elkaar rijmen. Ik was veel eerder geneigd om naar de precisie te kijken en op grond daarvan voor te stellen dat dit een daad van geldingsdrang was, secundair in elk geval. Hij wilde laten zien hoe goed hij was – in ontvoeren, in moorden, in het toetakelen van een lijk. En bovenal in het om de tuin leiden van de politie. Het was immers niet toevallig dat hij geen enkel spoor had achtergelaten. Geen getuigen, geen vezels, geen bloed, geen zaad – niets.

Dus ik was er zeker van dat deze hier, net als tientallen psychopaten vóór hem, een kick kreeg van het uitdagen van het systeem en het uitzetten van spinnenwebben in de hersenen van de politie.

En verder had hij het hoofd in een container gelegd, waarvan hij wist dat die gesorteerd zou worden, en hij had de botten in een lage vuilnisbak bij een bank in een openbaar park gelegd, waar ze gevonden zouden worden. Hij plaagde ons. Hij zei: kijk eens wat ik kan!

Ik zuchtte opnieuw en keek naar het papier, waar de trefwoorden in wilde wanorde rondzwommen en mij het gevoel gaven dat ik talentloos was.

Intelligentie. Hij was zeer getalenteerd. Maar hij was te agressief om zijn talenten behoorlijk te beheren. Daarom leed hij aan minderwaardigheidsgevoelens. Daarom moest hij zich doen gelden, en het was immers voor iedereen duidelijk dat hij daar goed in was.

Ik liet de Montblanc vallen, stond geïrriteerd op en begaf me naar de keuken. Het leek wel alsof de Calva me tegemoetkwam en zijn centiliters in mijn glas goot uit puur medeleven vanwege het feit dat ik nu zo ver was afgezakt dat ik alleen maar statistiek voor me uit zat te brabbelen. Ik kon net zo goed op die manier doorgaan, want ik had verder niets te bieden.

De statistiek zei dat wanneer het ging om personen met karakterafwijkingen die georganiseerde, geplande misdrijven begingen – en dat was, zo had ik immers besloten, hier het geval – dan was hij getrouwd of woonde met iemand samen. Hij had een *middle class* auto, misschien een stationcar met een donkere kleur. Die zou schoon en goed onderhouden zijn. Als hij wilde, kon hij elke willekeurige baan hebben – gezien zijn intelligentie. Maar hij zou zich aangetrokken voelen tot 'macho'achtig werk; werkman, waarschijnlijk. Verder had hij vermoedelijk eerder gevangen gezeten of boetes gekregen, waarschijnlijk voor seksuele misdrijven van minder grove aard. Hij kon ook geweldsmisdrijven hebben begaan, waarschijnlijk van sadistische aard. Al met al zijn dit soort lui vaak seksuele sadisten. Die cocktail van seksueel sadisme en karakterafwijkingen is juist typisch voor seriemisdadigers. ('Personen met karakterafwijkingen' is decennia lang de politiek correcte aanduiding geweest voor degenen die vroeger psychopaten werden genoemd, een voortreffelijk, bijna klanknabootsend woord, waaraan ikzelf nog steeds de voorkeur geef.)

Ik was ontevreden over mezelf. Zelfs na in totaal zes centiliter Calva was ik heel erg ontevreden over mezelf. Ik kon deze noot niet kraken. Het profiel dat ik te bieden had bestond enkel uit evidente feiten met een sausje statistiek. Maar wat kon Sam verwachten? Ik betrapte me erop dat ik razend werd op Sam, wel wetend dat hij iets bruikbaars verwachtte. Wat kon hij verwachten wanneer ik niets concreets had om een profiel op te baseren? Ik was toch zeker niet helderziend, en als hij dat soms geloofde, tja, dan zou hij vandaag het definitieve bewijs van het tegenovergestelde krijgen.

Ik was er beroerd aan toe.

Ik ging terug naar mijn werkkamer en haalde Ellens dossier tevoorschijn. Ik haalde haar foto eruit, legde die voor me op het bureau en staarde naar haar mooie, gladde kindergezicht. Waarom had hij haar gekozen? Waarom juist haar en niet het buurmeisje? Of iemand uit Oost? Waren ze daar niet zo mooi? Niet zo goedgekleed? Niet zo schoongewassen? Had hij haar gekozen omdat het een lekker klein ding was? En omdat hij haar kende? Omdat zij – en het huis – toegankelijk waren geweest?

Sam had me verzekerd dat het een doodgewoon tienjarig meisje was geweest, dat doodgewone dingen deed en doodgewone gewoontes, vrienden en ouders had – dat ze alles bij elkaar genomen gewoon mooi en lief was geweest. Die smeerlap had toegang tot haar gehad. Daarom had hij haar gekozen.

Er was geen enkel teken van razernij. Afgezien van het feit dat dit type moord de ultimatieve manifestatie van razernij was. Maar hij had haar gezicht niet vernield, waardoor hij haar persoon en haar menselijkheid zou hebben uitgewist. Integendeel. Hij had haar schoongemaakt, hij had haar neus afgeveegd en er zorgvuldig op toegezien dat haar vlechten onberispelijk zaten. Toch had hij haar hoofd in een vuilniscontainer gegooid, als waardeloos afval. Hier viel geen touw aan vast te knopen.

Er waren ook geen tekenen van gewetenswroeging – tenzij het schoonmaken van haar een daad van verzoening was. Hoe meer ik over Ellen Frosh en haar noodlot nadacht, des te verwarder ik werd. Mijn intuïtie zei me dat er iets faliekant mis met hem was. Niet alleen omdat ik niet genoeg stof had om mee te werken – er was ook iets volledig mis met hem. Er waren te veel contradicties.

Ik sloot mijn ogen en probeerde een beeld van hem op te roepen. Ik keek naar de heg. Die was intact. Nu kwam er een man aangelopen, hij liep als een oude man, lichtelijk voorovergebogen. Hij stond de heg geruime tijd met zijn ogen op te nemen voordat hij aan het knippen ging, langzaam en methodisch.

Ik opende mijn ogen. We moesten geen oude man te pakken krijgen. Maar het was waar dat hij er uitgebreid de tijd voor had genomen. Als er nu eens buren waren langsgekomen met hun herdershond aan de lijn en hem daar hadden zien staan terwijl hij een gat in de heg van de familie Frosh aan het maken was? Zouden ze dan geen notitie hebben genomen van zo'n merkwaardig gat en van de man die het maakte? Hoe lang duurt het om een gat in een heg te knippen?

Ik nam de foto met het grote gewelfde gat en liep de tuin in om Eisik te vinden. Ik trof hem in de achtertuin aan waar hij met het rozenbed in de weer was. Ik liet hem de foto zien.

"Hoe lang duurt het om zo'n gat te knippen?"

Hij loenste geïrriteerd naar de foto en haalde zijn schouders op.

"Wat denk je?" vervolgde ik, waarna ik de foto in zijn rechterhand stopte, die geen handschoen aanhad. Hij keek recht voor zich uit.

"Wil je er niet even naar kijken?" Hij wierp een korte, wrevelige blik op de foto.

"Hoe lang zou jij daarvoor nodig hebben?" Het duurde een eeuwigheid voordat er een antwoord kwam:

"Een uurtje, denk ik."

Er ging een schok door me heen toen ik zijn stem hoorde. Ik had namelijk nooit veel meer van hem gehoord dan gromgeluiden en desnoods ja of nee. En hij klonk precies als die psychopaat die me lastigviel met zijn telefonische religieuze gewauwel. Ik staarde hem aan. Hij overhandigde me de foto, die ik aannam zonder hem met mijn ogen los te laten.

"Ben jij religieus?" Ik bestudeerde zijn gezicht en prentte me elke vore in. Hoe lang was het geleden dat hij 70 was geworden?

Hij knikte, als ik het goed heb, en ik verbeeldde me dat ik iets beschuldigends in zijn uitdrukking zag. Hij draaide zich om en liep weg.

"Ben jij iemand die de bijbel vanbuiten kent?" riep ik hem achterna. Hij draaide zich om, wierp me een nijdige blik toe en haalde zijn schouders op.

Ik was geschokt. Maar ik moest het bij het verkeerde eind hebben. Het was onmogelijk dat mijn tuinman me met smadelijke bijbelgroeten bestookte. Nee, dat was onmogelijk, want ik herinnerde me duidelijk dat de bijbelman vaak had gebeld terwijl Eisik in de tuin rondliep. Ik moest checken waar die telefooncellen, vanwaar er gebeld werd, eigenlijk stonden. Nee, dat was te vergezocht. Eisik was Eisik, en op dit moment ging het om Ellen. Ik keek op mijn horloge. Mijn deadline kwam naderbij. Hij zou er ongeveer een uur voor nodig hebben, had het orakel Eisik gezegd. Ik keek naar de foto terwijl ik terugliep naar mijn werkkamer. Dat klopte waarschijnlijk. Een uur.

Ik ging zitten, zette mijn ellebogen op het bureau en sloot mijn ogen. Een uur. Een uur was een hele tijd.

Weliswaar had de smeerlap dit goed gepland. Maar hij had ook een risico gelopen, want hoewel hij het huis van de familie Frosh en de omgeving grondig had bestudeerd, kon hij er niet van uitgaan dat hij op een zondagochtend een heel uur lang totaal onopgemerkt een vrij opvallend gat in een standaardheg in een villawijk kon staan knippen. Hij had werkelijk een risico gelopen, en dat was beslist niet typisch voor een georganiseerde misdadiger. Opnieuw een contradictie. Als hij het gat 's nachts onder beschutting van de duisternis had geknipt, had hij niet goed genoeg kunnen zien om zijn onderneming met zo'n hoge mate van perfectie en symmetrie uit te voeren. Ik keek naar de foto, die zondagmiddag was genomen. Het gat leek geschoren in de heg. Als hij het gat 's nachts had geknipt, had hij een grote en krachtige lantaarn moeten hebben, en dat zou net zo veel aandacht hebben getrokken als wanneer hij het overdag had gedaan.

Achter mijn gesloten oogleden liet ik opnieuw alle gedachten uit mijn hoofd weglopen en probeerde me op de heg in te stellen. Nu kwam hij met een snoeischaar in zijn hand aanlopen, maar ik zag hem opnieuw van achteren. En van achteren leek hij op Eisik: beige werkkleding, een oude man in beige werkkleding die stond te pruilen; dat zag ik aan zijn rug, die dampte van Eisiks tegenzin. Ik opende mijn ogen, in de wetenschap dat Eisiks stem me zozeer van mijn stuk had gebracht dat ik de dingen nu door elkaar haalde. Ik deed mijn ogen dicht, haalde diep adem en probeerde van Eisik af te komen. Ik wilde die kerel zien, die smeerlap. Ik probeerde een paar nieuwe situaties. Nu kwam het beeld van een man, in beige werkkleding, opnieuw van achteren; hij roerde in een enorme soeppan. Mijn ogen vlogen open om weg te zappen van dat beeld. Er viel geen touw aan vast te knopen.

Nog een poging. Ogen dicht. Zien wat er kwam.

De heg kwam. Nogmaals. Nu stak de kleine Ellen haar mooie hoofdje door het gat van de heg en glimlachte. Ze glimlachte naar hem. Ik zag hem nog steeds van achteren, en hij was nog steeds een beetje Eisik in zijn beige werkkleding. Hij pakte haar bij de hand en samen liepen ze over de stoep. Ik opende mijn ogen en schudde mijn hoofd. Het lukte me niet hem te zien, dat was hem niet, en het tafereel was verkeerd. Hij moest een auto hebben gehad. Ze liepen niet hand in hand over de stoep. En hij was geen oude man in werkkleding. Ik kon hem niet zien. Wat een shitzooi.

"Shit!" siste ik zachtjes. Op het moment dat ik opstond, werd er aan de deur gebeld. Ik keek op mijn horloge. Het was vier uur. Ik pakte mijn aantekeningen.

Ik wist dat Sam het was, maar checkte niettemin de deurspion voordat ik hem binnenliet. Hij moffelde een stuk kauwgum uit zijn mond en in zijn jaszak, en zag er net zo gehavend en kreukelig uit als de laatste keer dat ik hem had gezien. Ik huiverde toen ik de hoopvolle blik opving die hij me zond. Ik pakte de Calva en schonk wat voor mezelf in terwijl mijn blik Sam vroeg of hij ook wat wilde. Hij schudde zijn hoofd en haalde in plaats daarvan zijn zakflesje tevoorschijn.

We gingen aan de keukentafel zitten en zeiden niets, namen elk een slokje.

"Mag ik een tandenborstel van je lenen?" vroeg hij opeens.

"Er staat een gastentandenborstel in de badkamer, het is de blauwe", antwoordde ik verward. "Je kunt hem steriliseren in de snelkoker."

"Dat dondert niet", zei hij terwijl hij opstond.

"Waarom wil je je tanden nu poetsen?" vroeg ik. "Wil je me een zoen geven?"

Hij gaf antwoord toen hij terugkwam en zijn mond met zijn mouw afveegde.

"Knoflook." Hij lachte kort. "Ik heb een eenpansgerecht gegeten bij de lunch, en daar zat zo veel knoflook in dat ik er gewoon misselijk van werd. En wanneer je die knoflookstank zelf kunt merken, dan is het foute boel." Hij maakte een grimas.

"Wel, wat was zijn verklaring voor de toestand van zijn vrouw?"

"Arme man", zei Sam. "Ze was blijkbaar niet goed snik. Van tijd tot tijd maakte ze amok. Drukte sigaretten uit op zichzelf en de kinderen. Ze hadden er zes, een stel pruilerige opdondertjes. Ze sloeg hen en zichzelf met van alles en nog wat. Ze had de gewoonte haar hoofd tegen de muur aan te beuken en scheldwoorden te schreeuwen."

"Waarom deed hij er niets aan?"

"Dat verweet hij zichzelf ook. Maar hij zei dat het alleen maar af en toe voorkwam, en dat hij elke keer geloofde dat het voor het laatst was. Aardige oude man, stond midden in zijn keuken te huilen."

"Hebben die kinderen geen hulp van een psycholoog nodig?" vroeg ik.

"Dat bood ik hem aan, maar hij was ervan overtuigd dat hij het zelf aankon."

"Ik vind dat je moet zorgen dat er toezicht komt." Hij haalde zijn schouders op.

"Misschien. Ik wil hem even wat tijd geven."

In dat soort gevallen waren Sam en ik het absoluut niet met elkaar eens. Voor mij zouden dat soort kinderen de hoogste prioriteit hebben. Sam wist heel goed dat ik er zo over dacht, maar zijn lichaamstaal loog er niet om: ik moest dit laten rusten, me er niet mee bemoeien.

Ik noteerde in mijn achterhoofd dat ik er bij de eerste de beste gelegenheid met de crisispsycholoog van de politie over moest praten. Maar nu moest ik maar liever vertellen hoe de zaak er voorstond.

"Ik heb niets voor je", zei ik ten slotte, hem mijn rommelige aantekeningen overhandigend. Hij bekeek ze vluchtig en haalde zijn schouders op. Toen sloot hij zijn ogen en leek op iemand die dood wilde.

Sam stond onder een ongelooflijke druk. Deze moord was de meest bizarre in de geschiedenis van Cornwell. Ouders in de Forest Hill-wijk waren in paniek geraakt. De pers had het politiebureau belegerd, en Sam had hun over het hoofd in de container verteld. Nu wilden ze meer. Maar die ouders zaten hem nog het meest dwars. Hij had besloten te zeggen dat de botten waren gevonden, maar hij had de soeptheorie niet genoemd.

"Hoe reageerden ze op die bottengeschiedenis?" probeerde ik. Hij zat een poosje met zijn hoofd te schudden.

"Ik heb het alleen maar tegen de man gezegd. Maria Frosh ligt halfverdoofd door kalmerende medicijnen in haar bed te huilen. Het jongetje snapt er helemaal niets van, en de ouders hebben geen tijd en energie voor hem. Er is een of andere verre nicht gekomen om op hem te passen. Michael Frosh probeert zich staande te houden. We hebben afgesproken dat we zijn vrouw niets over de botten zouden vertellen, in elk geval niet op dit moment." Hij pauzeerde, nam een slok uit zijn zakflesje.

"En hij blijft maar vragen stellen. Ik kan hem niet alles vertellen, maar het is moeilijk hem informatie te onthouden wanneer hij zijn dochter op die manier heeft verloren, en het is alsof hij het van me eist. Zijn blik zuigt gewoon inlichtingen uit me. *Popierdolony skurwysyn*. Vreemde kerel." Sam schudde het hoofd en keek me toen aan. "Maar het is niet zo onbegrijpelijk dat hij vreemd doet."

Sam haalde een stapel brieven uit zijn binnenzak.

"Dit maakt het er niet gemakkelijker op voor de familie." Hij legde de brieven voor me neer op het tafelblad. Ik pakte de bovenste:

"Jullie hoeven niet bang te zijn, jullie dochter is in veiligheid bij mij. Ik zal er wel voor zorgen dat ze binnenkort een speelkameraadje krijgt, want ze is een beetje eenzaam. Als jullie deze brief aan niemand laten zien, zal haar niets overkomen. Ze heeft het goed bij mij, en ik voer een paar experimenten op haar uit die nuttig zullen zijn voor de mensheid."

"Dat moet een oude zijn."

"Dat was een van de eerste die Frosh heeft ontvangen. Die kwam op de dag voordat we het hoofd vonden."

"Waarom geef je me die brieven nu pas?" Ik keek hem beschuldigend aan – en terecht. Ik moet die brieven hebben, dat maakt deel uit van de procedure.

"Ik ben het vergeten, *do diabla*."

"En de rest is net zo, neem ik aan?" Sam knikte. Ik pakte de volgende op en nam die vluchtig door. Die was ongeveer net zo weerzinwekkend. Ik telde de brieven in de stapel. Vijfendertig.

Ellen was nog maar koud een week weg, en daarom vormden 35 krankzinnige brieven, zo te zien van 35 verschillende krankzinnige mannen een behoorlijke hoeveelheid.

Elke moord opent een blik met wormen en verleent aan elke sluimerende waanzinnige nieuwe inspiratie tot activiteit. We waren gewend aan dit soort postaal sadisme. In 99 van de 100 gevallen waren het dwaalsporen. Maar niet altijd. Daar stond tegenover dat het altijd kolossaal veel tijd en mankracht kostte om ze na te trekken, maar ze moesten nagetrokken worden.

"Ik houd de brieven, ik neem aan dat ze bij de grafoloog zijn geweest?"

Sam knikte. Ik vervolgde:

"Ik wil graag alle brieven zien die de familie ontvangt, wanneer jullie er klaar mee zijn. Zo snel mogelijk."

We keken elkaar geruime tijd aan. Sam schudde stilletjes zijn hoofd.

"Lisa heeft niets. Jij hebt niets. Ik heb *gówno* – niets! De hele afdeling is mensen aan het ondervragen die nog nooit een vlieg kwaad hebben gedaan. En weet je waar mijn tijd mee heengaat? Met het ondervragen van getuigen. Nu bellen ze aan de lopende band. Nu is er opeens een godgeklaagd aantal lieden dat een man met een meisje heeft gezien, dat leek op, gelijkenis vertoonde met, identiek was aan ... Ellen Frosh." Hij liet het wit van zijn ogen zien. "Helaas zijn de mannen allemaal totaal verschillend, het zijn kleine en grote, dikke en dunne, oude en jonge. En helaas – helemaal verkeerd. Ze hebben ook gezien hoe een zeventienjarige, een oude vrouw en twee kinderen een gat in de heg van de familie Frosh knipten. Naar verluidt gebruikte de zeventienjarige een motorzaag, zodat hij de hele buurt wekte. O jawel. Ze houden me mooi bezig." Hij nam een slok whisky, knipperde een paar keer en vervolgde:

"Verder zijn er al die andere verhalen, waarin het heet dat ze met z'n tweeën waren. Er is iemand die een zakenman en een vrouw heeft gezien die een poging hadden gedaan een vierjarige met zich mee te lokken. En verder was er een wat oudere tweeling die snoep had uitgedeeld aan kinderen bij een zandbak. En verder was er een klein meisje dat schreeuwend over de straat was gerend met een stel zwaarlijvige teenagers achter zich aan. Het houdt nooit op. De telefoon staat rood-gloeiend. En ik moet het onderzoeken. En wanneer ik eindelijk een verdachte krijg, kan ik hem niet in voorlopige hechtenis nemen. Je hebt natuurlijk nog niet naar Cormio Vittantonio gebeld?"

Ik schudde mijn hoofd en keek naar zijn PDA; die was uit. Hij keek me smekend aan.

"Kun je iets proactiefs bedenken?"

"Je kunt de standaardprocedure proberen", zei ik schuch-ter. Sam wist heel goed dat de effectiviteit van een proactieve strategie zonder profiel weinig voorstelde.

"Ik heb gezorgd voor bewaking bij het huis, de vuilnisbak en de container", zei hij. "Het enige wat ik kan bedenken, is dat ik de kranten laat schrijven dat ik een profiel heb gemaakt dat zo precies is dat we rekenen op een spoedige arrestatie."

Ik haalde mijn schouders op. Dat was niet erg geniaal, maar zolang iedereen dacht dat ik helderziend was, kon het er wel-licht toe leiden dat de dader zich onder druk voelde staan en misschien pogingen zou doen zich in het onderzoek te men-gen. Daar hadden we tal van voorbeelden van gezien. De moordenaar weet een perskaart op de kop te tikken, waarna hij journalistje of fotograafje speelt, achter de politie aan holt en vragen stelt. Of zich inlaat met de politiemensen in de bar van O'Connors en geïnteresseerde vragen stelt met betrekking tot de zaak.

Sam knikte beleefd. Want natuurlijk had hij daar al aan ge-dacht.

"Ik heb twee mensen uitgetrokken voor die verf en twee anderen voor die motorzaag, en dan zal algauw blijken of ie-mand op de lijst dat soort verf heeft gekocht en in verband kan worden gebracht met een motorzaag van dat type. Ik heb Loretta aan het zoeken gezet in de database; we zijn op zoek naar soortgelijke onopgehelderde zaken, we zijn op zoek naar ex-gedetineerden met soortgelijke geschiedenissen, we zijn op zoek naar mensen die net uit instellingen zijn ontslagen – ze probeert alle ingangen."

Hij wilde een slok uit zijn zakflesje nemen, maar dat was leeg. Hij schroefde de dop erop en stopte het in de binnenzak van zijn kreukelige zwarte jasje. Toen pakte hij een kauwgumpje.

"En we schieten er geen donder mee op. *Gnój.*"

We zaten een poosje zwijgend naar het tafelblad te staren.

"Weet je wat ik wil voorstellen?" vroeg ik toen. Hij keek op.

"Ik vind dat je contact moet opnemen met die helderziende Noorse vrouw."

"Ik weet niet over wie je het hebt, maar besef je wel hoeveel keer we het met een helderziende hebben geprobeerd? En hoeveel keer we totaal zijn afgegaan?"

Ik negeerde hem. "Deze hier is speciaal. Ik heb haar ontmoet toen ik de Noorse politie hielp bij de opheldering van de geheimzinnige verdwijning van een achttienjarige jongen. Dat moet ergens in de jaren 80 zijn geweest. Hij was gewoon spoorloos verdwenen tijdens een reis, en als ik het me goed herinner, was de politie van zo'n vier, vijf landen bij de zaak ingeschakeld – zonder resultaat. Toen werd zij erbij gehaald; in Noorwegen was ze een bekend persoon, maar verder nergens anders. Ze zei dat ze moesten zoeken onder een bepaalde brug in Kopenhagen – ik herinner me niet welke. En voilà, daar lag zijn lijk. Sindsdien heb ik haar reilen en zeilen gevolgd. Soms is ze erg precies, andere keren is ze vager. Maar ze heeft altijd gelijk. Je hebt niets te verliezen. In feite heb je helemaal niets."

Hij haalde zijn schouders op.

Ik stond op en begaf me naar mijn werkkamer, opende de rommellade en vond haar naam en telefoonnummer op de achterkant van een envelop. Noteerde dat en ging terug naar Sam, die zijn PDA aan het reactiveren was. Zodra hij dat had gedaan, zoemde het apparaat. Moe en wrevelig nam hij op.

Terwijl hij in gesprek was, deed ik mijn telefoonstekker terug in de doos. Toen stopte ik het briefje met het telefoonnummer van de helderziende in zijn zak en bestudeerde vervolgens zijn verbeten gezicht. Hij luisterde en knikte onafgebroken, zonder een woord te zeggen. Na een poosje hing hij op en staarde voor zich uit.

"Er is een vijfjarig zwakbegaafd jongetje spoorloos verdwenen uit een school voor speciaal kleuteronderwijs in Dappled Downs. De laatste keer dat hij werd gezien, speelde hij met houten blokken op de speelplaats, maar hij was weg toen iemand van het personeel hem om halfdrie naar binnen riep om fruit te eten. Hij is te klein om het hek zelf te kunnen openen. Maar weg is hij."

Sam stond op en ging de deur uit. Zonder dag te zeggen. En hij liet mij met een rotsmaak in mijn mond achter. Want had ik niet gezegd dat hij alle tijd had? Had ik niet in de waan verkeerd dat statistiek, de patronen die ik had bestudeerd, de ervaring die ik had, de eeuwige waarheid vormden? Alles wat ik wist, vertelde me dat een moord van dit kaliber – wat dat kaliber ook mocht inhouden – uitermate bevredigend was voor de moordenaar. En daarom houdbaar voor langere tijd. Wist ik niet dat er bijvoorbeeld wel negen jaar verstreken tussen Jeffrey Dahmers eerste moord en zijn tweede? Hier waren er twee, drie, misschien vier dagen verstreken. Ik kon het me niet herinneren. Ik schonk meer centiliters in dan goed voor me was, nam de fles mee naar de kamer, vlijde me neer op mijn bank en sloeg het glas achterover. Ik vind het niet leuk om dit toe te geven, maar al ben ik nog zo bekwaam, ik heb geen kristallen bol. En hoewel ik massa's van die smeerlappen heb bestudeerd en meer zaken aan de hand heb gehad dan ik me kan herinneren, staat er niets vast in deze branche. En er zijn heel weinig objectieve waarheden over deze moordenaars, behalve dan dat ze net als wij allemaal op een gegeven moment doodgaan.

Daar zat ik voor me uit te staren terwijl de waarheden op me neer hagelden. Ik was niets anders dan een ijdele vrouw op leeftijd, die gekwalificeerde gissingen en beargumenteerde hypotheses verkocht. Mijn ophelderingspercentage van om en nabij de honderd was waarschijnlijk meer geluk dan wijsheid.

Ik was God niet. Ik kon doodgaan, ik kon falen; mannen konden me negeren, weggaan zonder dag te zeggen. Ik sloeg nog een Calva achterover en begon van lieverlee te voelen hoe die zich als een kalmerende, verdovende warme deken om me heen legde. Ik moest denken aan wat een van Lisa's collega's ooit had gezegd: "Patronen. We trachten te voorspellen. Maar dat kunnen we niet altijd. Niet alles is voorspelbaar."

Het enige wat ik kon voorspellen was dat ik behoefte had aan een nacht voor de televisie, helemaal alleen in mijn fraaie huis. Ik legde mijn hoofd op de armleuning en plotseling ... was ik weg.

11

Op EEN GEGEVEN moment, in de loop van de nacht, moet ik mijn bed in gestrompeld zijn, maar dat moet zich in mijn slaap hebben afgespeeld, want ik ontdekte het pas toen het geschetter van de PDA me wekte. Het eerste wat ik zag toen ik mijn ogen opsloeg, was Francis Zanf.

Francis?

Ik ging overeind in bed zitten, opeens klaarwakker, en pijnigde mijn geheugen.

Wanneer had ik Francis voor het laatst gezien?

Dat was gisterochtend geweest, toen ik het bed uit sprong. Hij had gesnurkt, heel zachtjes. Had hij al die tijd geslapen? Hier? Hij voelde zich immers niet zo lekker. Of was hij teruggekomen – en zo ja, hoe was hij dan binnengekomen? Ik keek naar zijn gezicht. Hij was lijkbleek, de huid wasachtig en doorzichtig, de lippen geelbleek. Hij moest werkelijk ziek zijn. Ik legde mijn hand op zijn voorhoofd, maar trok die onmiddellijk weer terug. Daarop duwde ik met mijn rechtervoet tegen zijn arm aan. En toen sprong ik met een gil het bed uit, raapte de kimono van de vloer op en holde de kamer uit, pakte de PDA van de keukentafel, gooide de deur achter me dicht en holde ervandoor, de straat over, naar Sonia.

Ze deed open, gekleed in een schort die ze in de cadeauwinkel van het Engelse Tuingenootschap had gekocht. "Ontbijt?"

"Er ligt een lijk in mijn bed", neuzelde ik terwijl ik haar opzij duwde. "Ik heb samen met een lijk liggen slapen. Wil je

David Berkowic alsjeblieft bellen en hem verzoeken het on-middellijk te verwijderen?" Met een woest gebaar stak ik haar mijn PDA toe en hield een hand voor mijn mond. "Het is code 1", gorgelde ik, waarna ik halsoverkop naar haar met blauwe tegels bedekte toilet spurtte om over te geven.

Toen ik terugkwam, was Sam verwittigd. En een kop gloeiend hete Earl Grey stond op me te wachten in de 'bar', zoals ze de hoge kruk achter haar kookeiland noemde. Ik ging erop zitten omdat ik niets anders kon bedenken, en zag de krantenkoppen al voor me. 'Zevenentwintigjarige dood aan-getroffen in het bed van dr. Fiske.' Op zijn minst. Ik huiverde bij de gedachte wat ze nog meer konden verzinnen.

"Wil je ernaartoe gaan?" Ik probeerde van de thee te nip-pen, maar brandde mijn lippen. "En wil je tegen Sam zeggen dat hij de pers niet op de hoogte mag stellen voordat de doodsoorzaak is vastgesteld?" Sonia knikte. Ze zag er gelukkig uit. Ik had haar een belangrijke opdracht gegeven. Meer kwam er niet bij kijken.

"Hoe laat is het?" Ze wees naar haar Zwitserse klok, waar-uit één keer per uur een schreeuwende vogel vloog. Het was halfnegen.

"Jezus Maria", schreeuwde ik, terwijl ik me van de stoel liet glijden. "Ik moet om kwart over negen lesgeven. Kan ik wat kleren van je lenen?" Ze wenkte me haar slaapkamer binnen en opende trots haar wand-tot-wand klerenkast. Toen liet ze me alleen.

Ik viel bijna flauw bij de aanblik van al die roze lambswool en al die bruine gabardine met lage taille en olifantspijpen. Maar ik slaagde erin een enigszins neutraal jasje te vinden en een broek van marineblauw vlas, die maar twee maten te groot was.

Toen ik in de keuken kwam, was Sonia weg. De PDA lag op het kookeiland. Ik keek door het raam en zag Sams auto en een ambulance voor mijn huis staan. Ik pakte de PDA en So-nia's zonnebril van de chiffonnière in de gang. Toen sloop ik de weg over naar mijn huis en liep behoedzaam langs de ramen tot ik eindelijk Sonia in de gaten kreeg in de badkamer. Ze was haar handen aan het wassen en glimlachte naar zichzelf in de spiegel. Ik klopte voorzichtig op de ruit. Ze opende het raam.

"Mijn kalfsleren tas en mijn autosleutels, ze liggen op de keukentafel", fluisterde ik. Toen sloop ik naar de carport en kroop op de voorbank.

Binnen een minuut was Sonia terug en ze schoof beide zaken door het open portierraam.

"Wil je alsjeblieft een schoonmaakbedrijf opbellen en ervoor zorgen dat het huis wordt schoongemaakt? Je weet wel, brandschoon, van boven tot onder, van kelder tot zolder, alle glimmende oppervlakken met alcohol laten afnemen, de kleden laten wassen, *the full monty* ..."

Ze gaf een tikje op mijn hoofd en knikte. "Je moet vanavond komen eten", zei ze moederlijk. "Coquilles Saint Jacques."

Ik antwoordde niet, maar hoopte dat ze de glimlach opving die ik trachtte te produceren toen ik het raampje dichtdraaide en de auto startte. Wegwezen.

Ik slaakte een zucht van verlichting toen ik bij de boulevard aankwam. Maar toen zoemde de PDA. Het display vertelde me dat het Sam was. Ik nam op.

"Waarom ben je 'm op die manier gesmeerd, *ostatnia kretynko?*" vroeg hij. Ik hoorde het speeksel in zijn mond bruisen.

"Ik moet lesgeven."

"Er is sprake van een lijk. En het ligt in jouw bed."

"Zorg dan dat het weg komt!"

"Ik moet met je praten. Het lijkt me niet zo slim dat je er zomaar tussenuit knijpt."

"Dat hoef je mij niet aan mijn neus te hangen! Hoor eens, als ik 'm niet was gesmeerd, had jij me tegengehouden, en had ik twee colleges moeten afgelasten. Ik kom naar het bureau wanneer ik klaar ben op het Instituut."

"Hoe laat is dat?" hoorde ik hem vragen, maar ik besloot de verbinding te verbreken, want ik had er geen flauw idee van.

In feite wist ik helemaal niet wat ik die dag moest doen. Dat zou mijn PDA me moeten kunnen vertellen, maar ik had mijn afspraken niet ingesproken sinds ... ik kon me niet herinneren wanneer ik dat voor het laatst had gedaan of wat ik gisteren eigenlijk had gedaan.

Ik belde naar Rosa en zei dat ik vertraagd was. Ze schold me uit. Ze had een paar kilo telefonische mededelingen voor me, beweerde ze. Met haar sarcastische uitspraak van kilo liet ze doorschemeren dat mededelingen niet in kilo's gewogen moesten worden, maar eenvoudigweg een hoeveelheid kilobytes in beslag moesten nemen. En waarom had ik haar niet teruggebeld? Ik vertelde haar in het kort over het lijk in mijn huis. Toen werd het stil aan de andere kant. Ze las het programma van de dag voor. 'Profilering in Historisch Perspectief' van kwart over negen tot elf uur. 'De Psychologie van het Kwaad" van kwart over elf tot halfeen.

"Kun je mijn aantekeningen niet even voor me opdelven? Ze moeten onder de H en de O liggen, als ik ze tenminste op titel heb gearchiveerd."

Ik hoorde hoe ze zuchtte en iets op haar grote ruitjesblok schreef.

"Staat er voor vanavond iets op het programma?"

"*Einen Moment, Liebling.*" Haar vingers op het toetsenbord waren te horen en deden me denken aan de Spaanse openingszet van mijn vader en oom Stanislav: E2-E4 (E7-E5), G1-F3 (B8-C6), F1-B5.

"Ja, hier staat het. Om halfzeven heb je een vliegreis besproken, nee, je moet om kwart over zes op de luchthaven zijn, het vliegtuig landt om kwart voor negen in Athene."

"Wat moet ik daar?"

"Je hebt een profileringszaak voor ... wacht even ... Elias Pana-yo-to-pou-los ... hoe spreek je dat uit?"

"Zo lelijk mogelijk. Waar gaat het over?"

"Dat weet ik niet, maar het dossier ligt hier al twee dagen op mijn bureau."

"Waarom heb je me niet gebeld?"

"Je moet je antwoordapparaat en je PDA eens checken – ik heb alles bij elkaar 27 keer gebeld, *Schatzi!*"

"Okay, okay, okay – ik zit een beetje in tijdnood. Zou je alsjeblieft wat kleren en een weekendkoffer voor me willen kopen?"

"Wat wil je hebben?"

"Twee mantelpakjes. Je weet waar ik van houd. En wat ondergoed, liefst een beetje ..." Ze maakte gebruik van mijn aarzelen en viel me in de rede:

"... gewaagd?"

"Nee, gewoon netjes. Maar geen katoen en ook geen nylon."

"Okay, *Schätzchen.*"

"En liefst vóór ... hoe laat was ik ook alweer klaar met dat tweede college?"

"Halfeen."

"Okay, want ik moet er na afloop meteen vandoor – en morgen? Wanneer moet ik terug?"

"Mmm ... wacht even ... mmm ... morgen dreigt er iets spaak te lopen; ik heb je opgegeven voor een computercursus voor beginners, maar je vliegtuig landt pas om twaalf uur 's middags in Cornwell."

"Nou, dan zeg je die computercursus maar af. Ik zie dat toch helemaal niet zitten."

"Besef je wel voor de hoeveelste keer ik die cursus moet afzeggen? En je papierverbruik is weer ter sprake gekomen tijdens de vergadering – waarom was je daar trouwens niet?"

"Ik was het glad vergeten. Is er meer?"

"Ja, ik ben klaar met de papers voor het seminar op de academie."

Het klamme zweet brak me uit. Dat was ik helemaal vergeten.

"Hebben Bob en Arthur gebeld?"

"Allebei, zo'n keer of twintig. Jullie hadden moeten confereren over de planning van dat seminar. Maar ik moet je de groeten doen van Bob, ik heb hem net aan de lijn gehad. Ik moest zeggen dat ze het zonder jou hebben moeten stellen, dus nu moet je gewoon doen wat zij zeggen. Hij klonk erg gepikeerd."

"Zet je koffie?"

"Ja, en nu moet ik ervandoor, *Schnuckelchen*."

Ik verbrak de verbinding en belde naar Bob Ressler op de FBI-academie in Quantico, waar het seminar zou worden gehouden. Bob, Arthur en ik zouden een workshop leiden onder de titel 'Wat kunnen we leren van ...' We zouden een reeks bizarre seriemoordenaars de revue laten passeren voor de grote groep jonge rekruten *over there*, omdat het een staande discussie was wat, hoeveel of hoe weinig je kon leren van de extraordinaire gevallen. We hadden afgesproken dat ik Jeffrey Dahmer, Albert Fish en The Hillside Strangler voor mijn rekening zou nemen, maar we waren nog niet toegekomen aan het doornemen van de details, hoe we het zouden doen, hoe we de dingen op één lijn konden brengen, en hoe we de discussies na de lezingen zouden afwikkelen.

In feite bleken er geen grote problemen te zijn, het sprak allemaal vanzelf, en de werkelijke reden waarom ze in hun wiek waren geschoten was dat ze me niet te pakken hadden kunnen krijgen. Verder kwam aan het licht dat ze problemen hadden gehad met het regelen van de catering en dat ze mij dat hadden willen laten opknappen. Waren ze helemaal belatafeld? Daar heb je toch mensen voor? En wat weet ik van catering af? En hoe hadden ze zich voorgesteld dat ik dat van hieruit zou regelen? Schokkend.

Zodra Bob had opgehangen, voelde ik de hele boel op me afkomen, onder andere dat die knappe, veelbelovende 27-jarige jongeman, wiens warme omhelzingen me nog steeds deugd deden, nu voor lijk in mijn bed lag. Hoe lang was hij al dood? Ik had hem gisterochtend voor het laatst in leven gezien, en nu was hij dood. Dat was dus minder dan een etmaal geleden. Tijd. Een wonderlijk fenomeen. Iets waarvan je nooit genoeg kunt krijgen. Daarom is het belangrijk dat je het druk hebt.

Er zijn veel mensen die zeggen dat ze dood zouden gaan als ze het zo druk zouden hebben als ik. Zelf ben ik ervan overtuigd dat drukte de enige manier is om te ontkomen aan dingen die ik niet wil voelen. Daarom toetste ik onmiddellijk de code voor 'berichten' in. "Met Bob", begon het bandje. "Verdomme, Fanny! Waar hang je uit? Ik heb miljoen keer naar Rosa gebeld, waarom bel je niet terug? Het is toch zeker niet de bedoeling dat wij hier voor alles moeten opdraaien? Bel me!" Toen kwam mijn oude vriend: "Laat ons ook geen ontucht bedrijven als sommigen van hen die ontucht bedreven, en op één dag vielen er 23.000"; vervolgens kwam een enigszins geïrriteerde Sonia, die kiltjes verkondigde: "Paard aan het spit in Spanjolië", waarna ze de hoorn erop smeet. Dat moest een oude uitnodiging zijn. Nu verscheen Bob nog een keer, beknopter. Toen kwam mijn vader, die nog steeds niet kon begrijpen of accepteren dat ik nooit terugbelde. Een zekere Mark Mulligan, die graag wilde horen of hij uit mijn lezingen mocht citeren in zijn boek, 'Het gedrag der duisternis'; een meisjesstem verkondigde dat ze een fan was en dat ze graag gratis voor me wilde werken 'in het winterhalfjaar'. Haar naam ontschoot me. Een zekere Anabella Prins, die fictie schreef over de gruwel van de werkclijkheid en die me graag wilde interviewen over 'de geluiden, geuren en al het tactiele uit uw wereld'. Meer slaagde ik er niet in te horen voordat ik de auto in de modder voor het Instituut parkeerde. Ik wiste alles, inclusief de meters berichten die ik nog niet had gehoord. En voordat de iets te grote pumps, die ik van Sonia had geleend, in de modder belandden, trok ik er plastic zakken over aan.

Ik holde zo snel als de plastic zakken toelieten, trapte ze uit voor de draaideur en ging op een holletje naar mijn kantoor, waar naast de door Rosa keurig op orde gelegde collegenoties een stapel telefoonberichten lag. "Kilo's" had ze gezegd. Dat leek er sterk op. Ik pakte de aantekeningen voor het college over 'Profilering in Historisch Perspectief' en klepperde de zaal binnen. Pas toen ik voor de agenten stond, viel het me op dat Sonia's kleren veel te groot voor me waren. Dat was wellicht een associatie, want de geschiedenis van de profilering begon met een zekere dr. Brussels, die vrijwel zonder enig uitgangspunt een profilering van de dader maakte – tot de kleding aan toe. "Hij gaat gekleed in een dichtgeknoopt colbert met twee rijen knopen", voorspelde Dr. Brussels. En toen de politie George Metesky arresteerde, droeg hij een dichtgeknoopt colbert met twee rijen knopen.

12

Een paar jaar geleden hebben we per referendum de doodstraf opnieuw ingevoerd. De gevangenissen waren al geruime
tijd overvol, en in de zwaarbelaste gevangenissen was het vrijwel onmogelijk om aan personeel te komen. Natuurlijk komt
alleen maar een minderheid voor de doodstraf in aanmerking,
en het lost het ruimteprobleem niet op, maar de herinvoering
was niettemin een psychologische behoefte bij de grote meer-
derheid (69%) van Europa's bevolking. Ik geloof dat we er allemaal min of meer van uitgingen dat het vonnis met behulp
van een dodelijke injectie voltrokken zou worden, maar artsen
en verpleegsters weigerden daaraan mee te werken, dus uiteindelijk werden er twee elektrische stoelen in Europa ge-
plaatst, een in Frankfurt en een in Rome. (De stoelen lijken
niet langer op die middeleeuwse schavotten, maar zijn in feite vrij stijlvol en hebben veel weg van de glanzende vlakken
in een Siematic-keuken, bedacht ik toen ik een keer op een
keukententoonstelling in München was.)
   Het is vrij lastig je te kwalificeren voor de elektrische stoel;
in feite komen alleen mijn jongens voor dat privilege in aanmerking. Er komen tien rechters van tien verschillende staten
aan te pas om eenstemmig een dergelijk besluit te treffen.
Maar tot nu toe zijn ze het roerend met elkaar eens geweest.
Sinds de stoelen zo'n anderhalf jaar geleden werden geïnstal-
leerd, zijn ze in totaal 24 keer in bedrijf geweest. Hieronder
waren negentien vangsten door mij geprofileerd. Maar in alle

24 gevallen moet ik toegeven dat ik de stoel te goed voor hen vond. Een van hen, Tom Jürgensen, slaagde erin 28 jongetjes te vermoorden voordat hij in de stoel belandde. Het waren geen beestachtige moorden, hij wurgde ze gewoon en misbruikte ze na afloop. Achtentwintig jongens – dat zijn 56 ouders. Van 84 mensen heeft hij het leven definitief vernield. Een ander, Martin Wolk, wist er maar drie te vermoorden; daar stond tegenover dat hij ze dagen achtereen martelde voordat ze doodgebloed waren. Dus wat is het ergste?

Ik was de primaire lobbyist achter de herinvoering. Twee jaar lang gebruikte ik alle tijd die ik überhaupt vrij kon maken om rond te reizen in de staten en lezingen te houden over de Psychologie van het Kwaad. Onder mijn gehoor bevonden zich politici, zowel plaatselijke als federale; in kleine buurthuizen sprak ik tot boeren en neringdoenden, maatschappelijk werkers, gevangenispersoneel, psychiaters en psychologen. Op het laatst had ik zowel een acuut *burn out*-syndroom als een hersenvliesontsteking. Toch heb ik zelden het gevoel gehad dat ik mijn tijd en mijn gezondheid beter gebruikte.

Het problematische van levenslange gevangenisstraffen bestond voor zover ik het kon zien niet uit de kosten die gepaard gingen met het opsluiten, bewaken en voeren van een mens. De psychiaters vormden het probleem. In de gevangenissen werd immers een goed bedoelde poging gedaan tot rehabilitatie, en dat betekende dat mijn seksuele sadisten met hun karakterafwijkingen, lieden die onnoembare dingen met onschuldige slachtoffers hadden uitgespookt, lieden die moordden en martelden omdat het hun een kick gaf, een therapie kregen aangeboden die hen moest 'genezen'.

Prachtig. Afgezien van het feit dat deze lieden niet genezen kunnen worden. Daarentegen kunnen ze beter liegen en bedriegen en manipuleren dan de beste illusionist, en wanneer ze tegenover een psychiater zitten die bij machte is hen voor 'genezen' te verklaren, tja, dan zit het er dik in dat ze liegen en bedriegen en manipuleren. Natuurlijk zeggen ze dan: "Ja, het is vreselijk wat ik heb gedaan, maar nu heb ik het ingezien en mijn traumatische jeugd verwerkt, en ik zal het nooit meer doen." In plaats van de waarheid te zeggen: "Ik moet hiervandaan zien te komen, zodat ik weer lekker kan gaan snijden in een stuk of wat vrouwen voordat ik ze vermoord en ontleed. Ik heb het recht om dit soort dingen te doen, en het enige waarvan ik spijt heb, is dat ik me heb laten betrappen."

Deze levenslang gedetineerden waren niet alleen vreselijk goed in liegen en bedriegen en manipuleren, ze waren ook uitermate goed in het spelen van de rol van modelgevangene. Ze gedroegen zich in de regel zo dat er niets op hen viel aan te merken. Ze zorgden nooit voor last. En wanneer ze dan ook nog beweerden dat ze spijt hadden, dat ze hun fouten inzagen, dan verklaarden de gevangenispsychiaters hen voor genezen en zeiden dat ze nieuwe mensen waren, en zonden hen terug naar een wereld vol met levende mensen, waar het eerste wat ze deden moorden was. Omdat ze het niet konden laten. Omdat dit soort lieden het niet laten kan.

Mijn nu gepensioneerde collega Gregg McCrary, met wie ik jarenlang heb samengewerkt in Quantico, had een prachtige analogie met een taart. Stel je een taart voor, placht hij te zeggen – een taart die heerlijk ruikt en er fantastisch uitziet, maar zodra je er een hap van neemt, weet je dat er iets faliekant mis is. Dan schiet het je opeens te binnen. O ja, want behalve eieren en meel en boter en cacao (en wat het ook mag zijn) herinner je je opeens dat je er ook wat motorolie aan hebt toegevoegd die je uit de garage hebt gehaald. En dat is het enige probleem met die taart – de motorolie. Als je nu een manier kunt bedenken om de motorolie weer uit de taart te halen, dan wordt die perfect.

Zo kijkt Gregg tegen seriemisdadigers aan, een opvatting waarmee ik het volledig eens ben. Want in overweldigende mate is het zo dat de verlangens en lusten en karakterafwijkingen die ze hebben en die hen ertoe aanzetten onschuldige mannen, vrouwen en kinderen te martelen en te doden, zo'n geïntegreerd deel van hun persoonlijkheid zijn dat het onmogelijk is de motorolie er weer uit te krijgen.

Dat was het probleem. Het kostte me twee jaar om de mensen daarvan te overtuigen. De psychiaters en de psychologen boden de meeste weerstand, want mijn beweringen en taartverhaaltjes vormden immers een aanval op hun beroepseer en op het hele begrip van 'zelfrapportering', de therapievorm die accepteert wat de patiënt zelf verkiest te vertellen, uiteraard een blunder wanneer die wordt toegepast bij de behandeling van doortrapte fraudeurs, die langs deze weg hun ultimatieve vrijspraak nastreven.

Als je als privé-patiënt in therapie gaat, heb je er gewoonlijk belang bij om de waarheid te vertellen – anders kan de therapeut je immers niet helpen met het probleem. Maar welk belang kan een voor moord veroordeelde psychopaat erbij hebben om de waarheid te vertellen aan de gevangenispsychiaters – namelijk dat hij het gewoon niet kan laten? Geen enkel. Hij wil er immers uit. En dat lukt hem alleen als hij liegt over de motorolie in zijn hoofd.

Iets anders wat psychiaters en psychologen domweg weigerden te begrijpen, was dat geweld afhankelijk is van de situatie. Mijn jongens slaan toe wanneer ze daar de kans toe zien, wanneer de omstandigheden gunstig zijn. Het is duidelijk dat het in een gevangenis moeilijk is om seriemoorden te plegen. Het is duidelijk dat een gevangenis voor iemand die in het algemeen niet op *troubles* uit is, maar specifiek wél op moord, niet de plek is waar een lustmoordenaar laat zien wat hij in zijn mars heeft. Maar het feit dat mijn jongens zich zo netjes gedragen in een gevangenis heeft weinig te maken met de manier waarop ze zich gedragen wanneer ze niet langer onder bewaking staan en niet langer een zeer gestructureerd leven zonder verleidingen en mogelijkheden leiden.

Denk maar aan Arthur Shawcross. Hij was een voorbeeldige gevangene gedurende de vijftien jaar dat hij geïnterneerd was wegens moord op een jongetje en een meisje in Watertown,

New York. Maar er verliepen niet veel maanden na zijn vrijlating voordat zijn minderwaardigheidsgevoelens en woede hem overmeesterden. Toen ging hij aan de gang met het vermoorden van prostituees in Rochester. Om maar te zwijgen van Jack Henry Abbott, een moordenaar die zowel faam als steun van de literaire wereld verwierf toen hij een boek schreef over het leven in een gevangenis. Maar ondanks faam, steun en talent was hij zodra hij de bak uit was niet in staat zijn woede te controleren, en vermoordde hij een jongeman. En wat zou je denken van Karl Mazfieldt? Een verkrachter, verminker en moordenaar die op EFBI's lijst van Meest Gezochten belandde. Hij werd in Siena gearresteerd, veroordeeld voor moord met voorbedachten rade en geïnterneerd voor het leven. Toch kreeg hij na acht jaar gratie, waarna hij onmiddellijk weer aan het moorden en ontleden sloeg. Ik kan hiermee nog een tijdje doorgaan, zoals ik dat deed tijdens mijn lezingen. Zal ik er werkelijk mee doorgaan? Het is telkens weer het oude liedje. De bak in wegens moord, eruit wegens goed gedrag, opnieuw erin voor meer moorden. Telkens weer opnieuw.

Het gaat ook over slechtheid, over het kwaad. Ik weet dat begrippen als 'slechtheid' en 'het kwaad' heden ten dage net zo'n valse klank hebben als in de Middeleeuwen, maar we komen er niet onderuit om het ook over het kwaad te hebben.

Begrippen als 'kwaad' en 'zonde' treden in de klinische literatuur natuurlijk niet op. Niettemin gebruikte een groot aantal van mijn ter ziele gegane collega's beide begrippen. De psychiater Erich Fromm was de eerste en enige die De Boosaard duidelijk identificeerde als een persoonlijkheidstype. "We zijn niet slecht geboren en we worden niet gedwongen om slecht te worden, maar we ontwikkelen ons tot slechte mensen gedurende een lange periode en via een lange reeks van keuzes." Fromm hield geen rekening met de ongelooflijke krachten die ons vormen in de kinderjaren, en dat was een wezenlijke fout, want deze krachten zijn van doorslaggevend belang bij het begrijpen van deze problematiek. Toch is het opmerkenswaard dat niet iedereen die aan een disfunctionele jeugd is blootgesteld geweest een slecht persoon wordt. En dat komt uitsluitend door de Vrije Wil. En als we de Vrije Wil nemen – de vrijheid om te kiezen – en die bovenop de moorddadige en sadistische activiteiten van seriemisdadigers leggen, staan we plotseling oog in oog met een slecht wezen, dat een bewust besluit heeft genomen om te moorden.

Hoewel zowel Erich Fromm als dr. M. Scott Peck theorieën opstelden over de Psychologie van het Kwaad, gebruikt de klinische literatuur heel andere begrippen. Een freudiaans model ziet bijvoorbeeld de seriemoordenaar als een persoon wiens inwendige politieman of geweten afwezig is of niet bestaat. De seriemoordenaar moordt om zijn lust, zijn id-impulsen te bevredigen. Maar in het kader van het onderzoek is het niettemin het doelmatigst de seriemoordenaar op te vatten als een representant van de Psychologie van het Kwaad, want op deze manier word je het snelst en het gemakkelijkst geattendeerd op de gedachtepatronen en het potentiaal waarover een dergelijk individu beschikt: de slechte mens is extreem zelfingenomen en narcistisch. Zijn doel is macht en seksuele bevrediging. Hij is hedonistisch, totaal gewetenloos, en hij voelt zich beter dan alle andere mensen.

Slechtheid. Tegenwoordig gebruiken we dat woord alleen wanneer we het hebben over de consequentie, nooit over een toestand waaruit iets kan voortkomen. Je kunt onbezonnen, tactloos, perfide, abnormaal of ziek zijn. Maar nooit slecht. Tegenwoordig hebben we allemaal een min of meer belaste jeugd gehad. Ik voel me innerlijk gespleten. Want de grote preventieve inzet moet zich in de jeugd afspelen. Maar in de jacht op seriemoordenaars moeten we voortdurend het Kwaad voor ogen houden. De consequenties.

Voor iemand als ik maakt het daarom ook niets uit of een persoon wordt geclassificeerd als 'krankzinnig', dat wil zeggen 'psychotisch' of als iemand met een karakterafwijking: als psychopaat, sociopaat of iemand die aan een antisociale karakterafwijking lijdt, want de consequenties voor onschuldige slachtoffers zijn dezelfde: die worden vermoord en verminkt, ongeacht de categorieën.

De geesteszieken kunnen niet tot de stoel worden veroordeeld omdat ze het verschil tussen goed en kwaad niet kennen. Zij eindigen hun dagen in inrichtingen. Dit verschil in behandeling trachtte ik ook ongeldig te verklaren toen ik lobbyde voor de doodstraf. In mijn ogen is het waanzinnig te zeggen dat je krankzinnig bent als je niet weet wat je doet – maar nietkrankzinnig als je wel weet wat je doet, wanneer je verkracht, martelt en moordt. De kern van mijn argument was dat ze allemaal krankzinnig waren, en dat men naar de consequenties diende te kijken. Daar had ik geen succes mee.

Gelukkig is het zo dat slechts een klein percentage van geweldscriminelen uitsluitend psychotisch is, terwijl we vaak sadisten met karakterafwijkingen zien, die daarbij ook een kleine psychose of een grenspsychose hebben. Bovendien is het in de praktijk gelukkig zo dat de meeste juryleden, als ze daar kans toe zien en ondanks langdurige pleidooien van psychiaters, tot de conclusie neigen dat de klaarblijkelijk psychotische dader niettemin in staat was om onderscheid te maken tussen goed en kwaad en daarom van het aardoppervlak verwijderd moet worden.

Eén ding staat als een paal boven water: niemand die terechtgesteld is heeft ooit nog meer mensen gedood.

Ik sluit de Psychologie van het Kwaad altijd af met een kleine anekdote over Edward Gein, een specialist die zijn criminele loopbaan als grafrover begon. Hij was speciaal geïnteresseerd in de huid van de lijken, die hij verwijderde, looide en aantrok. Hij bekleedde ook een kleermakerspop en betrok zijn meubels met de huid van overleden mensen. Later sloeg hij zelf aan het moorden om aan huid te komen. Sommigen verdachten hem van travestie, anderen van een poging om op zijn overleden moeder te gaan lijken. In elk geval gebruikte Robert Bloch bepaalde aspecten van Ed Gein in zijn roman

Psycho, waar Hitchcock later een klassieke film van maakte, en Thomas Harris gebruikte hem in de The Silence of the Lambs. Hij werd gearresteerd en 'krankzinnig' bevonden en tot levenslange opname in een staatshospitaal veroordeeld, waar hij in 1984 op een leeftijd van 77 jaar overleed.

"Vertel me eens, ik ben een en al oor – wie kan er één goede reden opnoemen om zo'n man in leven te houden?" vraag ik altijd bij wijze van afsluiting aan mijn toehoorders, die dan nooit een kik geven.

13

Nadat ik mijn lezing over de Psychologie van het Kwaad had gehouden, haastte ik me terug naar het kantoor en keek om me heen.

De ficus in de hoek was op sterven na dood. Maar wat moest ik ook alweer?

In sneltreinvaart nam ik de telefoonberichten door, waarna ik ze in brand stak in de bak die onder de ficus stond. Ik stopte de tickets in mijn jaszak en pakte de kalfsleren tas beet om weg te gaan, maar toen zoemde de PDA. Ik checkte met bange vermoedens het display. Maar het was Sam.

"Ik kom eraan", zei ik daarom zonder meer tegen het apparaat.

"Nee, we moeten wachten met het verhoor, dat Noorse medium van jou is onderweg van de luchthaven – wil je erbij zijn?"

"Ik ben er over dertig minuten."

"Dure dame, ik spring uit mijn vel als ze het af laat weten."

Ik deed of mijn neus bloedde. "En het lijk?" vroeg ik terwijl ik voelde hoe de spiertjes op mijn voorhoofd strakgetrokken werden. Ik overwoog er een stuk of wat te laten doorsnijden.

"Dat is bij Lisa. Je staat niet op de lijst van verdachten – tenzij je hem hebt gebeten met een heel klein muizengebitje."

"Wat?" riep ik uit.

"Laten we het erover hebben wanneer Lisa klaar is, ik moet er nu vandoor."

Ik hing op en keek nogmaals om me heen in het kantoor, ervan overtuigd dat ik iets over het hoofd had gezien. Maar wat?

O ja, de weekendkoffer met inhoud. Ik begaf me naar Rosa's kantoor en zag onmiddellijk een fraai flesgroen geval, niet te groot, niet te klein. Ik glimlachte dankbaar naar Rosa, opende de tas en wierp er een snelle blik in.

"Ik heb een grijszwarte Modesa-jurk gekocht met split en blote hals – om 's avonds in uit te gaan en verder een schattig grijs pakje met een overdadige taille. Zuivere wol. Vier slipjes, twee beha's en twee hemden van Freddo, alles van zijde", zei ze zonder haar ogen van het scherm te halen. Zo ging het soms. Zij verbaasde me. Hoe hield ze het eigenlijk vol om mijn secretaresse te zijn? Wat vond ze daar leuk aan? Wie was ze wanneer ze niet met klepperende hakken en gele telefoonberichten rondrende – mijn redder in de nood? Er waren momenten dat ik ervan overtuigd was dat Rosa een mutant was – dat ze als schijnbaar 40-jarige uit een ei was gekomen en nog steeds schijnbaar 40 zou zijn wanneer de ozonlaag en wij allemaal allang verdwenen waren. Maar misschien was het gewoon de crème die ze gebruikte. Ik gaf haar een knuffel, pakte de weekendkoffer en begaf me naar de jeep.

"Dat Noorse medium van jou", siste ik tegen mezelf toen ik via de invoegstrook de snelweg op reed die me het snelst naar het centrum van Cornwell zou brengen. Hij wist best hoe ze heette en wilde alleen maar uiting geven aan zijn gebrek aan respect. Ik hoopte van harte dat Gro Mari Björke hem reden zou geven om daar spijt van te krijgen. Typisch voor mannen om de spot te drijven met dingen die ze niet begrijpen.

Zelf begreep ik er ook niets van. Ik geloofde ook nergens in. Maar ik wilde het graag. Ik zou zielsgraag willen geloven in een geestelijke wereld, in spoken, in engelbewaarders, in allerlei goede dingen die wij niet kunnen zien. Om het helemaal op de spits te drijven, zou ik graag in leven na de dood willen geloven. Het andere was te schrikwekkend. Maar het is moeilijk om erin te geloven als je nagaat in welk milieu ik me bevind. Lisa vergelijkt de mens met een vlieg en beweert dat wij voor de aarde en het universum slechter noch beter zijn. Het valt ons niet moeilijk te accepteren dat wanneer een vlieg een mep heeft gekregen, dat hij dan dood is, foetsie, weg, en we stellen ons ook niet voor dat de ziel van deze vlieg zal voortleven in een nieuwe vlieg of een schepsel van hogere orde. Nee toch? En de enige reden waarom we geloven dat we in dat opzicht anders zijn dan de vlieg, is dat we met onze grote hersenen in staat zijn ons alles voor te stellen – behalve het idee dat zulke fantastische wezens als wij zomaar zouden kunnen verdwijnen. Maar dat doen we, zegt Lisa. Wanneer we doodgaan, dan gaan we dood, dan verdwijnen we – en daarmee uit. Hetzelfde wordt gezegd door Sam en alle anderen op het bureau, maar hun uitspraken zijn niet natuurwetenschappelijk gefundeerd, en geven volgens mij alleen maar blijk van ordinaire mannelijke stupiditeit. Dus het idee dat Gro Mari Björke zich in dergelijk gezelschap zou bevinden zonder een begrijpende ziel in de buurt, dat kwam mijn eer te na – en daarmee bedoel ik dat Sam ongetwijfeld mijn naam had laten vallen toen hij haar uitnodigde.

Ik parkeerde de auto in de kelder en verkleedde me in het toilet bij de lift, een enorm toilet voor gehandicapten met een spiegel van vloer tot plafond. Rosa was werkelijk een vondst en de spullen die ze gekocht had zaten perfect en bevielen me tot in het kleinste detail, behalve dan dat de splitten in de rok iets te diep waren voor werkgebruik.

Sam had zijn benen op zijn overvolle bureau gelegd en had een eekhoornachtige uitdrukking op zijn gezicht – het was de manier waarop zijn ogen op en neer en naar opzij schoten die me aan een eekhoorn deed denken. Hij staarde naar de telefoon toen ik binnenkwam, maar hij bleef zitten.

"Nu heb ik er ook een op mijn dak gekregen, verdomme", zei hij, nog steeds met zijn ogen op de telefoon gericht.

"Wat?" Ik nam tegenover hem plaats.

"Een bijbelhijger. *Perwersyjny skurwysyn.*" Hij zette zijn benen op de vloer, boog zich over de rotzooi heen en pakte een minicassettebandje, dat hij in zijn dictafoon stopte. Hij overhandigde mij het apparaat. "Luister eens of het dezelfde is?"

Ik hield de dictafoon bij mijn oor en hoorde de stem van een oude man: "Het volk verslindt uw oogst en uw brood, het zal uw zonen en dochters verslinden." Ik zette het ding af en keek Sam vragend aan.

"Jeremias 5:17. Er is er nog een."

Ik drukte op de *on*-knop en opnieuw galmde het: "Ik ben de rechtvaardige rechter die nieren en hart doorgrondt ..." En toen werd de hoorn er met enige heftigheid op gegooid. Ik keek Sam vragend aan.

"Het andere citaat is een omschrijving van de Heer der heerscharen, rechtvaardige rechter, die nieren en hart doorgrondt, laat mij uw wraak op hen aanschouwen ... bla bla."

"Waren die telefoontjes voor jou bedoeld?"

"Dat zou kunnen. Ik denk van wel, maar hij raffelde het gewoon af tegen de telefoniste. Hij weet vermoedelijk – dat is ook geen geheim – dat alles wordt opgenomen; en dan gaat hij er zeker van uit dat het bij mij terechtkomt. Anders is het immers zinloos."

"O ja?" Ik keek hem nog steeds vragend aan.

"Het is namelijk geen geheim dat we een zaak hebben met een heerschap dat misschien kannibaal is, nietwaar? Dan ligt het voor de hand dat die telefoontjes aan mij worden opgedist wanneer het gaat over het verslinden van zonen en dochters en nieren en harten."

"Dan wil hij dus gevangen worden", zei ik. "Hij is ons aan het stangen."

"Joost mag weten wat hij aan het doen is." Sam liet zijn ogen rollen. "Maar is het dezelfde stem?"

"Je bedoelt als mijn bijbelman? Nee, ik denk van niet." Ik legde de dictafoon op het bureau en leunde achterover op de stoel.

"Ik denk dat die van mij wat ouder is. Hij heeft ook meer tijd. Hij gooit de hoorn er niet zo snel op. En verder interesseert hij zich voor andere dingen, zoals je weet."

Sam trok zijn wenkbrauwen op. "Toch wil ik graag je bandjes lenen, als je tenminste niet alles hebt uitgewist."

"Ik heb zojuist een bandje gewist, maar ik heb een ander met een paar citaten erop. Het ligt naast het antwoordapparaat, neem het maar mee."

Ik keek op mijn horloge. "Over een paar uur ga ik naar Athene, morgenmiddag ben ik een paar uur thuis, dan vertrek ik naar Virginia en ben pas maandagochtend weer terug. Kun je morgenmiddag even langskomen?"

"Kan ik geen sleutel krijgen?"

"Sonia heeft de extra sleutel. Sonia, je weet wel, van vanmorgen, die vrouw van dat chalet aan de overkant."

Sam knikte, en toen zaten we een lange minuut wat te suffen.

"Waar is ze? Is ze aangekomen?" vroeg ik ten slotte.

Sam knikte naar de deur van het verhoorlokaal. "Ze ligt een poosje. Ze moest even een poosje liggen. *Musi sobie pokimac!*" Dat beviel hem niet, zei zijn toon, zei zijn taal. "Ze weigerde te komen als er geen bank beschikbaar was, dus we hebben een paar verhuizers opgetrommeld om de bezette zachte divan van O'Connors te lenen."

De sofa uit de pub werd 'bezet' genoemd omdat hij zo zacht en aangenaam was dat hij in de meest letterlijke zin van het woord altijd 'bezet' was.

"Hoe lang blijft ze daar liggen?"

Hij haalde zijn schouders op en zijn mondhoeken werden naar beneden getrokken door iets wat niet de zwaartekracht was.

"Hoe staat het ervoor met die verdwenen jongen?"

"Geen enkel spoor, hij is gewoon weg."

"Geef me de details."

"Die zíjn er niet, verdomme. Er is *gówno*, niks!"

"Foto's?"

141

Hij viste een map op uit de chaos op zijn bureau en smeet die naar mij toe. Ik trok er een stapel foto's uit. De eerste lieten een binnenhof vanuit verschillende hoeken zien. Er was een zandbak, een schommel, een tafel met banken en in een hoek lag een grote stapel houten blokken; niet ver daarvandaan stond een soort looprek voor kinderen en in een andere hoek een driewieler; er groeide klimop op de muren zowel inwendig als uitwendig, en de speelplaats was omgeven door hoge groene bomen. Ik onderscheidde zwakjes een hek van kippengaas en een hoge metalen poort, die vloekte met de rest van de groene idylle.

"Zat hij hier te spelen?" vroeg ik, wuivend met de foto's die de binnenhof lieten zien. "En toen was hij opeens weg?"

"Ja, zoals ik je al zei. Het laatste wat ze van hem hebben gezien is dat hij met houten blokken speelde, en toen ze hem naar binnen riepen om fruit te komen eten, was hij gewoon weg."

"En die poort kan hij zelf natuurlijk niet openmaken?"

"Die is anderhalve meter hoog, hij is – hij was – vijf jaar oud. Dat kon hij niet, nee."

"Was hij geremd in zijn ontwikkeling?" Ik bladerde door de stapels foto's heen en vond er een die de instelling zelf van hem moest hebben genomen. Een vrolijke jongen met een gezicht dat duidelijk mongoloïde trekken vertoonde.

"Hij had dat, je weet wel ... syndroom." Sam glimlachte slapjes. "Downs. Daar hebben de boys zich vrolijk over gemaakt – dat adres, nietwaar? 'Dappled Downs'. Wat grappig dat ze nou juist dat gebied zouden uitkiezen voor een kleuterschool voor kinderen met Downs, nietwaar?"

Ik negeerde hem. "Wat doen jullie?"

Hij haalde defensief zijn schouders op. "We interviewen iedereen in de instelling. Proberen een lijst te maken. Vergelijken. Wachten op een lijk. Vrijwillige ouders en de padvinders doorzoeken het hele zuidelijke gebied."

Dappled Downs en Forest Hill lagen allebei in het gebied dat bij Cornwell Zuid hoorde, maar het was niettemin zo'n tien kilometer van het ene gebied naar het andere.

"Er is niets wat me aanleiding geeft mijn opvatting te wijzigen", zei ik, hoewel ik wist dat ik amper iets had wat je een opvatting zou kunnen noemen. Normaal gesproken, wanneer een misdrijf voor het eerst werd begaan, kon je ervan uitgaan dat de dader toesloeg in zijn eigen gebied, waar hij zich zeker van zijn zaak voelde. Maar aangezien deze hier absoluut geen debutant was, was er niet direct reden om erbij stil te staan dat beide kinderen uit Cornwell Zuid waren verdwenen.

"Wat heb je de kranten laten schrijven?"

"Waarom begin je ze niet te lezen, *kretynka*!?" spuugde hij, terwijl hij naar een stapel bij de deur wees. Ik stond op en pakte de bovenste. De kop op de voorpagina luidde:

FISKE VERMOEDT WIE DE DADER IS

En in het artikel eronder stond onder andere: 'De vrouw met het zesde oog, de wereldberoemde profileringsexpert, dr. Fanny Fiske, heeft in de zaak van De Onzichtbare Raptor ...'

Ik liet de krant zakken. "De Onzichtbare Raptor? Is dat de officiële bijnaam?"

Sam knikte. Ik las verder: '... opnieuw een shockerend scherp portret van de onbekende dader gemaakt. "We hebben nu zo'n precies profiel van de dader dat dr. Fiske ons net zo goed het adres had kunnen geven. We rekenen op een inhechtenisneming vóór het eind van de week", verklaart de verantwoordelijke rechercheur David Berkowic aan Rapport ...'

Ik stond paf, liet de krant zakken en keek Sam sprakeloos aan.

"Heb jij dat gezegd? Rekenen op een inhechtenisneming vóór het eind van de week? Dit hier zal ons vast populair maken."

Hij haalde zijn schouders op. "Het was jouw voorstel. Stommeling."

"Ik heb niet gezegd dat je ..." Ik stopte toen ik de deur van het verhoorlokaal open hoorde gaan en in die richting keek. In de deuropening stond een lange slanke vrouw van een jaar of 60. Onberispelijk gekleed in een grijze kasjmier trui en een grijze wollen broek, een simpel gouden armband, grijs kort-geknipt haar met een tikkeltje permanent. Ze gaf me een vriendelijk knikje en keerde toen haar gezicht naar Sam.

"Ik ben er klaar voor."

Sam vloog uit zijn stoel.

"Mevrouw Gro Mari Björke ..." Hij wees onhandig naar mij. "Dit is dr. Fanny Fiske, die ons naar u heeft verwezen."

Ik stond op, liep naar haar toe en gaf een hand. Haar hand was koel en zelfbewust, haar glimlach warm als die van een oude vriend. Ze ging het verhoorlokaal binnen. Ik volgde haar en nam plaats aan de ovale conferentietafel, het dichtst bij de divan die ze van O'Connors hadden geleend. Er stond een bandrecorder op de conferentietafel.

Sam kwam aangevlogen met een paar voorwerpen in zijn hand, die hij aan Gro Mari Björke gaf. "Heeft u helemaal geen dingen nodig die van Jimmy Glebokie waren?" vroeg hij haar. "Alleen het Frosh-meisje?"

Ze knikte. Ik nam aan dat Jimmy Glebokie het onlangs ver-dwenen jongetje was. Hij had tot nu toe geen naam gehad. Ik had die in elk geval niet gehoord. Wanneer je eenmaal dood was, was een naam misschien overbodig?

"Dit hier", zei hij, haar een foto aanreikend, "... is Ellen Frosh. Het is de laatste foto die de familie van haar heeft geno-men." Gro Mari Björke keek er een hele tijd naar. Toen keek ze op naar Sam, die haar een teddybeer en een soort gekreukelde sjaal van een verschoten lichtpaarse kleur gaf, waarschijnlijk een sabbeldoek. Ze legde de foto op de armleuning en nam de spullen aan.

"Heeft ze elke nacht met deze teddybeer en sjaal geslapen?" vroeg ze aan Sam. Hij knikte.

Ze legde de sjaal op haar schoot en begon de teddybeer met beide handen te knuffelen, alsof ze deeg aan het kneden was; ze draaide hem in het rond, rook eraan, sloot haar ogen, opende ze, keek nog een poosje en betastte hem opnieuw. Toen legde ze de teddybeer op haar schoot, helemaal tegen haar buik aan. Vervolgens nam ze de sjaal. Ze vouwde hem open, streek hem glad op haar dij en sloot haar ogen. Ze rook eraan, wreef hem tegen haar huid en zat er ten slotte een poosje mee in haar handen. Ze legde de sjaal terug op haar schoot naast de teddybeer. Toen nam ze de foto weer op en keek ernaar. Legde hem terug op de armleuning.

"Ik wil graag om volledige stilte verzoeken, tot ik klaar ben." Ze keek ons aan, leek het, maar toch was het alsof ze door ons heen keek, naar iets achter ons. Wij gaven geen kik, maar Sam deed de bandrecorder aan.

Ze rechtte haar rug, haalde diep adem, sloot haar ogen. En toen zakte haar rug volledig in, ze vouwde zichzelf bijna over de teddybeer en de sjaal heen.

En zo bleef ze zitten. Wij keken, muisstil. Ze zat onbeweeglijk, een lichaam waaruit alle leven leek weggevloeid, de handen rustend op de teddybeer en de sabbeldoek. Uit mijn ooghoek zag ik duidelijk, zonder mijn blik ook maar een moment van Gro Mari Björke te verwijderen, dat Sams ene wenkbrauw iets te hoog zat. Naarmate de tijd verstreek, wist ik dat hij zou gaan denken aan alles wat hij had kunnen doen als hij hier niet had zitten staren naar haar, dat Noorse medium van jou.

Ik hoopte dat ze zijn opvatting zou logenstraffen. Ik vouwde mijn handen en probeerde er hoop aan te ontlenen, tegen beter weten in, vermoedelijk omdat de tijd zo merkwaardig stilstond in het oude verhoorlokaal, waar ik zo veel keer eerder had gezeten, zij het nooit in gezelschap van een dubbelgevouwen oudere vrouw.

"Het is een oud paard", zei ze opeens, zodat we ervan schrokken en ons als soldaten op de stoelen oprichtten. "Er is een jongetje, het is een arm jongetje, zijn kleren zijn smerig en armoedig. Hij bindt een touw aan het halster van het paard en trekt het de stal uit. Hij geleidt het over een weide naar een afrastering." Ze pauzeerde even. "Hij bindt het vast aan een plank. Hij draagt een rugzak. Hij doet de rugzak af, zet hem op de grond. Hij haalt er een fles uit, die is van plastic, er zit een dop op, hij schroeft de dop eraf, hij giet ... hij giet benzine op de staart, hij giet de hele fles leeg op de staart. Hij gooit de fles en de dop in het gras. Het paard staat stil, kijkt recht voor zich uit, ziet niet wat hij doet. Het is zich van geen kwaad bewust." Ze pauzeerde opnieuw en haalde diep adem. "Hij haalt een doosje lucifers uit zijn broekzak, steekt de staart in brand, de staart vat onmiddellijk vlam, en het paard, nee, het hinnikt niet, het schreeuwt en steigert en probeert los te komen van het touw en het hek, de jongen stapt achteruit, en zijn ogen laten het paard niet los. De staart staat in vuur en vlam, en nu lacht de jongen, en nu trekt het paard de latten van de palen en holt weg, schreeuwend, met een vlammende staart en met een stuk van de afrastering aan een touw achter zich aan." Ze pauzeerde. Toen richtte ze zich een eindje op en keek omhoog.

"Laat me de jongen zien", fluisterde ze met een andere stem. Ze vouwde zich weer dubbel. Toen kwam ze met een schok half overeind en opende haar ogen, en opnieuw keek ze dwars door ons heen, naar iets achter onze rug. "Nu breekt hij zijn pink en huilt ... van blijdschap." Ze pauzeerde en staarde geschrokken naar die plek achter ons. "Hij is een schepsel dat wordt voortgedreven in de wereld door de brandende extase van de pijn", schreeuwde ze bijna terwijl ze op de divan in elkaar zakte. "Pijn", hijgde ze. "Er is te veel pijn." Toen lag ze een poosje op de sofa voordat ze de foetushouding aannam.

Sam zond mij een blik toe die ik niet direct kon duiden, maar een van de ingrediënten was ongeduld. Hij stond op.

"Kunt u zien waar hij is?" Ze gaf geen antwoord, maar bleef liggen met haar ogen dicht. Ik kon aan Sam zien dat hij niet wist wat hij moest doen. Hij liep om de tafel heen. Ik keek naar mijn handen. Wierp een steelse blik op mijn horloge. Over een halfuur moest ik ervandoor.

Toen Sam om de tafel was gelopen, ging hij naar haar toe, boog zich over haar heen en schudde zachtjes aan haar. "Mevrouw Björke, ik ben genoodzaakt u te vragen waar hij is, wie hij is – we moeten iets concreets hebben. We hebben iets concreets nodig. Wie, wat, waar!" Hij schudde haar opnieuw zachtjes door elkaar. "Op dit moment heeft hij een jongetje te pakken. We moeten dat jongetje vinden, als het al niet te laat is. Help ons. We moeten weten waar hij is." Ze opende haar ogen. Ging langzaam overeind zitten op de divan.

"Ik kan niet meer." Ze zakte weer in elkaar en ging liggen. "Hij woont in een grijs huis," fluisterde ze, "maar er is ook een ander huis, met slingerplanten ..." Haar stem stierf weg en voor zover ik het kon bekijken, viel ze domweg in slaap. Sam zag er wanhopig uit toen hij zich naar mij toe keerde. "Verdomd goed idee!" sneerde hij. "Dit helpt geen ene moer. *Sam gnój*. En daar heb ik de hele dag aan besteed terwijl ik daarginder had moeten zijn ..." – hij wees naar het betraliede venster – "... om die jongen te vinden voor die ouders, aan wie ik over een paar dagen, misschien morgen, moet vertellen dat we het afgesneden hoofd van hun kind in een of andere verdomde vuilnisbak hebben gevonden! *Zazrane wiadro!*" Nu had hij tranen in zijn ogen, nu schoot zijn hand weer door zijn haar. Ik keek op mijn horloge, stond op en begaf me naar de deur, hem te kennen gevend dat hij mee naar buiten moest gaan. Hij schudde zijn hoofd toen hij me passeerde en het lokaal verliet. Ik deed de deur achter ons dicht.

Hij ging in zijn bureaustoel zitten en begroef zijn hoofd in zijn handen. "Wat moet ik met al die flauwekul? *O kurwa!* Wat is dit verdomme voor iets? Ik ben degene die al die strontzooi moet opruimen, godnondeju, jij hebt makkelijk praten met je gecommandeer en al dit gedoe waarmee ik mijn tijd verspil. Jij hoeft het niet te doen. Jij hoeft alleen maar *business class* in en uit met je mooie kleren aan en je laten versieren door Mr. X en Mr. Y en de clevere doctor Fiske uithangen. Flikker op, Fiske, op dit moment heb ik schoon genoeg van je."

Ik ging op de stoel tegenover hem zitten. Ik begreep hem helaas heel goed.

"Het paard is niet enkel zijn naïeve slachtoffer." Ik sprak snel. Ik was bang dat hij me anders in de rede zou vallen. "Hij is zelf zowel het paard als de jongen. Zijn wereld is gecentreerd rond pijn. Hij bezorgt pijn en hij wil dat hemzelf pijn wordt aangedaan. Lichamelijke pijn. In klinisch en seksueel opzicht is hij sadomasochist en heeft een duidelijke karakterafwijking, maar hij heeft ook last van waanvoorstellingen, hij is sporadisch psychotisch en hij denkt in symbolen zonder het te weten. Misschien is hij pedofiel, misschien alleen maar infantiel in zijn seksuele ontwikkeling, misschien allebei. Daar komen we wel achter. Maar híj is baas boven baas."

Ik stond op en liep naar hem toe. "Wie, wat en waar – dat is helaas niet iets wat je kunt bestellen." Ik gaf hem een knuffel, hij maakte zich stijf. Ik richtte me op en ontwaarde plotseling de naam van de jongen. Daar stond zijn naam, Jimmy Glebokie, gedrukt met grote letters op zijn dossiermap, naast zijn dossiernummer.

Ik pakte de map en opende die. Daar stond hij opnieuw, zijn naam, op de eerste bladzijde van het proces-verbaal. Misschien was ik ermee opgehouden om op namen te letten. Misschien was ik aan vakantie toe. Ik klapte de map dicht, smeet hem op het bureau en wierp een korte blik op Sam, die met zijn hoofd in zijn handen zat.

"Ik heb een paar bruikbare inlichtingen gekregen, maar ik vrees dat je op een slechte afloop kunt rekenen voor Jimmy Glebokie." Ik begon me te verwijderen, maar durfde niet achterom te kijken. "Ik raad je aan dat je iemand anders met de ouders laat praten. Ik moet er nu vandoor. Als er meer brieven komen, fax die dan naar me. En houd me voor het overige op de hoogte. Je weet waar ik ben."

Hij keek op. "En ik weet wat je doet, *zapierdolona kurwo*", spuugde hij bitter toen ik de deur achter me dicht liet vallen.

Hij opende de deur en riep: "Wil je die Vittantorio alsjeblieft opbellen?!"

"Vittantonio", riep ik terug, waarna ik de PDA uit de band van mijn rok viste. Ik kreeg verbinding met Vittantonio's secretaresse, die me vertelde dat hij met zijn gezin op vakantie was en pas aan het eind van de week bereikbaar was. Ik verzocht haar een bericht door te geven.

14

Op het vliegveld doorzochten ze mijn tas hoewel ik mijn EFBI-pasje liet zien. En toen begonnen ze mijn stun-knuppeltje uit elkaar te halen om te zien of daar iets verkeerds in zat. Volgens mijn contract moest ik eigenlijk een .38-kaliber dragen, maar ik kreeg dispensatie voor een stun-knuppeltje aangezien mijn ooghandcoördinatie zo slecht is dat ik op een afstand van een meter nog geen deur kan raken. John Douglas placht te zeggen dat ik niet eens water uit een schoen kon gieten ook al stond de instructie op de hak afgedrukt.

Daar ging heel wat tijd mee verloren, en ik moest me haasten met de boodschappen. Behalve een dictafoon kocht ik in de vertrekhal ook een fles Metaxa. Een oude gewoonte uit de tijd dat er wat te sparen viel wanneer je je spullen in de luchthaven kocht. Overigens hebben ze zelden Metaxa aan boord, en nu had ik toevallig trek in Metaxa.

Toen ik me naar de *gate* begaf, merkte ik dat ik gevolgd werd. Dus ik draaide me om en zag hoe een minzame, grijsharige oude heer met een grote grijze baard potsierlijk naar me glimlachte.

"Trekt u zich van mij niets aan", zei hij met een stem die in de loop der jaren te veel sigaren had gekend. "Ik doe gewoon mijn best een vrouw bij te houden die een goede smaak heeft waar het om brandy gaat."

Ik glimlachte krampachtig, draaide me om en liep ijlings verder. Ik moest kennelijk weer eens naar de kliniek voor een kleine facelift. Wanneer ik door oudere mannen werd aangeklampt, wist ik hoe laat het was.

Buiten goot het en de regen sloeg met sadistisch geweld tegen de ramen. Ik was danig uit mijn humeur. Athene was op geen stukken na mijn favoriete stad. Elias Panayotopoulos was beslist niet iemand met wie ik graag samenwerkte. De zaak waarbij hij mijn assistentie had ingeroepen, was zonder meer weerzinwekkend: een jonge vrouw en haar twee kinderen op brute wijze vermoord in hun bedden. En het irriteerde me dat die oudere man daar achter in het vliegtuig zat te denken dat ik dacht dat Metaxa een goede brandy was. Enkel en alleen omdat een brandy lekker smaakt, wil dat nog niet zeggen dat het een goede brandy is.

Ik klikte de veiligheidsgordel vast en haalde het dossier voor de dag. Al voordat de koffie werd geserveerd had ik het dossier doorgebladerd en was ik tot de slotsom gekomen dat ik de zaak telefonisch had kunnen afhandelen, want zowel de setting als de slachtoffers gaven zo duidelijk blijk van persoonlijke woede, gericht op hen en op niemand anders, dat er onmiskenbaar sprake was van een zaak waarbij de slachtoffers en de dader elkaar kenden, ja zelfs heel goed kenden.

Ik wist niet waarin Panayotopoulos' probleem bestond, en het liet me eigenlijk ook koud. Hij schepte er plezier in me te negeren, te doen alsof hij het druk had, me aan het lijntje te houden, me te laten wachten – al met al me te laten weten dat hij okay en ik een idioot was. De vorige keer had hij me een uur lang in een wachtkamer laten zitten terwijl hij – zo bleek later – met een agent virtueel WK-voetbal tegen Spanje zat te spelen op zijn kantoor. Toen ik daarachter kwam, liet ik zijn secretaresse, Elena, weten dat ik nu terugging, want hier wilde ik mijn tijd niet aan vuilmaken, en toen stapte ik op. Maar hij slaagde erin me 'op te pakken', zoals hij het zelf uitdrukte, in de vertrekhal van de luchthaven, waar hij me bovendien begon uit te schelden. Als ik er niet van overtuigd was geweest dat de onbekende dader in dat geval weer gauw zou toeslaan, en dat de kans bestond dat mijn inzet verschil uitmaakte, was ik naar huis gegaan. In plaats daarvan ging ik onwillig met hem mee en nam er alle tijd voor om hem zijn wangedrag onder de neus te wrijven. Maar hij pakte zijn PDA en voerde een vrolijk Grieks gesprek op de terugweg naar het politiebureau, en ik was ziedend – wat ook zijn bedoeling was.

Vermoedelijk moest Panayotopoulos iets bewijzen, en dat kon hij niet via zijn werk, want het was een publiek geheim dat Athene het laagste ophelderingspercentage van de Federatie had, in zoverre het om moorden en zedenmisdrijven ging.

Maar ditmaal had ik een plan waarmee ik Panayotopoulos op zijn nummer zou zetten.

Elena haalde me van het vliegveld af. Dat deed Panayotopoulos nooit. Zij was een mager, zwak vrouwtje, dat met haar constant gebogen hoofd duidelijk liet zien dat ze helemaal niets in de melk te brokkelen had. Ideaal materiaal voor Panayotopoulos.

En dan zou ik daar in zijn voorvertrek moeten zitten toekijken hoe zij telefoonjuffrouw voor hem speelde en wat ze verder nog kon bedenken? Geen sprake van. Ik ging niet in de versleten stoel zitten, waar het volgens Elena's uitgestrekte arm Panayotopoulos' bedoeling was dat ik uren achtereen moest zitten overwegen hoe onbeduidend en incompetent ik in werkelijkheid was. Tot Elena's ontzetting stormde ik zijn kantoor binnen en stoorde hem zodoende bij het zappen van het lokale programma naar een sportkanaal met zijn voeten op een pijnlijk leeg bureau. Hij begon me uit te foeteren, maar ik negeerde hem en haalde de map met het dossier tevoorschijn. Ik legde de ingeschakelde dictafoon op het bureau en begon de zaak door te nemen voor de dictafoon. Daarmee kreeg ik niet alleen zijn aandacht, ik vermeed het ook om meer tijd dan strikt noodzakelijk was in zijn gezelschap door te brengen. Na een halfuur was ik klaar. Ik sprak de datum en het tijdstip in, zette de dictafoon uit, haalde het bandje eruit en smeet het op het bureau. Toen overhandigde ik hem een briefje en verzocht hem zijn handtekening te plaatsen voor de profilering, dankte hem voor zijn aandacht, liep de straat op en hield een taxi aan, uitermate tevreden over mijn prestatie en al klaar voor de volgende. Die had met Hercules te maken.

Hercules was een privé-detective, die ik tien jaar geleden tijdens het verrichten van mijn werk had ontmoet. Een forse, warme man met een omhelzing die een sumoworstelaar de adem zou kunnen benemen – en precies wat ik nodig had. We aten olijven en keftales op het dak met niets anders dan een kaars tussen ons in. Daarna ontdeed ik me van mijn kleren en bracht de nacht met open ogen door. De volgende dag lag ik te zonnebaden op het dak, en deed nog een klein dutje tot Hercules' autosleutels op mijn blote rug me wekten en vertelden dat het bal voorbij was en dat er een vliegtuig op me stond te wachten.

15

Ergens in de lucht tussen Athene en Cornwell besloot ik dat ik geen zin had om terug te gaan naar mijn huis zo kort nadat er een jongeman voor lijk in mijn bed had gelegen. En overigens was het helemaal niet de moeite waard. Ik zou net de deur in kunnen komen voordat ik alweer weg moest. Dus ik belde naar Sonia en verzocht haar een koffer voor een week voor me te pakken en die met een taxi naar Cornwell International te sturen. "Bij voorkeur katoen en vlas", instrueerde ik. Toen moest ik denken aan de dossiers die ik nodig had voor de voordrachten, en belde Rosa op. Ik vroeg haar die te vinden en ze met een taxi naar me toe te laten brengen. Ik was er vrij zeker van dat Albert Fish onder de F was gearchiveerd en The Hillside Strangler onder de H – wist ik nog net te stamelen, voordat ze me geïrriteerd in de rede viel en zei dat ze niet op haar achterhoofd was gevallen. En toen noemde ze me *Schatzi*.

Sam belde juist op het moment dat ik een tablet Melatonine had geslikt en mijn zonnebril had opgezet met de bedoeling het hele traject naar Virginia te slapen, alle acht uur, niet onderbroken door eten, koffie en brandy en met een allang uitgeschakelde PDA in mijn kalfsleren tas.

"Lisa is klaar met de autopsie van Francis Zanf."

"Vertel", zei ik tegen de eigen telefoon van het vliegtuig, die niet de beste verbinding bood.

"*Cat bite infection*", zei hij in een Engels met een Pools accent. "Het was je hamster; ik was net van plan om hem dood te schieten, maar het schoonmaakbedrijf had hem onder je zitbank gevonden, en hij was al dood."

"Ja maar wat is dat voor iets, *bite* infectie?"

"In de verte is het familie van de pest, er zijn in elk geval gemeenschappelijke genen, als ik het goed heb begrepen. Even kijken ... ze heeft geschreven: '*Pasteurella bacterium pseudotuberculosis rodentium*' ..."

"Ja, maar hij heeft ook Sonia gebeten, en die kreeg alleen maar een opgezwollen vinger. Maar misschien was dat vóórdat hij dat spul kreeg?"

"Lisa zei dat je er normaal gesproken ook niet aan doodging, je krijgt alleen maar een plaatselijke infectie, maar Francis' natuurlijke afweersysteem was sterk verzwakt. Ten eerste had hij griep, en ten tweede had hij iets dat ... mmm ... haemochromatose heet ... dat is een lever die ziek is wegens ... die Lisa heeft een ellendig handschrift ... ijzeroverlading, geloof ik dat er staat. Dat is blijkbaar iets waaraan je doodgaat, het schakelt de lever uit, net als schrompellever. Maar je moet het verhaal maar liever uit de mond van het paard horen, je kunt er niet op rekenen dat ik het goed heb gesnapt."

"Jezus, Maria en Josef – hoe heeft mijn hamster dat gekregen?"

"Waarschijnlijk via het voer, het voer wordt op dit moment geanalyseerd."

"Wat heb je aan de journalisten verteld?"

"Niets – tot nu toe. Niemand heeft vragen gesteld."

"En als iemand vragen gaat stellen?"

"Ik denk niet dat ze dat doen. Ze zijn er totaal op gebeten om aan hun *fucking* onwaarschijnlijke Onzichtbare Raptor mythologische status te verlenen. Er is ook een blad dat hem de Onzichtbare Kannibaal noemt."

"Ik vind het een heel slecht idee dat jullie dat met dat kannibalisme hebben laten uitlekken. We weten niet eens of het zo is."

"Hoor 's, noch wij noch het Forensisch Kantoor hebben het over kannibalisme gehad. Ze hebben gerapporteerd wat er gevonden is, maar geen woord over hun conclusies. Dat heeft de pers zelf geconcludeerd. Het ligt nogal voor de hand – nietwaar?"

"Iemand moet eens gauw een moreel praatje houden met de redacteuren hier in de stad. De kranten zijn medeverantwoordelijk voor wat er hier gebeurt. Ik vind dat het leven van kleine kinderen en de gevoelens van ouders een tikkeltje belangrijker zijn dan de vrijheid van meningsuiting – om nog maar te zwijgen van de vrijheid om zelf te fantaseren. Want op dit moment is die smeerlap apetrots en kent zijn ego geen grenzen, en dan weet je ook wel wat er gebeurt, nietwaar?"

"Je bedoelt dat het dan de volgende keer wat grover uitpakt?"

"Waarschijnlijk – om nog maar te zwijgen van het belachelijke figuur dat we slaan wanneer de week voorbij is en jullie nog niet eens een verdachte hebben. Hebben jullie een verdachte?"

"Binnenkort." Hij klonk niet erg overtuigend en mompelde wat in het Pools. "Op dit moment zijn we op zoek naar het Glebokie-jongetje. De padvinders zijn weer in touw, de pers heeft zijn eigen onderzoek opgezet en groepen ouders uit heel Cornwell Zuid zijn de stad aan het uitkammen."

"Verder nog iets?" Ik was moe en wilde slapen.

"Ik heb het bandje met je bijbelvriend opgehaald en naar de psycholinguïst gestuurd samen met een paar staaltjes van mijn bijbelvriend."

"Ik geloof dat het allemaal voor de kat z'n kont is. Hoeveel smerige telefoontjes heb je eigenlijk gekregen – en van hoeveel smerige rotzakken?"

"Meer dan ik kan opnoemen."

"Ja maar waarom val je dan toevallig over die bijbelman? Ben je het slachtoffer van je opvoeding?"

Hij lachte kort. "Ik val verdomme niet toevallig over hem. Ik heb alle telefoontjes nagetrokken die ik heb gekregen, voor zover dat mogelijk is." Hij pauzeerde. "Maar het is niets anders dan smeerlapperij. Als je de bijbel op die manier leest, dan ben je er werkelijk slecht aan toe. *Pojebany.*"

Ik had natuurlijk geen kaas gegeten van slechte of gezonde bijbellezingen. Het enige dat ik wist, was dat ik zo moe was dat mijn oogleden domweg bleven dichtvallen, alsof ze me wilden dwingen om te slapen – nu.

"John Wayne Gacy had ook een zwak voor bijbelcitaten", ging Sam onverdroten door. "Hij legde zijn jonge jongetjes, 33 stuks, in de handboeien, kontneukte ze, sloeg ze kort en klein, bood hun een sandwich met pindakaas en jam aan, en wurgde hen terwijl hij uitgelezen passages uit de bijbel citeerde."

"Ja ja, en dat deden Albert Fish en een heleboel anderen ook. Maar denk dan eens aan al die duizenden mensen die uit de bijbel citeren zonder hun toehoorders een sandwich aan te bieden en hen te wurgen." Ik zuchtte vermoeid. "Sam, we praten een andere keer verder. Ik moet nu domweg slapen. Bel me morgenavond op."

"Okay", antwoordde hij mismoedig. "Ik had je eigenlijk ook nog mijn droom willen vertellen."

"Morgen", antwoordde ik ongeduldig, waarna ik ophing. Toen werd ik opeens erg wakker. Een droom. Wilde Sam me een droom vertellen? Nu stond de wereld op zijn kop.

"*Business or pleasure?*" klonk de stem van de man naast me. Ik draaide me naar hem toe en merkte nu pas dat ik naast een keurige, glimlachende man in een dure, blauwe blazer zat. Alles wat ik tot dan toe had gezien, was een hand die de ene kant van The Wall Street Journal vasthield. Maar ik was te moe.

"*Both*", zei ik naar waarheid, waarna ik mijn slaapbril opdeed en mijn stoel in de slaappositie zette. Maar zodra dat was gedaan, ging de telefoon in de armleuning opnieuw. Het was Bob. Ze hadden het plan veranderd en besloten dat ik de spits moest afbijten. Hij hoopte niet dat ik daar iets op tegen had, want ik kon het vast vanbuiten. Ik werd zo woedend, dat ik alleen maar kon grommen.

Ef, ef, ef, gromde ik. Op mijn leeftijd.

Ze hadden de volgorde van de lezingen gewijzigd enkel en alleen om mij te vertellen, concludeerde ik, dat je gestraft moest worden wanneer je niet aan de planning wilde meedoen. Wat hadden ze zich voorgesteld? Dat ik uit het vliegtuig zou stappen met jetlag en slaapgebrek en een onvoorbereide lezing van vier uur over Jeffrey Dahmer zou houden? Natuurlijk kon ik niet vier uur achter elkaar zonder voorbereiding over mr. Dahmer praten, ze moesten iets verkeerds hebben gegeten ... mensenvlees, misschien. Ze moesten Creutzfeldt hebben gekregen, dit konden ze mooi op hun buik schrijven. Ik hing op toen hij over het organiseren van de lunch begon.

"*Problems?*" vroeg de man naast me, met zijn krant ritselend.

"*Yes*", antwoordde ik met nauw verholen irritatie, waarna ik naar een stewardess begon uit te kijken.

"*Need anything?*" vroeg hij. En ik dacht dat mijn lichaamstaal er niet om loog en vlijmende, ijskoude afwijzing uitstraalde.

"*Yep*", antwoordde ik met mijn rug naar hem toe gekeerd. Ik wou dat hij dood omviel achter zijn krant.

Ik kreeg een stewardess te pakken en vroeg om een zwarte koffie en een Vecchia. Ze hadden geen Vecchia. Ja maar hadden ze dan Calva? Ze knikte en liep door. Ik sloot mijn ogen en werd de lichtelijk versuffende werking van de Melatonine gewaar. Als dit geen business class was geweest, ja, dan had ik gewoon te horen gekregen dat ik netjes op mijn beurt moest wachten in de rij voor de gaarkeuken. En dan zou ik werkelijk uit mijn vel zijn gesprongen.

"*Are you all right?*" vroeg hij toen opnieuw. Ongelooflijk gewoon.

"*Get out of my hair*", zuchtte ik. Ik opende mijn ogen, dook in mijn kalfsleren tas en haalde Dahmers dossier plus mijn eigen aantekeningen van eerdere (en veel kortere) voordrachten tevoorschijn. Ik ging aan de slag. Toen de stewardess er was, bestelde ik meteen nog maar een set koffie en Calva. Ik voelde de blik van mijn buurman op mij en mijn spullen gericht toen ik het dossier doornam. Alle foto's waren er. Hij keek zijn ogen uit boven zijn krant. Ik vond dat hij dat moest laten. Daarom haalde ik kopieën tevoorschijn van de Polaroids die Dahmer zelf van zijn slachtoffers had genomen. Ik bladerde er langzaam doorheen, en hield ze zodanig dat mijn irritante buurman een riant uitzicht had. Het was een echte trofeeënjager, deze Dahmer. Een aantal foto's liet jonge jongens in homoseksuele activiteit zien. Andere toonden diezelfde jongens in uiterst dode staat. Weer andere toonden de slachtoffers met afgesneden penissen of anderszins verminkt en toegetakeld. Mijn favoriete foto, een van de foto's die me indertijd hadden doen overgeven, toonde het afgesneden hoofd van een jonge neger – keurig aangebracht op een witte doek. Daarnaast lagen zijn afgesneden handen, en aan de andere kant van het hoofd lag de afgesneden penis van het slachtoffer met bijbehorende testikels. Die liet ik helemaal bovenop liggen en wachtte toen af tot hij zijn smoelwerk weer in de aandelenkoersen begroef, waar het vermoedelijk thuishoorde.

Ik geloof dat ik vier uur achter elkaar met mijn aantekeningen heb zitten werken – iets in die geest. Maar op een gegeven moment vielen mijn ogen dicht en viel ik achterover in de stoel. En toen sliep ik.

Ik werd pas weer wakker toen mijn buurman me een voorzichtige por gaf en zei dat ik mijn veiligheidsgordel om moest doen. Ik probeerde wakker te worden en half slapend mijn gordel om te doen, in de hypnaogene toestand waarin je je dromen nog steeds kunt herinneren. Ik had gedroomd van een klein, grijs huis in de stromende regen. Ik had buiten in de regen naar het grijze huis staan kijken en een idee gehad van wat er in dat huis omging. Ik had er met opgetrokken schouders naar staan kijken.

De stem van de piloot was diep en welluidend toen hij vertelde over wind en weer en temperaturen in Noordoost-Virginia. Alles paste bij mijn meegebrachte garderobe van vlas en katoen, registreerde ik kort, maar ik bleef aan het grijze huis denken. En toen begon ik aan Gro Mari Björke te denken. Had ze na afloop meer tegen Sam gezegd? Had hij haar netjes behandeld? Ik huiverde bij het idee dat zij een van zijn sarcastische schrobberingen had kunnen krijgen. Ik moest met hem praten. En wat was hij van plan met dat grijze huis te doen? En hoe moest ik deze dag overleven wanneer ik twee etmalen lang haast geen oog had dichtgedaan? De gedachte maakte me eerst uitgeput, toen woedend. Wat was het toch ... ja, ronduit een rotstreek van ze. Wat hadden ze zich voorgesteld? Dat ik op afstand hun cateringproblemen zou fiksen? Dat ik niets anders had om aan te denken dan een klein, onbeduidend seminar? Dat dit ogenblik, deze ogenblikken, van belang zouden zijn in de geschiedenis van de aarde, dat de dinosaurussen in het niet zouden vallen vergeleken met hun stropdassenbijeenkomstje? Ja, ik was razend over de stupiditeit van dit alles. Wat waren Bob en Arthur een stelletje hufters. Het was maar goed dat ik razend werd, want nu kon de adrenaline me wakker houden.

En daar stond hij, in Dulles International Airport. In het oog springend, vlak achter het touw, zoals vrijwel 30% van alle mannen met wie ik beroepshalve omging.

Het enige wat er aan Bob ontbrak was een mahonie bureau op zijn buik en een blonde secretaresse aan het eind van zijn hengel om het beeld compleet te maken van een achteroverleunende directeur, zoals hij daar in de luchthaven, achter het touw, zelfvoldaan met zijn handen in zijn zakken, stond te glimlachen; een glimlach die duidde op een goed geweten, een goed familieleven, goed eten en goede verzorging – van top tot teen.

Ik staarde hem kil aan en zei geen woord.

Tijdens de hele rit naar Quantico, de zogenaamde '155 groene hectaren van Noordoost-Virginia', had hij het over zijn vrouw die juist tot rechter in het hooggerechtshof was benoemd door president Hilary Clinton, maar in plaats van te luisteren zat ik me de gevangenisinterviews voor de geest te halen. Ik herinner me namelijk duidelijk hoe ik daar had zitten denken: wat is Bob lelijk met zijn spitse kinnetje, en wat is Ted Bundy toch een lekkere bink. Als ik moest kiezen, dacht ik verlekkerd, dan nam ik Ted Bundy mee naar bed, ofschoon hij 30 vrouwen met lang haar en een middenscheiding had vermoord, en mocht de over zijn kin strijkende Bob voor de deur staan wachten. Als ik daar naast hem in de auto niet in gedachten had kunnen zitten zegevieren, geloof ik dat ik hem had vermoord. Maar hij overleefde het.

Ik overleefde het ook. De aanblik van Bob en Arthur en hun sadistische tandpastaglimlach op de eerste rij gaf me de laatste shot adrenaline die ik nodig had om mijn vermoeidheid in te verdrinken.

Als ze dachten dat ze me zouden zien lijden, dan kwamen ze bedrogen uit. Geen dank. En er zou vast nog wel tijd overschieten, later, wanneer ik klaar was met mijn praatje over Amerika's meest notoire homoseksuele killer, voor een praatje met Bob en Arthur waarbij ik hun kon vertellen hoe walgelijk ze waren. Maar op dit moment ging het over Jeffrey Dahmer.

Gedurende een periode van dertien jaar was Dahmer erin geslaagd zich door zeventien jongemannen heen te werken, die hij op diverse wijzen molesteerde. Er waren twee dingen die in dit verband interessant waren. Ten eerste of hij krankzinnig was of niet. Zoals ik vermoedelijk al een paar keer heb gezegd, doet dat er wat de consequenties betreft geen ene moer toe, maar voor het onderzoek is het van groot belang. Bob Ressler en John Douglas hadden er jarenlang over gebekvecht en dat konden we bij deze gelegenheid ook gevoeglijk doen. Ik argumenteerde tegen de krankzinnigheid enkel en alleen om Bob te irriteren, en dat ondanks het feit dat ik het met hem eens was – gesteld dat ik de gangbare definitie van krankzinnigheid accepteerde. Er is niets zo goed als een potje academische haarkloverij om de vermoeidheid in de hand te houden. En er is ook niets zo goed als iemand te irriteren die zelf vreselijk irritant is.

Verder was het de vraag in hoeverre hij kannibaal was of in welke mate hij verondersteld werd dat te zijn. Hij proefde alleen maar van het vlees van de slachtoffers – hij verteerde het echter niet; en hij dronk bloed. Was dat kannibalisme? Of was het een seksuele perversie? En kon je kannibalisme werkelijk een seksuele perversie noemen?

Dahmer was hoe dan ook een mooi openingsnummer – daar hadden de heren groot gelijk in – omdat hij alle eigenschappen van de seriemoordenaar in één persoon had verenigd.

Toen de dag voorbij was, was ik dat in grote lijnen ook. Arthur en Bob dachten dat ik nu zo goed op dreef was dat ik er wel voor zou voelen "om even wat over morgen te babbelen", en hadden een tafel gereserveerd in Les Paroles, maar ik had er 30 korte seconden voor nodig om hun te vertellen dat ik nu in expresvaart een taxi naar mijn hotel nam om te slapen en dat zij voor mijn part in cirkeltjes rond konden rennen of verder huppelen op hun skippyballen. De vermoeidheid was nu in een zingende pijn in mijn botten veranderd, en al sloegen ze me dood, ik kon niet meer. Ik slaagde er niet eens in mijn koffer uit te pakken voordat ik met al mijn kleren aan op mijn hotelbed in slaap viel. Maar daar kwam ik pas achter toen mijn PDA zoemde.

16

MIJN PDA WAS ZO geprogrammeerd dat ik alleen maar gesprekken van Rosa of Sam kon ontvangen, dus ik kon hem
niet zomaar zijn nek omdraaien. Gelukkig lag hij op mijn
nachtkastje, zodat ik ermee kon volstaan mijn arm ernaar uit
te strekken.

"Fanny?"

"Ja-a-a", mompelde ik half slapend, nog steeds met mijn
hoofd op het kussen. "Wat wil je?"

"Stoor ik?"

"Ik slaap. Wat wil je?"

Hij gaf geen antwoord. Ik had de indruk dat ik hem een
heleboel speeksel hoorde wegslikken.

"Ik wil niks bijzonders. Gewoon wat kletsen."

Ik wierp een blik op de wekker van het hotel. Het was
kwart over elf. Ik had vanaf zes uur geslapen. Dat was niet
genoeg. En ik had honger. Ik had niets genuttigd sinds de
koffie en de Calva's in het vliegtuig en ik had de lunch moeten
overslaan omdat ik nog een conclusie aan de lezing moest
breien.

"Het is dus niet belangrijk?" Ik ging overeind zitten en
wreef in mijn ogen. Hij treuzelde met het antwoord. "Wat is
belangrijk?"

"Is er iets aan de hand?"

"Niets anders dan dat ik je mis. Ik voel me alleen. En totaal
incompetent."

"Laat me even wakker worden en een hapje eten, dan bel ik je zo terug." Ik hing op en pakte de spijskaart van het nachtkastje. Die stond vol met 'lekkere hapjes', en dat was zeker uitstekend voor een uitgemergelde maag als die van mij, dus ik belde de roomservice en bestelde artisjokharten met dressing, volkorenbrood en een halve fles droge witte wijn. Toen viel ik in slaap, maar werd wakker toen er op mijn deur werd geklopt. Ik opende de deur en daar stond het liefste piccolootje dat ik sinds lang heb gezien. Geen jaar ouder dan zestien, schat ik, een lekkere jongen met donkere huid, waarschijnlijk van Latijnse afkomst. Als ik maar niet zo moe was geweest ..., ging het door mijn hoofd toen hij mijn maaltje op een glazen tafeltje achter het bed zette. Ik realiseerde me dat hij de tweede mooie man was die mijn pad had gekruist zonder dat ik hem beentje had gelicht. Ik moest werkelijk oud aan het worden zijn. Ik stond op en viste een paar dollars uit mijn portemonnee en stopte die in zijn zak. Hij had bijna geen lichaamsgeur. Ik liet mijn fantasie even de vrije loop en stelde me voor hoe hij over een paar jaar zou ruiken, of als hij zich een tijdje in mijn bed ophield. Maar ik gaf het op en nam de PDA mee naar het glazen tafeltje. De dressing was een soort magere remouladesaus, en mijn maag weigerde die te accepteren, dus ik volstond ermee voorzichtig aan het brood en de artisjokharten te knabbelen voordat ik Sam opbelde.

"Waar ben je?" vroeg ik.

"Ik lig in mijn bed", antwoordde hij. "Met mijn pyjama aan."

"Daarvan heb ik geen foto in mijn database." Ik probeerde het tafereel van Sam met een pyjama aan tevoorschijn te halen, maar het lukte op geen stukken na. Het enige wat ik zag, was een wanhopige man die heen en weer draafde en aan zijn haren trok. "Waarom lig je daar? Waarom zit je niet te zweten en met je hoofd tegen je bureau aan te bonzen, zoals je zou moeten doen? Hoe laat is het eigenlijk bij je?"

Hij zuchtte. "Halfvijf. Ik hoor de vogels al. Ik heb de hele nacht wakker gelegen, nee, ik moet een uurtje geslapen hebben."

"Je klinkt depri."

"Ik ben depri."

"Over Frosh en Glebokie?"

"Yep."

"Wat nu?"

"Wat nu? Wat nu? Gisteren was ik de hele dag samen met Jimmy's ouders. Ik ben dom geweest. Ik dacht dat het gemakkelijker zou zijn dan de familie Frosh ... ik zeg het gewoon zoals het is, dus scheld me niet de huid vol ... omdat Jimmy ontwikkelingsstoornissen had, ik weet niet wat ik dacht."

"Je dacht dat ze minder verdrietig zouden zijn dan Frosh omdat Jimmy ontwikkelingsstoornissen had. Je dacht dat het niet zo veel pijn zou doen een achterlijk kind te verliezen als wanneer je een normaal kind verloor. Maar toen kwam je erachter dat het niet zo was."

"Dank je."

"Geen dank."

"Ik mis je."

"Hoe ver zijn jullie met de zaak?"

"We hebben alle betrokkenen op de lijst van het Froshmeisje ondervraagd en zijn bezig met de lijst die Ernz Glebokie – dat is de vader van de jongen – voor mij heeft gemaakt. Maar ik moet nog een keer naar hem toe, want hij was helemaal van de kaart en wist maar vijftien mensen op te noemen." Hij zuchtte. "We zijn ook nog niet helemaal klaar met het checken van alibi's op de Frosh-lijst." Hij zuchtte opnieuw. "We hebben een paar Fluger-motorzagen geconfisqueerd die we laten analyseren, en we gaan aan de gang met de tweede interviewronde, waarbij we de mensen die in beide gevallen optreden een extra beurt geven met grafoloog en bloedproeven en vingerafdrukken – en maaginhoud, maar dat kan alleen als ze het zelf willen." Hij zuchtte nogmaals.

"Wie zijn de doubletten?"

"Er zijn een paar werklieden die op beide plaatsen zijn geweest, een schilder en een elektricien. En dan is er de gymnastiekleraar. Die geeft les op drie scholen, onder andere de scholen waar de kinderen op zaten. En hij is bepaald geen clandestiene pedofiel. Hij flapt er dingen uit als 'vrijwillige seksuele belevenissen met mensen van verschillende leeftijden zijn nuttig voor de betrokken personen ongeacht hun leeftijd.'" Ik kon horen dat hij het van een briefje oplas. Ik hoorde ook dat hij op het punt stond in woede uit te barsten. "En hij heeft '*boy-love*' op zijn bovenarm laten tatoeëren. *Jebany pacykarc*. Erg handig voor een gymnastiekleraar met korte mouwen. En dan zegt hij godnondeju dat ik een 'homofobische moralist' ben en er 'ongezonde religieuze opvattingen' op nahoud. Maar ik gaf hem dan ook de wind van voren toen hij met getallen aan kwam zetten over de orgasmefrequentie van de twee- tot vijfjarigen, om nog maar te zwijgen van zijn bewering dat niet alleen pedofielen zich seksueel tot kinderen aangetrokken voelen. *Perwersyjny skurwysyn*. Totaal verziekt, als je het mij vraagt. Maar ik zal er wel voor zorgen dat hij ontslagen wordt", raasde hij, "... na *pierdolona wiesznocs, for fucking ever*." Ik kon er geen woord tussen krijgen, hij wist van geen ophouden.

"En verder is er die priester, Frosh en Glebokie hoorden bij dezelfde parochie, allebei katholiek. Van hem moet ik trouwens een stemtest laten maken, zodat ik die kan vergelijken met de bandjes. Hij is iets te tuk op kinderen, in de loop der jaren zijn er diverse klachten binnengekomen over wat er zich tijdens de kinderdiensten afspeelt. Weet je waar hij dan over preekt? Een ontspannen kijk op naaktheid. En dat voor een priester! En dan heeft hij het erover hoe belangrijk het is om menselijkheid aan de dag te leggen door elkaar en jezelf aan te raken. En geen van beiden heeft iets wat op een alibi lijkt. De gymleraar heeft bovendien een Fluger-zaag. Dus die twee, de priester en de gymleraar, staan heel hoog genoteerd, maar zoals je weet, kan ik ze niet de bak laten indraaien – heb je met Cormio Vittantonio gesproken?"

"Hij is op reis. Ik heb een bericht achtergelaten."

"Je kunt toch zeker zijn nummer wel krijgen, waar hij ook mocht uithangen?"

"Hij is op vakantie met zijn familie en wil niet gestoord worden."

Sam vloekte binnensmonds in het Pools en nam de draad weer op: "En verder is er de hele ploeg achter de Toneelclub Cornwell Zuid, waar beide kinderen lid van waren – en nog een stuk of wat, die hen allebei overlappen en die me nu niet te binnen willen schieten ..."

"De toneelclub? Welke rollen gaven ze aan een jongetje met ontwikkelingsstoornissen? Speelde hij de komkommer of de tomaat in McGregors Kruidentuin?"

"Schei toch uit! Het project 'Vrije tijd voor kinderen' is heel actief op het toneel. We hebben het hier niet over Royal Shakespeare, hoor. Houd die spitse opmerkingen voor je, Fanny, daar ben ik te moe voor."

"Hm. Heb je nog meer bijbelberichten gekregen?"

"Twee heerlijke brokken uit Jeremias: 'Zie, ik ben de Heer, de God van alle vlees', en 'Ik laat hen het vlees van hun zonen en dochters verslinden, de een zal het vlees van de ander verslinden'."

"Tjonge, wat een delicatessen! Á propos, is er nog nieuws van Lisa's winkel?"

"Lisa!" Hij nam de naam in zijn mond.

"Lisa."

"Lisa is ongenietbaar, verdomme ..."

"Dan is ze zeker gewoon wat prae."

"Pree ...?"

"Prae mortem."

"Probeer je leuk te zijn?" Gut, wat klonk hij moe.

"Nee, ik geloof dat ze wacht, net als wij, en dat ze zich net zo incompetent voelt. Ze vindt dat ze meer zou moeten kunnen presteren, net als jij en ik. Daarom is ze prae. Ze wacht op een nieuw lijk. Dat is toch zo? Is dat niet de reden waarom jij depri bent?"

Het geluid dat hij in de hoorn bromde, gaf me vermoedelijk gelijk.

Ik at wat meer terwijl Sam er het zwijgen toe deed.

"Hoe staat het met Zanf, en mijn huis? Is dat nu schoon?"

"Ik neem aan van wel."

"Hoe behandelen jullie dit?"

"Wat? Je huis?"

"Nee, Francis Zanfs dood!"

"Voorlopig als een ongelukje."

Ik stond paf.

"Kijk maar eens naar die hamsterkooi. Die was geopend. Die kan van binnenuit niet opengemaakt worden en zeker niet door een hamster. Iemand heeft hem naar buiten gelaten."

Dat bedacht ik nu pas. Ongelooflijk, maar waar.

"Dat weet ik best. En er waren overigens restjes pasteurella in het voer in de kooi, maar geen enkel spoor ervan in de voerzak. Dus iemand moet de hamster hebben vergiftigd en uit de kooi hebben gelaten."

"Ja maar waarom noem je het dan een ongelukje?"

Hij gaf geen antwoord. Ik hoorde zijn ademhaling.

"Omdat, *laleczko*," begon hij ten slotte met vermoeide stem, "... het niemand anders geweest kan zijn dan jij."

Heel even smolt ik. '*Laleczko*' was een van de drie Poolse woorden die ik verstond. Schatje. Zo noemde Sam me eens in de paar jaar en uitsluitend wanneer hij bezorgd was voor mijn wel en wee. Ik was ontroerd. Maar ik stond ook paf. Wat haalde hij zich allemaal niet in het hoofd? Ik zei geen woord. Ik had een half artisjokhart in mijn mond, maar kauwde er niet eens op.

"Wat ik zeg", vervolgde hij, "... is dat ik niet geloof dat jij het hebt gedaan, maar als ik erin begin te rommelen, kun je opeens tot je nek in de derrie staan. Hou je mond even. Maar ik geloof dat je die hamster wilde afmaken en toen die virustroep in zijn voer hebt gedaan. Je moet toen vergeten zijn de kooi behoorlijk dicht te doen nadat je hem had gevoerd, maar je had er natuurlijk geen idee van dat de kooi niet dicht was en dat hij eruit zou springen om zijn tanden te zetten in je ... minnaar."

"Dat is aardig van je, Sam, maar ik zou niet weten naar welke winkel ik moest gaan om te vragen naar een ... wat was het voor iets?"

"Pasteurella."

"Ik heb nog nooit van pasteurella gehoord, en als het wel zo was, zou ik niet weten hoe ik eraan moest komen. En stel dat ik mijn hamster zou willen afmaken, dan zou ik hem door jou hebben laten doodschieten of ik zou een dierenarts hebben gebeld. Ik vroeg het je een paar dagen geleden, weet je dat niet meer?"

"Jawel", zei hij kortaf.

"Ik zou het op prijs stellen als je het niet als een ongelukje wilt beschouwen en dat je er in plaats daarvan achter probeert te komen wie mijn hamster heeft vergiftigd en waarom. Het idee dat vreemde mensen mijn huis binnendringen en daar geheimzinnige dingen uithalen die resulteren in een lijk in mijn bed staat me helemaal niet aan."

"Er is niets wat erop duidt dat er inbraak is geweest in je huis. En overigens hoef je je niet druk te maken – we doen alles volgens het boekje, er zijn vingerafdrukken genomen op de kooi en de voerdoos en de voerzak in de bijkeuken ..."

"En zijn die van mij?"

"*Yes.*"

"Ja maar natuurlijk zijn die van mij!"

"Ja natuurlijk."

"Nou en?"

"Nou, dan moet jij mij vertellen wie er volgens jou met zijn vingers aan jouw hamster heeft gezeten, en wie zo'n aardige jongeman als Francis Zanf dood zou willen zien."

Ik schoof mijn halflege bord weg en nipte aan de wijn. Die was zuur.

"Daar moet ik even over nadenken. Ik kan dat nu allemaal niet verhapstukken."

"Wanneer kom je thuis?"

"Over vier dagen."

Hij zei niets, maar het klonk alsof hij zijn tanden schoonmaakte of op zijn tong kauwde.

"Ik heb van je gedroomd", zei hij ten slotte. Ik zei niets.

"Jij was mijn vrouw, we waren getrouwd." Hij zei het snel, alsof hij het naar buiten perste.

"Was het een nachtmerrie?" probeerde ik. Ik wilde de rest liever niet horen.

"Je had een schort voor, en je had wallen onder je ogen. Je bakte brood voor me." Hij haalde diep adem. Toen fluisterde hij: "En voor onze kinderen. Je sloofde je uit in de keuken om ons blij te maken, je zag er versleten uit, je had rimpels en ik voelde zo'n vreemde tederheid voor je."

"En nu bel je me op omdat je nog steeds een 'vreemde tederheid' voor me voelt?"

"Yep."

"Sam?"

"Ja."

"We zijn niet getrouwd. We hebben geen kinderen. Ik ben niet zo erg versleten. En dat met die tederheid, dat is niet zo best wanneer we moeten samenwerken, nietwaar?"

"Misschien niet", zei hij na een poosje.

We deden er een tijdje het zwijgen toe, elk met een telefoon in onze hand en vijfduizend kilometer tussen ons in.

"Ik moet wat slapen", zei ik toen het stilzwijgen op mijn zenuwen begon te werken. "Maar ik moet nog even horen ... hoe ging het met Gro Mari Björke, heeft ze nog meer gezegd?"

"Ze viel in slaap, en ik moest naar een afspraak. Toen ik terugkwam, was ze weg." Hij zweeg even en voegde er toen sarcastisch aan toe: "Maar ze had wel tijd om haar honorarium te innen bij de kassa."

"Dat is haar werk. Jij zit toch zeker ook niet voor noppes op je kantoor te zweten?"

Hij gaf geen antwoord.

"Dat grijze huis waar ze het over had", begon ik, "daar maak je toch wel werk van, hè?"

"Wat stel je je voor, *kobitko?* Dat we al die duizenden grijze huizen in Cornwell binnenstebuiten gaan keren omdat jouw Noorse heldin visioenen heeft over grijze huizen?"

"Ik stel me voor", snauwde ik, "... nee, ik begin opnieuw: aangezien er grijze verfresten zijn gevonden op Ellen Frosh, en aangezien een gerenommeerde clairvoyant een grijs huis ziet, stel ik me voor dat jullie dat grijze huis opnemen als criterium in de selectie van verdachten."

"Iedereen die in een grijs huis woont en die oppervlakkig met de slachtoffers en/of hun families zijn omgegaan, moet gecheckt worden?"

"Ja, als ze tenminste ook toegang hebben gehad tot of in het bezit zijn van een Fluger-zaag en zich voor het overige binnen het ... profiel bevinden." Het woord 'profiel' slikte ik bijna in.

"Dat is te veel van het goede, Fanny! Verduiveld nog aan toe! Maar geef me een man of 70, 80 meer, dan zal ik je grijze huizen laten zien."

"Zeg, nu ga ik naar bed, je begint me op mijn zenuwen te werken. Als je de *leads* die je hebt niet wilt gebruiken, dan heb je alle reden om daar in je pyjama te liggen en je incompetent te voelen."

"Ja, dat doe ik dan ook – ik fax je de laatste portie brieven aan Frosh, plus de post die nu bij de familie Glebokie is binnengekomen, en dan denk ik verdorie dat ik wat ga pitten."

"Doe dat. Ik lees ze morgen pas – welterusten." Ik hing op, schoof het blad een eindje onder het tafeltje en stond op. Toen deed ik mijn kleren uit en ging naar bed. Ik kon niet slapen, maar lag te roteren als een grill-kip; ontdekte dat het bijna één uur was. Ik speelde met de gedachte om het piccolootje te laten komen. Plotseling ging ik overeind in bed zitten.

Het was te snel gebeurd. Die twee kinderen waren verdwenen – en vermoord? – te snel achter elkaar. De gewelddadigheid en agressiviteit van dit type mannen escaleert niet zo snel. De onbekende dader moest een oude rot in het vak zijn. Wie was Sam aan het ondervragen? Jan en alleman die in verband kon worden gebracht met een bepaalde motorzaag? Dat haalde toch niets uit, dat was tijdverspilling. Zou ik Sam opbellen en hem verzoeken te stoppen met die tijdverspilling? Ja maar was het wel tijdverspilling? Moest hij niet domweg Jan en alleman, de hele bups, ondervragen? Natuurlijk moest hij dat. Ik ging weer liggen. Stijf als een plank. Het zou ook een ander kunnen zijn. Het Glebokie-joch kon ook ontvoerd zijn door een geïnspireerde pedofiel, die zich wilde verschuilen in het kielzog van Ellen Frosh. Maar alle twee zo goed georganiseerd, alle twee zo spoorloos – daar klopte iets niet. Ik ging weer overeind zitten en stak mijn hand uit naar de PDA.

"Ik weet best dat je iedereen moet ondervragen," zei ik, voordat hij een woord kon uitbrengen, "maar je moet je concentreren op ex-gedetineerden met een gewelddadige criminele achtergrond. Het kan geen beginneling zijn. Dat is domweg onmogelijk." Ik hing op en slikte een Melatonine; toen liet ik me op het vloerkleed rollen en deed 60 *push-ups*.

17

Om 10.00 uur wekte mijn PDA me met de gebruikelijke jo-
ligheid en een heleboel nieuwtjes, onder andere dat er geen
nieuwe sporen waren in de zaak van de zogenaamde Onzichtbare Raptor. Ik schudde m'n hoofd hoewel ik alleen was. Dat
was eenvoudigweg te incompetent. Ik moest het er met Julio
Estevez of John Smith over hebben – voor de zoveelste keer.
Die moesten gewoon een perspersoon in dienst nemen die in
de hand kon houden welke informatie de kranten kregen.
Want het had natuurlijk geen zin om de ene dag in de krant te
lezen dat ik de dader had geprofileerd inclusief het aantal stift-
tanden en oorharen, en dat hij nog voor het eind van de week
gearresteerd zou worden, wanneer je een paar dagen later te
horen kreeg dat er geen nieuwe sporen in de zaak waren. Dat
vertelde onze onbekende dader dat we met de handen in het
haar zaten en dat hij ons op meesterlijke wijze aan het lijntje
wist te houden. Dat verleende hem zelfvertrouwen, nog meer
dan hij bij voorbaat al had.

Het was Bobs beurt om een lezing te houden, en hij was allang begonnen. Misschien kon ik vandaag maar beter in het
hotel blijven, overwoog ik tijdens mijn 60 ietwat langzame
push-ups. Misschien niet. Ik bestelde ontbijt op de kamer en
maakte mijn toilet terwijl ik wachtte. Ik nam een douche en
trok een Valentino-klokrok van beige vlas aan met een strak
zittende topje, eveneens van beige vlas. Mijn oog viel op mijn
armen toen ik me afdroogde; de huid was flink grauw en slap

aan het worden, dus ik smeerde een ampul op beide armen en ging met gesloten ogen op bed zitten tot er op de deur werd geklopt. Tot mijn teleurstelling verscheen er een mollig, glimlachend kamermeisje in de deuropening met een dienblad vol met bacon, worstjes en pannenkoeken – onder andere. Ze zette het blad op de tafel en verdween uiterst discreet, voordat ik tijd en tegenwoordigheid van geest had om haar een fooi te geven. Het eten rook heerlijk, en ik had waarschijnlijk honger, maar tegelijkertijd helemaal geen trek. Ik propte zo veel mogelijk naar binnen; de worstjes waren vettig, en ik moest mijn handen gaan wassen. Ik keek op mijn horloge. In de deftige voordrachtzaal zaten ze nu vast allemaal aandachtig aantekeningen te maken terwijl Bob aan het mekkeren was. Mijn besluit stond vast: ik bleef in het hotel om de lezing van morgen voor te bereiden, om wat tot rust te komen en de faxberichten te lezen. Ik verbond de PDA met de printer van het hotel en printte de stapel waanzinnige brieven die de families Frosh en Glebokie hadden ontvangen.

Toen ging ik op bed zitten en begon het ene bewijs na het andere te lezen voor het feit dat het kwaad nog steeds een bruikbaar begrip is. Want hoe moet je het anders noemen? Wanneer een ouderpaar, dat een kind heeft verloren en in het ongewisse verkeert over het lot van hun kind en dat dag en nacht gekweld wordt door voorstellingen over de pijnigingen die het heeft ondergaan en dat ondanks alles blijft hopen – hoe kun je de individuen die deze ouders nog meer pijnigingen wensen aan te doen anders noemen dan kwaadaardig?

Ja, ik mag me dan niet samen met een lijk in één kamer kunnen ophouden, toch ben ik een bikkelharde madam. Het zou vreemd zijn als het anders was. Maar deze brieven, daar kon ik haast niet doorheen komen: sommige gaven onbeschrijflijke details over de onbeschrijflijke dingen die de briefschrijver met de kinderen beweerde te hebben uitgehaald. Andere gaven exacte beschrijvingen van de plek waar het lijk van het Glebokie-joch lag en waar Ellens hart was begraven. En weer andere hadden het over de feestmaaltijden die waren bereid van het vlees van de kinderen en welke recepten ze hadden gebruikt. Een groot aantal was vreemd genoeg met de hand geschreven. Ongelooflijk dat ze dat durven. Het is immers bekend dat de politie schriftherkenningsprogramma's gebruikt die ongelooflijk precies zijn. Een aantal brieven was uit een printer gekomen, een stuk of wat was op een schrijfmachine geschreven.

Toen ik de eerste twintig had gelezen, had ik mijn buik vol. Maar plotseling zat ik met een brief in mijn hand die ik herkende. Hij was geschreven op een schrijfmachine. Ik herkende de inhoud. Woord voor woord.

Beste Mijnheer en Mevrouw Frosh!

In 1894 ging een van mijn vrienden naar zee als dekmatroos op de stoomboot Taoma, onder Kapt. John Davis. Ze voeren van San Francisco naar Hong Kong China. Toen ze daar aankwamen gingen hij en twee anderen van boord en werden dronken. Toen ze terugkeerden was de boot weg. In die tijd heerste er hongersnood in China. Allerhande vlees kostte meer dan een à drie dollar per pond. Zo groot was het leed onder de allerarmsten dat alle kinderen onder de 12 aan de Slagers werden verkocht die ze opensneden en ze als voedsel verkochten om te verhinderen dat anderen van honger zouden omkomen. Een jongen of een meisje onder de 14 waren niet veilig wanneer ze op straat liepen. Je kon elke winkel binnenlopen en naar steaks vragen – koteletten of poulet. Een gedeelte van het naakte lichaam van een meisje of jongen werd de winkel in gebracht en de slager sneed het stuk af dat je wilde hebben. Het achterwerk van een jongen of meisje was het beste lichaamsdeel, en verkocht als kalfskotelet bracht het een goede prijs op. John bleef daar zo lang dat hij prijs begon te stellen op mensen-vlees. Toen hij terugkwam naar New York stal hij twee jongens, een van zeven en een van 11 jaar oud. Nam ze mee naar huis trok hun kleren uit en bond ze vast in zijn kast. Toen verbrandde hij al hun kleren. Vele malen per nacht en per dag gaf hij ze met de zweep – martelde ze – om hun vlees lekker mals te maken. Eerst doodde hij de 11 jaar oude jongen omdat die de dikste kont had en met natuurlijk het meeste vlees eraan. Elk gedeelte van het lichaam van de jongen werd Bereid en gegeten uitgezonderd het hoofd – de botten en de ingewanden.

Hij werd Gebraden in het fornuis (zijn hele kont), gekookt, gegrild, gebraden, of alles in één pan. Het kleine jongetje kwam daarna, hij kreeg eenzelfde beurt. Op dat moment woonde ik in de E. 100 St nr. 409. Hij vertelde me zo vaak hoe lekker Mensenvlees smaakt dat ik besloot het te proberen. Nu kende ik Ellen immers zo goed, ze was zo klein en lekker, ik had haar vaak op schoot gehad wanneer Jullie weg waren. Die zondag besloot ik haar op te eten. Ik vroeg of ze mee naar een verjaarspartijtje wilde bij mijn zus. Dat wilde ze graag. Ik nam haar mee naar een leeg huis waarop ik mijn oog al had laten vallen. Toen we daar aankwamen zei ik dat ze buiten moest wachten. Ze plukte paardebloemen. Ik ging het huis binnen, naar boven en trok al mijn kleren uit. Ik wist dat ik, als ik dat niet deed, bloed op mijn kleren zou krijgen. Toen alles klaar was ging ik naar het raam en Riep haar. Toen verstopte ik me in de kast tot ze boven kwam. Toen ze mij naakt zag begon ze te huilen en probeerde naar beneden te hollen. Ik kreeg haar te pakken, en ze zei dat ze het tegen haar moeder zou zeggen. Eerst trok ik haar kleren uit. Sjonge sjonge, wat schopte ze – ze beet en krabde. Ik wurgde haar, toen sneed ik haar in stukjes, zodat ik het vlees mee naar huis kon nemen, het kon toebereiden en eten. Haar vlees was heerlijk mals geworden in het fornuis. Ik heb haar <u>niet</u> geneukt, hoewel ik daar best zin in had kunnen hebben. Ze stierf als <u>maagd</u>.

Ik keek naar de wand. Toen keek ik naar mijn kalfsleren tas. Daarin lag een brief die Albert Fish, een van Amerika's meest weerzinwekkende moordenaars, had geschreven op 11 november 1934. De reden waarom die brief in mijn tas lag, was dat ik morgen over diezelfde Albert Fish een lezing moest houden. Ik haalde hem tevoorschijn, legde hem naast de gefaxte kopie. Albert Fish' brief was met de hand geschreven, die van de imitator getypt. En er waren natuurlijk bepaalde veranderingen in de kopie. Het origineel begon met 'Beste Mevrouw Budd'. En de zin met 'Nu kende ik Ellen immers zo goed, ze was zo klein en lekker, ik had haar vaak op schoot gehad wanneer Jullie weg waren' stond natuurlijk niet in het origineel, waar het ging over de kleine Grace Budd, een meisje dat tien jaar was in 1928, het jaar dat ze verdween samen met Albert Fish, ook op een zondag. Maar de rest was woord voor woord gekopieerd, en de vreemde raffelende stijl was ongewijzigd. De vreemde grote letters op vreemde plaatsen, de ontbrekende komma's en de onbegrijpelijke onderstrepingen van 'Allerhande vlees' en 'niet' en 'maagd'. Maar een van de laatste zinnen was niet opgenomen in de brief van de imitator: 'Ik had er negen dagen voor nodig om haar hele lichaam te eten.' Geruime tijd zat ik me af te vragen waarom hij die niet had opgenomen. Had hij er geen negen dagen voor nodig gehad om haar te eten? Had hij haar in twee of drie of vier dagen opgegeten? Had hij haar nog niet helemaal opgegeten? Had hij haar überhaupt opgegeten? Wat was dit voor iets?

Plotseling weigerde ik de brief serieus te nemen. Maar toen vroeg ik me af of deze brief opvallender was dan de andere. Of deze brief gewoon niet compleet waanzinnig opvallend was.

Natuurlijk was hij dat. Het was compleet waanzinnig opvallend dat iemand op het idee zou komen zo'n compleet waanzinnige brief te kopiëren die in 1934 was geschreven. Toen was de brief in het oog gesprongen bij rechercheur King, omdat de details erin zo authentiek waren geweest. Vandaag kwam hij niet over als een authentieke beschrijving van een authentieke zaak, althans niet op de manier waarop die toen was overgekomen. Maar wat me zorgen baarde, was dat als iemand een brief had gekopieerd die Albert Fish had geschreven – had hij dan ook Albert Fish gekopieerd? Al diens veel te talrijke en veel te weerzinwekkende perversies?

Ik belde Sam. Hij nam onmiddellijk op.

"Die getypte brief," begon ik, terwijl ik de rechter benedenhoek onderzocht om het microscopische nummer te vinden. "Nummer 13311?"

"Ja-ha," zei hij pruilerig. "En?"

"Is die naar schriftherkenning geweest?"

"Schriftherkenning! Het heet typeanalyse wanneer het niet om met de hand geschreven materiaal gaat. Jazeker, de hele boel. Dat heb ik je toch gezegd."

"Jawel – maar waren er treffers?"

"Er waren treffers bij de meeste met de hand geschreven brieven en bij een paar getypte, het zijn immers elke keer dezelfde idioten."

"Wil je me alsjeblieft de treffers faxen die er op nummer 13311 waren?"

"Ja-ha."

"Ben je uit je hum?"

"Nee-hee."

"O, dan klink je alleen maar uit je hum. Fax je ze nu?"

"Ja-ha."

Ik smoorde de PDA, legde de Albert Fish-map op bed en begon de paperassen te ordenen. Toen begon ik te wachten tot de rode faxknop van de PDA oplichtte; ik verbond hem met de printer, die dadelijk een met de hand geschreven brief naar buiten spuugde. Ik stortte me erop; achter me bleef de printer doorspuien.

Eén blik op de brief volstond om te weten dat ik hier weer met een kopie van een brief van Albert Fish te maken had. Hij had namelijk een zekere spanwijdte gehad, deze Fish, en had zich jarenlang beziggehouden met het schrijven van obscene brieven aan vrouwen. Deze brief was een van de vele, waarin hij een succesvolle Hollywood-producer speelde die onbeschrijflijk veel geld aanbood (en onbeschrijflijk veel liefde, of wat daarvoor door moet gaan) aan vrouwen die bereid waren bepaalde diensten te bewijzen aan hem of aan zijn fictieve *teenage*-zoon, die hij meestal 'Bobby' noemde.

'Ik zou willen dat je me nu kon zien,' had de Fish-imitator geschreven toen hij in alinea drie ter zake begon te komen: 'Ik zit naakt op een stoel. De pijn loopt over mijn rug, vlak bij mijn lenden. Wanneer je mij van mijn kleren ontdoet zul je het meest perfecte lichaam zien. Van jou, van jou, o zoete honing van mijn hart. Ik wil je heerlijke pis en je heerlijke stront proeven. Je moet in een glas plassen en ik zal elke druppel opdrinken terwijl jij toekijkt. Vertel me wanneer je bereid bent een grote boodschap te doen. Ik zal je over mijn knieën leggen, je kleren omhoog en je onderbroek naar beneden trekken en mijn mond tegen je heerlijke honingvette reet drukken en van je heerlijke pindakaas eten wanneer die vers en warm naar buiten komt. Zo doen ze dat in Hollywood!'

Ik vergeleek de brief met het origineel. Ze waren identiek, woord voor woord. Waar zat die verziekte persoon, die zich dermate met Albert Fish identificeerde – ja, de vraag was: in hoeverre? Kopieerde hij alleen maar zijn brieven? Of kopieerde hij zijn hele karakter en al zijn daden?

Albert Fish had meer dan honderd jongens en meisjes verkracht; zelf had hij beweerd dat het getal dichter in de buurt van de vierhonderd lag. Hij had gemarteld en gemoord en een aanzienlijk, nooit precies vastgesteld aantal van hen opgegeten. En zoals gezegd – zijn spanwijdte was enorm. Volgens het afschrift uit het gerechtelijk protocol hadden verscheidene psychiaters verklaard dat ze nog nooit eerder zo veel perversies in één persoon bijeen hadden gezien – sadisme, masochisme, flagellantisme, exhibitionisme, voyeurisme, piquerisme, pedofilie, coprofagie, undinisme, fetisjisme, kannibalisme en hypereroticisme. Ik las ergens dat flagellantisme stond voor ziekelijke bevrediging van de geslachtsdrift door te ranselen of afgeranseld te worden, dat undinisme een seksueel geconditioneerde gefixeerdheid op urine was en dat hypereroticisme een abnormale verheviging van het seksuele instinct was.

Ik voelde me opeens heel deugdzaam.

Ik bestelde een fles Vecchia en legde alle faxberichten op een hoop. Op dit moment had ik twee goede redenen om het leven van Albert Fish door te nemen, en ik had daarbij alle tijd om het te doen. Het lieve piccolootje bracht de bolle fles, maar ik zag hem amper staan.

18

Op vrijdag 22 maart 1936 werd Albert Fish veroordeeld tot de dood in de elektrische stoel wegens moord met voorbedachten rade op Grace Budd. Pas later bekende hij alle andere kindermoorden die hij had begaan. Tot het laatst aan toe trachtte Fish' advocaat, James Dempsey, het vonnis te laten vernietigen en in levenslange institutionalisering om te zetten, omdat Albert Fish onmiskenbaar krankzinnig was. Fish was niet in staat onderscheid te maken tussen goed en verkeerd, beweerde de advocaat, hoewel iedereen kon zien dat hij zich jarenlang bekwaam had weten te verbergen voor de politie omdat hij dondersgoed wist dat hij iets had gedaan wat heel erg verkeerd was. Zodoende beantwoordde hij niet aan de definitie die de wet voor 'krankzinnig' had.

Maar wat ben je dan als je de dingen doet die Albert Fish deed – als je de driften had die Albert Fish had?

Ik zat nog steeds in kleermakerszit op bed en werkte me door het dossier heen. Ik was nu bezig met dat gedeelte van het afschrift uit het gerechtelijk protocol dat de ondervraging weergaf door de advocaat van een reeks psychiaters die Albert Fish hadden onderzocht. Twee van hen, ene dr. Charles Lambert en ene dr. Menas S. Gregory, verklaarden dat Fish 'bij zijn volle verstand' was of preciezer: niet krankzinnig. Dr. Lambert beschreef hem als een 'psychopathische persoonlijkheid zonder psychosen'.

Ik las nogmaals een speciaal absurd fragment uit het afschrift van het gerechtelijk protocol, waarin advocaat James Dempsey dr. Gregory ondervroeg.

Dempsey: "Is het een gebruikelijk fenomeen, dokter, dat mensen aan seksuele afwijkingen lijden die met urine en excrementen te maken hebben?"

Dr. Gregory: "Het is veel gebruikelijker dan u denkt."

Dempsey: "Vertelt u me daar eens wat meer over! Zou u een man die urine drinkt en menselijke excrementen eet krankzinnig willen noemen?"

Dr. Gregory: "Tja, krankzinnig kunnen we ze niet noemen."

Dempsey: "Dus zulke mensen zijn helemaal gezond?"

Dr. Gregory: "Wel, niet helemaal gezond. Maar in puur sociaal opzicht mankeert de man niets." Hij voegde eraan toe dat talloze mensen aan precies dezelfde perversie leden. (Ik herinner me hier een commentaar bij dat protocol, waarin stond dat hij dit op boze toon zei. Die boosheid had te maken met het feit dat hij chefpsychiater was in een inrichting, die Fish een paar jaar tevoren had ontslagen met het predikaat 'volledig normaal'.)

Dr. Gregory: "Het gaat hier om tal van succesvolle mensen, succesvolle kunstenaars, leraren en financiers, die ook aan deze ... aandoening lijden."

Dempsey: "Laten we aannemen dat deze man Grace Budd niet alleen heeft vermoord, maar ook haar vlees heeft gegeten. Wilt u beweren dat een persoon negen dagen achter elkaar mensenvlees kan eten en nog steeds niet psychotisch of anderszins krankzinnig kan zijn?"

Dr. Gregory: "Over smaak valt niet te twisten."

Het ging op dezelfde manier door toen James Dempsey ertoe overging dr. Lambert te ondervragen.

"Vertelt u me eens, dr. Lambert, hoeveel gevallen hebt u meegemaakt van mensen die menselijke excrementen eten?"

Dr. Lambert: "Tja, ik ken veel bekende mensen in onze samenleving die daar aardigheid in hebben. Inclusief een bepaald persoon, die wij allen kennen."

Dempsey: "Die inderdaad menselijke excrementen eet?"

Dr. Lambert: "Die het als dip voor zijn sla gebruikt."

En zo ging het maar door, bladzijde na bladzijde. Ik sloeg mijn derde Vecchia achterover en moest opeens denken aan die keer dat ik achter de ruit van het verhoorlokaal had gezeten en aanwezig was bij een verhoor dat ik zelf had geïnstrueerd. De man, Richard Speck, had acht verpleegsters verkracht en vermoord, en wij wilden wat meer aan de weet komen over zijn beweegredenen, we wilden weten hoe hij dacht. Maar hij was niet gemakkelijk te hanteren. De rechercheurs wisten hoe belangrijk het was om met de dader te praten op diens niveau, en toen Alexander Ipwich, die het onderzoek leidde, met zijn vuist op tafel sloeg en zei: "Verduiveld, klootzak! Ik ben pisnijdig, want jij hebt ons acht lekkere kutjes door de neus geboord!" – toen schudde Richard Speck zijn hoofd en glimlachte: "Jullie zijn krankzinnig! De grens tussen lieden als jullie en iemand als ik is kennelijk enigszins vervaagd."

Soms, daar in het grensgebied, kunnen we zelf ook best door twijfel bekropen worden.

Albert Fish' relatie tot excrementen en urine liet mij Siberisch. Dat was zijn zaak. Het waren de woorden, de twijfel in de woorden, de afstand in de woorden, het waren de woorden die de twijfel opwekten. De woorden waren wat wiebelig. En er waren er te veel: Niet helemaal gezond. Psychopathisch zonder psychosen. Krankzinnig. Bij zijn volle verstand.

Weten we altijd waarover we het hebben? Als we het absoluut willen weten, waarom geven we dan niet toe dat we het niet altijd kunnen weten? Is het werkelijk altijd doelmatig om te kunnen definiëren?

Neem nou bijvoorbeeld een papegaai. Ik kan niet definiëren wat 'een papegaai' is. Maar ik kan hem beschrijven als een kleurrijke vogel met kromme snavel, en ik kan een papegaai herkennen als zijnde een papegaai wanneer ik er een zie.

Betekent dat dat ik niet geschikt ben om een papegaai aan te wijzen en hem te veroordelen tot de aanduiding 'papegaai'?

Ik kan een krankzinnig persoon aanwijzen wanneer ik er een ontmoet. Albert Fish was krankzinnig omdat hij alleen maar seksueel bevredigd kon worden door kleine kinderen pijn te bezorgen – door ze te martelen, te vermoorden en op te eten. Hoe kun je daarover in twijfel verkeren? Alleen al het idee dat je in zo'n geval kan twijfelen zorgt ervoor dat mijn nekharen overeind gaan staan. Maar op dit moment, terwijl ik daar op bed zat, gingen mijn nekharen allereerst overeind staan vanwege de overeenkomsten met onze zaak.

We hadden een man die kinderen ontvoerde. Er waren tekenen van kannibalisme. We hadden een helderziende vrouw geconsulteerd, die een persoon zag wiens leven gefocusseerd was op pijn – op het incasseren van pijn, op het veroorzaken van pijn. Deze dingen vormden Fish' adelbrief. Hij had diverse kinderen verkracht, vermoord en verteerd. Hij had zichzelf geslagen met een kat met negen staarten en met een beukhamer, waarin hij spijkers had geslagen. Hij had spelden in zijn onderlijf gestoken, soms als boetedoening voor wat hij de kleine kinderen had aangedaan. Toen hij werd gearresteerd en aan een onderzoek werd onderworpen, toonden de röntgenfoto's maar liefst 29 spelden die diep in zijn onderlijf zaten – in de lies, dicht bij de achter- en voorwand van de endeldarm, in de buurt van de blaas en in een tros vlakbij het staartbeen. Uit de toestand van sommige spelden bleek dat ze daar vermoedelijk een aantal jaren hadden gezeten.

Hij was niet iemand die belangstelling had voor wat wij onder seksuele relaties met kinderen verstaan. Hij wenste pijn te veroorzaken, en dat was zijn primaire 'seksuele relatie'. Dat had hij geleerd in het kindertehuis waar hij opgroeide, en waar ze zes jongens tegelijk namen en aftuigden, de een na de ander, terwijl de anderen toekeken. Zelf relateerde hij duidelijk tegenover een psychiater zijn eerste seksuele belevenis aan de leeftijd van zeven jaar, en beschreef die als het lustgevoel dat teweeggebracht werd door het krijgen van slaag en door te zien hoe anderen slaag kregen.

Tegelijkertijd was hij genetisch belast met een psychopathologische achtergrond. Zijn oom had een religieuze psychose gehad, zijn halfbroer was onder dwang in een krankzinnigenhospitaal opgenomen, zijn broer had hydrocephalus, 'water in zijn hoofd'. Verder had hij een zus, die volgens Fish 'aan een of andere vorm van krankzinnigheid leed', en een moeder die dingen zag en geluiden hoorde.

Zelf zag hij ook dingen en hoorde hij geluiden. Zelf had hij ook in een inrichting gezeten, en er was heel wat dat op een religieuze psychose duidde.

Ik bladerde door naar de pagina's die over zijn relatie tot God gingen. "Ik ben God", zou hij, staande voor zijn huis, verscheidene malen hebben geroepen naar de hemel. De tegenstrijdige boetedoeningen waren ook ter wille van God verricht. Op een gegeven moment was hij geobsedeerd door het idee jonge jongens te castreren en te vermoorden als boete voor zijn zonden, die onder andere uit castratie van en moord op jonge jongens bestonden. God had hem de opdracht gegeven jonge jongens te offeren. Als dat niet de bedoeling was, zou een engel hem stoppen. In de gevangenis, toen hij zijn doodstraf afwachtte, was hij betrapt *in flagrante delicto* met zijn hand om zijn geërecteerde lid, druk doende met masturberen, begeleid door vroom psalmgezang op de radio.

Dat alles was verleden tijd, ver weg en hoe dan ook zo vergezocht dat een dimensie van ongeloofwaardigheid zich voordeed tussen mij en een werkelijk onbehaaglijke belevenis hier op het hotelbed. Met andere woorden: ik bekeek zijn dossier met enige distantie. Maar toen ik plotseling las dat Jeremias zijn lievelingsprofeet was, slikte ik een paar keer. Had Sam dat niet gezegd? Waren er niet een paar Jeremias-citaten binnengekomen op het antwoordapparaat van de politie?

Ik pakte het apparaat en drukte code 1 in. Sams secretaresse nam op.

"Dag, Janina, met Fanny – heb je Sam in de buurt?"

"Hij is samen met Lisa en Kenneth naar Blair Square. Ze hebben het hoofd en de testikels van de jongen gevonden in een vuilnisbak van het herentoilet bij de ondergrondse."

Ik slikte nog een keer. Albert Fish at geen testikels. Daar had hij geen doekjes om gewonden. Die waren te taai.

"Wil je zeggen dat ik heb gebeld en dat er haast bij is? Ik zit hier te wachten tot hij terugbelt."

Ik schonk nog een Vecchia in en bladerde in de stapel tot ik bij de Fish-brief kwam die ging over de moord op de vierjarige Bill Gafney, die jarenlang onopgehelderd was gebleven tot de bekentenis viel, een paar dagen nadat het vonnis was uitgesproken. Fish had hem ontvoerd en meegenomen naar een huis dat alleen stond. Dat klonk verkeerd. 'Een huis dat alleen staat'. Het klonk als een verkeerde vertaling. Kon je dat werkelijk zeggen? Wat deed het er ook toe. Het was het lege huis dat hij in zijn eerste brief had vermeld. Ik noteerde het, in gedachten zowel bij het grijze huis als bij het andere huis, waarover Mari Björke het had gehad.

In het huis dat alleen stond had hij de jongen van zijn kleren ontdaan, hem aan handen en voeten gebonden en hem gekneveld. In die staat had hij het vierjarige jongetje de hele nacht alleen gelaten, was naar huis gegaan en pas de volgende dag om een uur of twee 's middags teruggekomen, uitgerust met zijn 'helse gereedschap', zoals hij het noemde: een slagersmes, een hakmes en een zaag en daarbij een kat met negen staarten, die hij zelf had gemaakt. Toen ranselde hij erop los op het achterwerk van de jongen tot het bloed hem langs de benen liep. Fish sneed zijn oren af, toen de neus, toen sneed hij zijn mond open van oor tot oor. Stak zijn ogen uit. ("Op dat moment was hij dood", had Fish beweerd.) Toen stak hij een mes in zijn buik, zette zijn mond aan de wond en dronk zijn bloed. Hij sneed de jongen open en smeet de lichaamsdelen die hem niet bevielen in het water. Diezelfde dag maakte hij een eenpansgerecht van zijn oren, neus en gedeeltes van zijn buikmusculatuur. "Ik voegde er uien, wortels, suikerbieten, selderij, zout en peper aan toe. Dat was heerlijk", had hij geschreven in een brief aan zijn advocaat, die deze op 24 maart 1936 publiceerde. "Toen spleet ik zijn achterwerk, sneed zijn 'aap' en zijn ballen eraf en waste die eerst. Ik legde schijfjes bacon op elke bil en legde het hele zaakje in de oven. Toen schilde ik vier uien, en toen ik het vlees ruim een kwartier had gebraden, goot ik er een liter water overheen voor de jus en deed de uien erbij. Ik sloeg zijn achterwerk regelmatig met een houten lepel. Om te zorgen dat het vlees lekker mals zou worden. Na ongeveer twee uur was zijn achterwerk lekker bruin en gaar. Ik heb nog nooit een gebraden kalkoen geproefd die half zo heerlijk smaakte als zijn lekkere, dikke kontje. Ik at het hele zaakje in vier dagen op. Zijn aapje smaakte zoet als een noot, maar zijn ballen kon ik niet kauwen. Die gooide ik in het toilet."

Wanneer de werkelijkheid je met een dergelijk persoon confronteert, is het dan niet het allergemakkelijkste die werkelijkheid gewoon af te wijzen, haar de rug toe te keren en je te begraven in een statistiek die duidelijk laat zien hoeveel kinderen we krijgen, wat onze favoriete hobby's zijn en hoeveel huisdieren een gemiddelde familie heeft? Want puur statistisch is het onwaarschijnlijk om iemand als Albert Fish tegen te komen. Zelf ontmoet ik zelden een persoon die op Albert Fish lijkt. Dat is gewoonweg onwaarschijnlijk.

Nog onwaarschijnlijker doet het aan dat zo'n verziekt persoon zo goed was in verziekt zijn. Albert Fish zou nooit gevangen zijn en zijn veroordeeld voor de moord op Grace Budd als er niet een klein detail was geweest met een merkteken op een envelop, die een van zijn obscene brieven bevatte. En die andere moorden – niemand had wat dan ook kunnen bewijzen als hij zelf niet had bekend. Hij beging zijn wandaden ter wille van God en verrichtte zijn boetedoeningen, na afloop, eveneens ter wille van God. Hij vond het fijn om te haten, hij was infantiel, en hij was een oude man. Hij was net zo'n vat vol tegenstrijdigheden als onze dader. En net zo onmogelijk te profileren. Wie zou ooit hebben gedacht, als ze naar zijn verrichtingen keken, dat die het werk waren van een huisvader op leeftijd? Niemand. Er ging me opeens een licht op. Ik greep naar mijn PDA en drukte op code 1. Sam nam meteen op.

"Waarom heb je niet teruggebeld", vroeg ik onredelijk beschuldigend.

"Ik ben net binnen."

"Janina heeft het me verteld. Details?"

"Nog niet. We hebben zijn hoofd en zijn testikels gevonden, en de hele zaak is bij Lisa."

"Heb je iets om mee te schrijven?"

"Natuurlijk."

"Het gaat om die brief – je moet aan die Frosh-vader vragen, hoe heet hij ook alweer ...?"

"Michael."

"Je moet hem vragen wie haar op schoot kan hebben genomen terwijl ze niet toekeken."

Toen vertelde ik hem in kort bestek over Albert Fish's brieven en over de punten van overeenkomst die ik had gevonden tussen toen en nu. Hij bevestigde dat de geciteerde bijbelfragmenten uit Jeremias kwamen. En daarna vroeg hij, precies zoals ik had verwacht: "Interessant, maar hoe zou dat mij kunnen helpen – op dit moment?"

Ik vertelde hem over het huis dat alleen stond, dat Albert Fish afgelegen huizen had gebruikt, die niet in gebruik waren. Ik herinnerde hem aan het grijze huis, dat Gro Mari Björke had genoemd. En het andere huis, met de slingerplanten.

"En dan het allerbelangrijkste. Telkens wanneer hij iets had uitgevreten, verhuisde hij. Wanneer hij iets heel erg grofs had uitgehaald, verhuisde hij naar een andere staat. Hij heeft in 23 verschillende Amerikaanse staten gewoond. Wat ik probeer te zeggen, is dat je Loretta in de pan-Europese database en die van de FBI moet laten duiken – want de eerdere moorden die hij heeft begaan, heeft hij niet in deze staat gepleegd ..."

Sam viel me in de rede: "Zeg, stop eens even. Soms lijk jij te denken dat wij hier een stelletje idioten zijn. Maar ik kan je meedelen dat Loretta al tot over haar oren in de pan-Europese database zit."

"Mooi zo. Maar er is ook iets anders: Albert Fish was oud. Vergeet alles over het leeftijdprofiel. Deze hier kan een oude man zijn. En je moet haast maken – ik ga er namelijk van uit dat wat hij hier heeft gedaan grof genoeg is om een verhuizing noodzakelijk te maken."

"Ja, ja, ja, ja, ja!" sneerde hij. "Dat is allemaal goed en wel, Fanny. Maar ik heb geen vage vermoedens meer nodig. Ik heb iets heel erg concreets nodig. Wat bloed, wat zaad, wat haar, wat vezels – iets herkenbaars."

"Dat moet je zelf vinden. Maar ik kan je sterk aanbevelen dat je ophoudt met het ondervragen van Jan en alleman en ..."

Hij viel me kwaad in de rede: "Nou is het wel welletjes! Ik ondervraag potverdorie niet Jan en alleman, ik ondervraag iedereen die ik moet ondervragen. En op dit moment heb ik twee pedofiele psychopaten met dubieuze alibi's in de kijkerd – en overigens moet jij je daar niet mee bemoeien." Weer hoorde ik zijn speeksel bruisen.

"Dit is geen bemoeienis. Dit is een aanbeveling. En mijn aanbeveling luidt dat je je erop concentreert erachter te komen waar hij de laatste keer heeft gewoond. Waar zijn er kinderen op onverklaarbare wijze spoorloos verdwenen, waar zijn hun botten en hun hoofden opgedoken?"

Hij zei niets, dus ik ging door: "Loretta moet de gemeentelijke registraties van het ziekenfonds met elkaar vergelijken, nagaan wanneer er iemand is verhuisd in relatie tot het laatste, soortgelijke voorval. En verder ben je genoodzaakt door de zure appel heen te bijten – laat een paar man onderzoeken waar er afgelegen huizen liggen waarin niemand woont."

"Mmmm", bromde hij mismoedig.

Ik ging door: "Heeft de Frosh-familie deze brief gelezen?"

"Nee, sinds de eerste zijn opgedoken, heeft de agent die het huis bewaakt ze uit de hand van de postbode gepakt. Michael Frosh heeft daar zelf om gevraagd."

"Mooi. Vergeet niet te vragen wie haar eventueel op schoot heeft genomen wanneer ze niet toekeken. Ik denk verder. Bel me op om te vertellen wat Lisa ontdekt."

Ik hing op en zat een poosje naar de wand te staren. Ik keek op mijn horloge. Het was vier uur. En ik had geen honger. Ik besloot de rest van de dag te besteden aan een grondige studie van het hele Albert Fish-dossier. Ik keek naar de paperassen die wanordelijk op mijn bed lagen. Opeens verzonk ik in gepeins. Maar ik schrok op toen de PDA zoemde. Het was Sam.

"Er is een vijfjarig jongetje uit Lower Weston verdwenen op weg naar school. Marcus Greco heet hij."

"Hoe lang geleden?"

"De school heeft vanmorgen om halftien de ouders opgebeld, hij had om negen uur op school moeten zijn. De ouders hebben een paar uur naar hem gezocht en hebben pas een halfuur geleden opgebeld. De vader belde, ladderzat."

"Was dat de reden waarom hij nu pas belde?"

"Ik neem aan van wel. Het ziet ernaar uit dat zowel de moeder als de vader alcoholisten zijn. Wat moet ik beginnen?" Hij leek helemaal de kluts kwijt te zijn. "Wat moet ik doen, verdomme? Het blijft maar doorgaan, en ik heb een tekort van zo'n 400 man. Ik weet niet hoe ik het moet aanpakken. Wat moet ik doen?"

"Je moet in de pan-Europese database zoeken tot je een aanknopingspunt vindt, en wanneer je dat gevonden hebt, moet je de EFBI erbij halen – je kunt ook meteen gaan bellen."

Hij zuchtte aan de andere kant van de lijn. En toen begon hij te grienen. "Al die ouders maken me krankzinnig. Ze bellen elke dag, constant, en ze vragen aan één stuk door, en ze huilen en smeken, en ze bedreigen me. Als ik niet, en kan ik toch niet, en wat voeren we hier in 's hemelsnaam uit – dat vroeg Greco's strontzatte moeder me. Ze hing een uur aan het toestel, en ze neuzelde en huilde en herhaalde zichzelf. *O kurwa.* Wat moet ik eraan doen, verdomme?"

Hij stopte even om adem te halen, maar ging door voordat ik erin slaagde iets te zeggen: "Frosh zaagt me de oren van mijn kop, maakt notities en legt me het vuur na aan de schenen. Hij weet al veel te veel en betrekt me bij logische haarkloverij waar ik helemaal niet van terug heb. En Glebokie's moeder heeft vandaag een keer of drie, vier huilend aan de telefoon gehangen. Ze smeekt me te zeggen dat er allemaal niets van waar is, dat het om een ander gaat en ..." Hij stopte. Ik hoorde een stem op de achtergrond. Toen kwam het geluid van de hoorn, die op het bureau werd gelegd. Ik wachtte. Er ging enige tijd voorbij. Toen klonk er weer gerammel in de hoorn en ik hoorde zijn ademhaling.

"Sam?" probeerde ik.

"Ze hebben Jimmy's botten gevonden." Hij haalde diep adem. "Dat wil zeggen, ik weet het nog niet, maar ze moeten van hem zijn. Ze lagen in een tasje van Walmart, in de vuilnisbak vlak voor de ingang, waar ik altijd gebruikte koffiebekertjes weggooi ... Weet je, ik kan dit gewoon niet meer aan, ik ga er nu vandoor." Hij hing op. Ik zat even na te denken. Toen belde ik John Smith op.

"Je moet Sam wat hulp geven. Als je iets van hem gedaan wilt krijgen, moet je ervoor zorgen dat iemand anders met de ouders van die dode kinderen praat. Anders gaat Sam eronderdoor. Hij is je beste rechercheur, en je moet hem in bescherming nemen."

"Jeetje, is het zo erg?"

"Hij is niet bestand tegen dat gedoe met die kinderen, hij gaat eraan kapot. Ik wil niet dat je zegt dat ik heb gebeld. Dit is iets tussen jou en mij. Vind een ander."

"Ik zal zien wat ik eraan kan doen. Maar eh, Fanny ... Sam heeft verteld dat jij voor ons met Cormio Vittantonio zou willen praten?"

Ik liet het wit van mijn ogen zien. Dat kon hij gelukkig niet zien.

"Ja," zei ik geduldig, "wanneer hij terug is van zijn vakantie."

Ik hing op en besefte dat ik maar één ding wilde: terug. Ik wilde terug naar Cornwell. Ik wilde Sam helpen met wat ik te bieden had. En ik wilde hem bovenal in bescherming nemen. Ik nam de hoorn op en belde naar de luchtvaartmaatschappij. Ze hadden een vlucht morgenochtend om negen uur, met een tussenlanding in Londen. Aankomst in Cornwell International 's avonds om halfelf. Dat kwam me uitstekend uit. Okay, ik moest mijn verblijf voortijdig beëindigen, maar daar viel wel een mouw aan te passen. Ik veranderde mijn reservering van overmorgen. Toen belde ik Arthur op. Die was altijd wat meegaander dan Bob, achter wiens beschaafde uiterlijk een temperament schuilging dat het mijne op een pure siësta deed lijken. Ik legde hem de situatie uit en verzocht hem mijn lezing over The Hillside Strangler over te nemen. Ik zou dan een voordracht over Albert Fish op de video opnemen (als ik tenminste wijs kon worden uit de supermoderne installatie van de academie), die ze morgen konden afspelen. Hij zette zijn stekels even op en verweet me mijn gebrek aan engagement. Ik had het even over prioriteitenstelling. Dat begreep hij. Ik hing op. Ik schonk een Vecchia in en ging verder met het sorteren van de papieren. Vier uur later was ik klaar; ik had elk detail dat met Albert Fish te maken had weer opgefrist. Ik wist dat er aanknopingspunten tussen hem en zijn imitator waren die vitaal zouden blijken te zijn, maar die ik me nog niet had gerealiseerd. Het maakte me ongeduldig en rusteloos. Ik besloot wat avondeten te laten komen en pakte de telefoon van het hotel. Het verbaasde me dat ik niet naar de naam van het geurloze piccolootje had gevraagd. Ik bestelde gegrilde inktvis, een tomatensalade en droge witte wijn – op hoop van zegen.

Toen het mollige kamermeisje met mijn serveerblad kwam, ergerde ik me, maar ik stelde toch een vraag: "Die jonge piccolo die hier werkt – kun je me vertellen hoe hij heet?"

"Alberto Pesco", antwoordde ze voorkomend, waarna ze het blad op het glazen tafeltje zette.

"Werkt hij vandaag?" probeerde ik schaamteloos.

"Helaas, hij is vrij van dienst", antwoordde ze vriendelijk, en ze verliet de kamer op een manier die de prijzen van het hotel verdedigde.

Ik wierp een korte blik op mijn inktvis en pakte toen de PDA. Arthur liep al aardig tegen de 60 – en dat was eigenlijk de limiet van wat ik mee naar bed nam, maar grote gedeeltes van hem waren nog steeds zeer goed bruikbaar.

"Kom je later op de avond even aanwippen? Dan kun je de band ophalen, en dan kunnen we nog even ... wat babbelen."

Hij lachte schunnig.

Maar ik ken hem dan ook al heel, heel lang.

19

In het vliegtuig kreeg ik een hele rij voor mezelf, dus na de lunch (schouderham met koolsla, die oneetbaar was) sloeg ik een dubbele Calva achterover en ging liggen om een dutje te doen. Maar hoewel ik in de loop van de nacht mijn handen vol had gehad aan een supermoderne video-installatie en een oeroude, vrij kreukelige FBI-agent, was ik niet erg moe. Ik was rusteloos. En ik was rusteloos omdat er in mijn achterhoofd nog steeds iets was dat tot mijn bewustzijn trachtte door te dringen. Maar alle lichten waren gedoofd. Ik trachtte een paar amusante herinneringen van stal te halen, want het had geen zin iets te forceren dat niet bereid was om aan de oppervlakte te komen. Ik was ooit zo dom geweest om samen met Lisa een weekend in een Zweedse verlaten boerderij door te brengen, en ik weet niet hoe het gebeurde, maar opeens zaten we tegenover elkaar aan een welgedekte eettafel en probeerden ons te herinneren welk automodel er naar een Italiaans eiland was genoemd. We pijnigden onze hersenen, sloegen tegen ons voorhoofd en raakten onze eetlust kwijt. Na een paar uur waren we nog geen steek verder gekomen. Hevig gefrustreerd gingen we naar bed. Midden in de nacht werd ik wakker, ging overeind zitten en zei "Capri". Toen stormde ik haar kamer binnen, wekte haar op brute wijze en brulde "Ford Capri", waarna ze met een gelukkige glimlach in slaap viel. Maar zo is het. Wat we ons willen herinneren, wat we willen weten of ontdekken – dat komt wanneer het wil, niet wanneer wij dat willen. Dus je kon je gedachten net zo goed de vrije loop laten. Die van mij besloten zich bij Arthur te verpozen.

Achter mijn gesloten ogen deed Arthur zijn kleren uit en aan. De slinkse grijns die hij me toezond terwijl hij zijn broek aantrok was het amusantst. Toen verscheen de piccolo, zijn strakke zwarte broek, zijn strakke kontje en die bruine hondenogen van hem. Flamenco. Nu dansten we de flamenco op een binnenplaatsje, en hij liet me rondzwieren met ... Wat hebben die Latijnse mannen? Elan. Zelfs hun namen waren een en al elan – ik had een Antonio DeLuca geprobeerd, een Carlo Fatesco, een Giorgio, een Paulo, maar geen kleine Alberto Pesco.

Alberto Pesco.

Alberto Pesco?

Ik ging overeind zitten en keek om me heen. Ik pakte het Fish-dossier uit de kalfsleren tas en zat er een poosje mee op schoot. Als ik me niet vergiste, betekende 'pesco' vis in het Italiaans. En Alberto, dat sprak voor zich. Mijn piccolootje heette Albert Fish in het Italiaans. Hoe heette de imitator van Albert Fish dan? Hij moest immers een naam hebben, en als hij zich werkelijk dermate met Fish identificeerde als ik vreesde, zou hij dan niet een soortgelijke naam kiezen? Albert Fish had voor verschillende handelingen verschillende namen gebruikt. De enige die me in de gauwigheid te binnenschoot, was Robert Fiske, en het was niet zo moeilijk te begrijpen waarom die naam bij me opkwam. En verder was er iets met 'Hamilton'.

Ik opende de map en probeerde het stuk papier te vinden waarop zijn vele aliassen werden opgesomd. Daar was het: Robert E. Hayden. Robert Fiske. Frank Howard. James W. Pell. Thomas A. Sprague. Hamilton was zijn echte naam, die hij later had vervangen door Albert.

Ik pakte de vliegtuigtelefoon en belde Sam op. Janina nam op. Ze wist niet waar Sam was. Ik gaf haar alle namen en verzocht haar tegen Loretta te zeggen dat ze daarop en op alle combinaties ervan moest zoeken. Ik legde haar in het kort uit waarom en hing op.

Maar ik was nog steeds onrustig. Er was meer. Had ik maar een boek gehad. Een romannetje, wat afleiding, zodat ik althans oppervlakkig aan iets anders kon denken. Ik pakte het vliegtuig-tijdschrift uit het net voor me. Er was een interview met een jonge vrouw, die zich halfnaakt had laten fotograferen, leunend tegen een oude radiator. Er was een artikel over hoogland-malt-whisky en hoe ze die vervaardigden. De foto's van de voorraad-kelders waren mooi en een beetje griezelig. Toen volgde een re-portage over een kinderfamilie die Kerstmis had gevierd met de rendieren in Lapland. "We plasten in de sneeuw", luidde de be-geleidende tekst bij een van de foto's, die de familie zelf had ge-nomen. Toen kwam er een beknopt overzicht van de regels voor virtueel handbal. Daarop volgden vier kleurrijke aankondigin-gen over een abstract schildertje uit Boise, Idaho. Ik schudde onwillekeurig mijn hoofd. Wat moest je daar nou mee, het zag er vreselijk uit. Mijn wanden waren versierd met naturalisme. Ik wil weten wat ik zie, ik wil niet raden. En ik wil weten dat er vakmanschap achter schuilgaat. David Rech heette hij, en hij had natuurlijk grijs haar en rookte pijp. Hij was begonnen als huisschilder, las ik, maar had zichzelf er keer op keer op betrapt dat hij graffiti maakte wanneer zijn opdracht luidde dat hij een portiek met voordeur helemaal terracotta moest maken.

Ik liet het blad langzaam zakken. "Verdomme, Fanny", zei ik luid tegen mezelf, zodat de vrouw in blauwe businesskledij aan de andere kant van de gang opkeek en me aanstaarde.

"Sorry", zei ik, en ik pakte opnieuw de telefoon van het vliegtuig. Janina nam op. "Weet je niet wanneer hij komt?"

"Ogenblikje", zei ze, waarna ze de hoorn neerlegde. Ik hoorde haar opstaan en naar de deur toe lopen. Toen volgde het geluid van stemmen.

"Berkowic", zei Sam toen plotseling in mijn oor.

"Was het huis van Frosh niet pas geverfd?" vroeg ik, met de deur in huis vallend.

"Ja", antwoordde hij. "Aan de binnenkant, en de raamkozij-nen aan de buitenkant."

"En de kleuterschool?"

"Die ook."

"En dat van, hoe heet hij ook alweer, Marcus ...?"

"Marcus Greco."

"Hoe zit het met zijn huis, het huis van zijn ouders?"

"Dat is in geen honderden jaren geverfd geweest, dat kan ik je wel vertellen."

"En de school waarop hij zat? Was die pas geverfd?"

"Daar heb ik verdorie niet aan gedacht. Waarom denk je daaraan?"

Ik zuchtte. "Albert Fish was schilder. Met een groot aantal van de kinderen die hij ontvoerde, kwam hij in contact omdat hij ze ontmoette via zijn werk – hij gebruikte ook tal van andere methodes, natuurlijk, maar zijn werk was er een van."

"We hebben de schilder die het huis van Frosh en de bijzondere kleuterschool heeft geschilderd, ondervraagd."

"Was dat dezelfde?" schreeuwde ik bijna in de telefoon.

"Ja, maar wind je nou niet zo op. Hij is oud, een aardige man, en hij had trouwens een alibi."

"Wat voor een?"

"Hij was samen met zijn kinderen."

Ik was sprakeloos en schudde alleen maar mijn hoofd. Ze hadden bijna allemaal alibi's, en bij nader inzien bleek altijd dat hun alibi's geen moer waard waren.

Sam ging door: "Ik ben veel meer geïnteresseerd in de priester en de gymleraar. Die hebben *triggers*, die hebben een klap van de molen gehad, dat zijn volbloed pedofielen, die hebben kinderen om zich heen, die hebben ..."

Ik viel hem in de rede: "Hoor eens, hebben ze geen namen, die twee?"

"De priester en de gymleraar? Jawel, maar er snorren zo'n vierhonderd namen door mijn kop, en ik kan er geen wijs uit worden. En verder ken ik geen andere priesters en gymleraren, dus dat is genoeg voor mij."

"Luister. Ik geloof niet in jouw priester en gymleraar. Ik heb drie dagen zonder afspraken. En die wil ik gebruiken om hem te vinden. Ik raad je aan die schilder op te snorren. Hoe heet hij ..."

"Bertal Sifh."

"Waar ken ik die naam van?"

"Het was die man wiens vrouw ik heb neergeschoten, die zelfmoord-met-assistentie."

"Ja maar Sam!"

"Wat nou weer?"

"Ben je niet goed wijs? Zijn vrouw beging een grove zelfmoord – en jij bent niet geïnteresseerd?"

"Zijn vrouw bracht me ertoe haar neer te schieten twee dagen nadat Ellen Frosh was verdwenen", zei Sam geïrriteerd.

We hadden het natuurlijk over de *trigger*. Datgene wat de handeling veroorzaakt. Vóór een geweldsmisdrijf is er altijd iets voorgevallen in het leven van de smeerlap wat hem zo heeft geschokt dat hij zich gedwongen heeft gevoeld zijn fantasie te realiseren. De *trigger* kan wat dan ook zijn dat hem uit het lood heeft geslagen, iets wat hij niet aankan, iets wat ervoor zorgt dat hij zich een slachtoffer van een onrechtvaardigheid voelt. Het zijn doorgaans huwelijks- of werkproblemen. Maar het kan van alles en nog wat zijn. We hebben bijvoorbeeld een vent gehad die aan het moorden sloeg telkens wanneer zijn vrouw in verwachting raakte. Maar een langdurig verblijf in een gevangenis of inrichting, waar iemand met een karakterafwijking alle tijd heeft om voeding te geven aan een gedetailleerde fantasie, maakt een eigenlijke *trigger* vaak overbodig.

Ik was natuurlijk van mening dat we hier een evidente *trigger* hadden, dus ik vervolgde: "Zijn vrouw was al weg voordat Ellen Frosh werd ontvoerd. Wil je hem alsjeblieft meteen inrekenen? Ik moet even wat slapen wanneer ik thuiskom, maar daarna wil ik hem aan de tand voelen – morgenvroeg, nee, reken hem nu in. Luister, ik probeer nu even wat te slapen, en dan praat ik morgenochtend om vier uur met hem." Al pratend herinnerde ik me opeens dat ook Albert Fish' vreemde gedrag zo merkbaar was geaccelereerd toen zijn vrouw het gezin verliet, dat zijn kinderen het opmerkten. Maar ik zei niets.

"Ja maar, ik heb hem al ondervraagd!" vervolgde Sam.

"Ja, en nu wil ik het graag doen. Wil je er alsjeblieft voor zorgen dat hij wordt opgepakt?"

Sam mopperde en stribbelde tegen; hij beweerde dat hij geen enkele reden had om hem in te rekenen.

"Weet je wat je doet?" zei ik zo fluisterend mogelijk. "Je zorgt dat je een schriftproef van hem krijgt, een handtekening of wat dan ook, en dan stuur je dat naar de schriftherkenning om te zien of er een overeenkomst is met die obscene brieven, die bij nr. 13311 van het dossier passen. Als er geen overeenkomst is, hoef je hem niet in te rekenen – okay?" Sam zei niets, dus ik hing op. Ik zat een poosje te denken. Sam had zich natuurlijk in zijn hoofd gehaald dat de priester en de gymleraar interessant waren, en die impuls kende ik heel goed. Wanneer je eenmaal iets op het spoor bent gekomen en er tijd aan hebt besteed, is het moeilijk om het weer los te laten. Daarom wordt de politie er zo vaak van beschuldigd 'oogkleppen' te dragen. Die kritiek is terecht, maar het fenomeen is zeer begrijpelijk.

Ik belde Lisa op. Ze vertelde me in het kort dat ze niets anders te bieden had dan wat ik al wist – dat beide moorden door dezelfde man waren begaan. Ook het hoofd van de in zijn ontwikkeling geremde jongen was in keurige staat achtergelaten: de neus was netjes schoongeveegd en het haar zag er ordentelijk uit. Ook hij had een beurt gehad met een Fluger-zaag. En ook hier ontbrak elk spoor van bloed, zaad of bruikbare vezels. Geen verf, geen enkel spoor, niets.

"Ik moet vannacht om vier uur een man ondervragen", begon ik. "Ik heb het hoofd van de Glebokie-jongen nodig – of misschien Ellens hoofd? Ik neem aan dat je haar nog steeds in de diepvriezer hebt?"

"Je kunt ze allebei krijgen, maar niet langer dan een paar uur", lachte Lisa.

"Geef ze allebei dan maar. Kun je rond halfvier naar Sams verhoorlokaal komen en de hoofden meenemen?"

"Voor jou doe ik alles, Fanny. Maar dan moet je me ook beloven dat je met me meegaat naar Giorgio's om eend à l'orange te eten."

"Wanneer we hiermee klaar zijn, dat beloof ik je."

"Okay! See you!" Ze hing op, en ik verbeeldde me dat ik haar hoorde lachen. Ik keek op mijn horloge en besloot dat ik nu ging pitten. Ik slikte een Melatonine met behulp van de paar druppels mineraalwater die ik nog over had van de lunch. Toen kwam het avondeten. Een bruine hap. Waar het verder uit bestond wenste ik niet te weten. Ik wuifde het weg, zette mijn zonnebril op en ging liggen. Ik dacht aan schilders, verf, verfresten, grijze muurverf, grijze huizen, grijze oude mannen. En toen sliep ik. Voordat ik er erg in had, werd ik gewekt door een stewardess met het verzoek mijn stoel rechtop te zetten en mijn veiligheidsgordel om te doen. Beneden me lag Londen badend in het licht erop te wachten me welkom te heten voor een door neon verlicht verblijf van een uur in een rij in Heathrow. Ik had een bloedhekel aan wachten.

20

Ik DACHT DAT het duizelde voor mijn ogen. Maar het was alleen maar de stofregen, die door de drijfnatte duisternis drong. De hemel druppelde weer op Cornwell – als een stille huilbui.

Een halfuur voor middernacht reed ik eindelijk mijn carport binnen. Ik zette de motor af. Toen ik het contactsleuteltje eruit nam en aanstalten maakte het portier te openen, voelde ik opeens een enorme aversie tegen mijn huis in me opkomen. Ik zag het daar in het donker liggen en had absoluut geen zin om naar binnen te gaan en te slapen. In mijn eentje.

Francis Zanf was nog veel te levend in mijn hoofd, en tegelijkertijd herinnerde ik me ook veel te goed het gevoel in mijn voet toen ik hem een por gaf en hij stijf was als een plank. Ik huiverde en belde Sam op, die op het punt stond naar bed te gaan.

"Wil je me een dienst bewijzen?"

"Wat?" vroeg hij gereserveerd.

"Wil je bij me komen slapen? Ik zit in mijn auto in de carport en ik durf niet alleen in het huis te slapen. Ik durf amper naar binnen te gaan."

Hij mompelde zachtjes iets in het Pools. Zei dat hij zijn pyjama al aanhad. Dat hij net een uur of twee, drie zou kunnen pitten.

"Je bent me een dienst schuldig", smeekte ik. "Ik ging met jou mee naar de vuilnissortering toen jij gezelschap nodig had."

"Okay, okay", zei hij, en hing toen op. Ik griste mijn weekendkoffer, de kalfsleren tas en mijn jas bij elkaar, stapte de auto uit en keek naar het huis. Het maakte een vreemde indruk. Het leek niet op mijn huis, maar op een dreigende leegte. Ik stond een poosje te kijken. Toen vermande ik me, deed de deur van het slot, maakte zo veel mogelijk lawaai en haastte me al de lichten in de keuken aan te doen. Ik zette Bachs 6 Cello Suites op en zette de muziek zo luid mogelijk. Toen stond ik stil en snoof naar alle richtingen, als een dier. Alles wat ik kon opsnuiven was schoonmaak en een zwakke zeeplucht, vermoedelijk van de professionele reinigingsmiddelen van het schoonmaakbedrijf. Ik werd het flikkeren van het antwoordapparaat gewaar. Toen haalde ik mijn stun-knuppeltje tevoorschijn, activeerde dat en liep de kamer binnen, deed het licht aan, stond in het rond te kijken. Ik onderzocht alles – keek onder de zitbank, achter de gordijnen, achter de deur. Alsof ik niet goed bij mijn hoofd was. Ik heb werkelijk geen flauw idee waar ik naar zocht. In elk geval niet naar Francis Zanfs lijk. Ik probeerde mezelf tot de orde te roepen, maar het haalde niets uit. Ik liep mijn werkkamer binnen, deed de deur wijdopen, deed het licht aan, stond een tijdje om me heen te kijken, controleerde wat er achter de deur en de gordijnen was. Ik was belachelijk, en ik wist het. De badkamer, achter het douchegordijn, achter de deur. Ik voelde me een idioot. Ik liep verder, deed overal waar ik kwam het licht aan, liet het licht branden. De logeerkamer, de bijkeuken, het rommelhok.

"Schei toch uit, Fanny", zei ik luidkeels tegen mezelf met onnatuurlijke autoriteit, die niet kon verbergen dat mijn stem hoorbaar trilde dwars door de luidruchtige cello heen. Ik kwam in de slaapkamer. Ik deed het licht aan en was bijna rustig, maar toen bevroor ik en stond als aan de grond genageld.

Want daar in mijn bed lag Eisik. Zijn hoofd lag op mijn twee kussens en stak boven het dekbed uit, dat hij om zich heen had gewikkeld.

Hij glimlachte.

Ik staarde hem een aantal oneindige seconden aan. Toen vermande ik me. Ik rukte het dekbed van hem af en schreeuwde een paar vloeken, die me nu even niet te binnen willen schieten. Het waren er niet zo heel veel. Ik deed er weer het zwijgen toe.

De oude man. Hij was klein, mager en spiernaakt; zijn huid was om zijn uitgemergelde karkas gedrapeerd, als gordijnen, kreukelige stukken stof, monsters zonder waarde. De losse, slappe huid stond in fel contrast tot zijn lid, dat midden in de zee van huid optorende, als een fakkel, een dodelijk geile, irrationele, cilindrische boodschap. Ik deed een stap terug en stond opnieuw als aan de grond genageld.

"Ik ben ook een zondaar", riep hij met een glimlach die allesbehalve vriendelijk was. Hij moest wel roepen, redeneerde ik, want anders kon ik hem niet verstaan. Ik vervloekte Bach naar het andere eind van de wereld. Eisik lag op een van zijn handen en bleef liggen, alsof het de gewoonste zaak van de wereld was dat hij in mijn bed lag met een erectie van heb ik jou daar. "Je schande zal gezien worden, je overspeligheden en je hinniken, je schaamteloze ontucht", riep hij glimlachend. Ik deed nog een stap terug, maar kon mijn blik niet van hem losmaken.

"Maar ik wil een zondaar zijn als jij", riep hij, waarna hij zijn benen langzaam uit het bed zwaaide, veel te behendig voor zijn leeftijd. Hij ging overeind zitten, zodat de plooien in de huidzee van vorm veranderden. Nu zag ik dat hij een snoeischaar in de hand had waarop hij had gelegen. En nu herkende ik de stem. Er was geen twijfel mogelijk. Eisik was degene die weken achtereen zijn bijbelberichten over zonde en seks had ingesproken. En nu wilde hij zelf blijkbaar wat hebben. Ik deed een derde stap terug.

"Wat is er met je, Fanny-lief? Vind je me niet aardig?" Hij stond op. Ik liep achterwaarts de gang in. Plotseling kwam hij me achterna; ik draaide me om en holde de keuken in, naar de andere kant van de keukentafel. Tegenover me stond hij te glimlachen, met zijn lid over de tafelrand als een nazi-groet van een dwerg.

"Rechercheur Berkowic kan hier elk moment zijn", riep ik zonder mijn blik van hem te verwijderen.

"Met hem heb je ook liggen neuken, vervloekte slet", sneerde hij. Maar toen glimlachte hij weer.

"Ik ben snel", zei hij. "Ik ben net als een jongeman, erin en eruit en dan spuit ik. Wat is er met je. Vind je het opeens niet meer lekker?"

Hij begon naar me toe te lopen om de tafel heen. Ik bleef staan met het stun-knuppeltje op hem gericht.

"Denk je dat ik niet weet wat jij hier in huis uitspookt? Denk je dat ik niet heb gezien hoe jij daar in bed ligt te vozen?" Ik voelde me misselijk, maar focuste op de stun-knuppel. Ik diende hem te vertellen dat dit mijn huis was, en dat hij gewoon krankzinnig was. Nu stond hij voor me met de snoeischaar in de lucht te zwaaien ter hoogte van mijn gezicht. Ik deed een stap terug.

Hij volgde me. "Michelangelo en jij hebben de positie met elkaar gemeen. Hij had er erg veel tijd voor nodig om de Sixtijnse Kapel te schilderen."

Ik probeerde na te gaan wat hij bedoelde, en moet een ogenblik wat minder geconcentreerd zijn geweest, want plotseling pakte hij een pan die op mijn fornuis stond, en sloeg me daarmee op mijn hoofd. Heel even werd alles nevelig om me heen; ik liet de stun-knuppel vallen en even later lag ik op mijn rug op mijn keukentafel met een bewegende snoeischaar voor mijn ogen en zijn naakte plooien over me heen gedrapeerd. Ik voelde hoe zijn lid in stelling werd gebracht in mijn kruis en zag hoe zijn gezicht op me afkwam. Zijn ogen draaiden triomfantelijk rond in de oogkassen, terwijl ze elk stukje van mijn gezicht onderzochten met een mengeling van vreugde en afschuw.

"Boeleerster, verleidster", siste hij. "Met besmet verlangen jaag ik nu de vleselijke lust na en veracht de waardigheid des

Heren." Hij stak zijn linkerarm onder mijn rok en scheurde mijn zijden slipje aan de ene kant kapot en rukte het van mijn lijf.

"Ik zal de boeleerster eens een poepje van Eisik Malko laten ruiken", fluisterde hij. Ik probeerde mijn knie tegen zijn kruis te stoten, maar de hoek was verkeerd.

"Schandvlek, schande! Uw ogen zijn vol ontuchtige begeerte en zijn voortdurend op zonde uit; ze verlokken simpele zielen."

Maar toen hij me een eindje naar beneden trok om zijn lid naar binnen te kunnen steken, stootte ik mijn knie in zijn kruis, zodat hij terugdeinsde en zich dubbelvouwde. Ik liet me van de tafel glijden en duwde hem tegen het fornuis aan. Hij wankelde even, kreunde van de pijn en hield vloekend zijn handen tegen zijn kruis aan. Ik raapte de stun-knuppel op en drukte die tegen zijn dij aan. Hij zakte op de vloer. Toen ging mijn deurbel.

Ik holde ernaartoe en deed open voor Sam, die met stomheid geslagen was bij de aanblik van mijn oude tuinman op de keukenvloer, spiernaakt, wakker, maar onbeweeglijk – de resten van een erectie nog steeds zichtbaar.

Ik heb me laten vertellen dat het geen pijn doet. Het enige wat de stun-knuppel doet, is het neuromusculaire systeem overmannen, wat ogenblikkelijk resulteert in een defect oriëntatievermogen en evenwichtsstoornissen. De bloedsuiker wordt omgevormd tot melksuiker, zodat het slachtoffer niet in staat is energie te produceren voor zijn spieren. Het resultaat is verlamming.

Ik was Bach vergeten, hoewel de cello brulde in het hele huis. Maar nu hoorde ik de muziek weer. "Houd hem even in de gaten", riep ik. Ik pakte de afstandsbediening en draaide de cello de nek om, stormde naar de telefoon en belde de politie. Ik zag een glimp van het flikkerende antwoordapparaat en het rode getal, dat het aantal berichten aangaf: 245. Terwijl ik de politie liet komen, wiste ik alle berichten met een enkel commando. Weg ermee.

Achter me haalde Sam zijn pistool voor de dag en staarde sprakeloos naar het naakte hoopje, dat mijn tuinman was. En zo bleef hij staan tot de patrouillewagen kwam. Ondertussen had ik zijn kleren gevonden. Ze lagen in de la met mijn ondergoed. Er was amper plaats, maar daar had hij ze in gepropt. Misschien in de hoop dat iets van het charisma op hem zou overslaan.

Ik deed zijn kleren in een plastic zak en gaf die aan een van de politieagenten. Aan de andere gaf ik een deken, die hij om Eisik heen sloeg voordat hij hem in zijn armen nam en de auto in droeg.

Natuurlijk was het Eisik. Alleen een oude man kon het in zijn hoofd halen om een telefooncel te gebruiken. Ik checkte het geheugen van mijn telefoon en noteerde de nummers van de cellen van waaruit hij had gebeld: 315, 13, 9, 214 en 24. Toen belde ik naar de 24-uurslijn van de telefoonmaatschappij en kreeg te horen dat 9, 24 en 214 niet alleen in Cornwell West lagen, maar feitelijk in een halve cirkel rond mijn huis, zodat Eisik zonder moeite tegelijkertijd mij en mijn tuin in de gaten kon houden. De nummers 315 en 13 lagen in Cornwell Zuid, waar Eisik woonde.

Toen de politiemannen met Eisik waren weggereden, schonk ik een stevige Metaxa voor me in, en Sam haalde zijn zakflesje tevoorschijn. Toen deden we er een tijdje het zwijgen toe en nipten aan onze favoriete borrel. Sam keek me af en toe steels aan. Ik glimlachte schuchter terug. Ik kon zien dat hij graag iets wilde zeggen, maar dat hij het niet over zijn lippen kon krijgen.

"Zeg," vroeg ik ten slotte, "waar denk je aan?"

"Ik erger me." Hij zuchtte en sloot zijn ogen. "Zowel de priester als de gymleraar hadden alibi's voor die ochtend waarop het derde kind verdween. De priester had een afspraak met een trouwlustig jong paar, van halfnegen tot negen uur. Na afloop hielp hij zijn buurman met het plukken van een kip, of hoe heet zoiets – met het plukken van de veren." Hij nam een flinke slok uit zijn zakflesje. "En de gymleraar trainde van acht tot tien met een Old Boys-toernooiploeg."

"Wat doen dat soort lieden?" Ik geloof dat ik mijn vraag alleen maar stelde om het geluid van een gesprek te horen. Hij keek me verward aan.

"Wie? O! Ze voetballen, neem ik aan. En verder had de Fluger-zaag van de gymleraar zijn tanden overigens nooit in iets anders dan olm en berk gezet."

Alles wat ik hierop zou kunnen zeggen, zou triomfantelijk klinken en zou ertoe leiden dat Sam zich rot voelde, daarom hield ik mijn mond. Ik glimlachte en knikte, en doopte mijn bovenlip in de Metaxa. En dat was vast ook verkeerd. Dus ik ging verder met mijn onderzoek en betastte de zere plek op mijn schedel, waar de pan was geland. Ik zou een buil krijgen, voelde ik. Gelukkig was het een aluminiumpan.

"Hij overrompelde me", zei ik, welhaast als een excuus voor het feit dat ik nog niet eens een oude tuinman aankon. Of misschien zei ik het ook om van onderwerp te veranderen.

"Hij zei dat Michelangelo en ik de positie gemeen hadden. En iets met de Sixtijnse Kapel."

Sam keek me lange tijd aan voordat hij zei: "Michelangelo lag op zijn rug toen hij de Sixtijnse Kapel schilderde. *Tak jak kazda pierdolona dziwka.*" Ik zag vagelijk de spuugrimpeling bij zijn mondhoeken.

21

LAAT IN DE NACHT, vroeg in de ochtend. Dat zijn de beste momenten om verdachten aan een verhoor te onderwerpen. Mensen zijn meer ontspannen en tegelijkertijd kwetsbaarder wanneer hun hele systeem hun vertelt dat ze eigenlijk in Morfeus' armen dienen te liggen. En wanneer de verdachte ziet dat wij 's nachts werken, laten we hem tegelijkertijd weten dat dit belangrijker is dan nachtrust, dat dit topprioriteit heeft. Al met al wordt hij hierdoor hevig onder druk gezet, iets wat we overdag niet kunnen bereiken. En wanneer er geen concreet bewijsmateriaal is in een zaak, is het van belang dat er stevige en zware druk op de verdachte wordt uitgeoefend.

Maar de nacht is niet genoeg. Het toneel moet ook versierd worden.

Sam was op zijn kantoor terwijl ik samen met twee dienstdoende agenten het verhoorlokaal optuigde. We behingen de wanden met foto's van de huizen van de vermoorde kinderen, van hun huilende ouders, foto's van de kinderen zelf toen ze nog in leven waren en met een glimlach, die getuigde van geloof in het leven en van blijdschap – foto's van de resten van de vermoorde kinderen, hun botten, hun hoofden, de testikels van de jongen; dat alles in gedetailleerde close-ups vanuit verschillende hoeken.

De verdachte zit nooit aan het eind van de tafel, altijd in het midden, aan beide zijden geflankeerd door een van onze mensen. Dat draagt ook bij tot het opvoeren van de druk en het creëren van een claustrofobische stemming.

Maar de enscenering van een goed verhoor bestaat uit meerdere ingrediënten. We leggen ook altijd een map op tafel, waarop de naam van de verdachte met grote vette letters op de omslag staat gedrukt, en vullen die met blanco papier, zodat de map zo dik wordt als de verzamelde werken van Proust. Dat vertelt de dader dat we precies zo veel zwaarwegend materiaal over hem hebben, en dat verbaast hem natuurlijk, aangezien het niet waar is. Maar het ondermijnt hem.

Lisa stond in de deuropening met twee kwadratische koffertjes van glasvezel in haar hand, die de *finishing touch* van het toneel vormden.

"Waar wil je ze hebben?" vroeg ze ongewoon vrolijk voor iemand die in het holst van de nacht heeft moeten opstaan om twee diepvries kinderhoofden te bezorgen.

Ik zette een lage tafel in een hoek van 45 graden op wat zijn gezichtsveld zou zijn, en verzocht Lisa de hoofden op de tafel te zetten. Ik ging naar Sams kantoor terwijl zij de hoofden plaatste zoals ik haar had geïnstrueerd, en haalde een paar keer diep adem. Ze konden uit zichzelf niet blijven staan, zag ik vanuit mijn ooghoek, en ze moest de halspartijen in een schaaltje zetten.

Het was de bedoeling dat hij zijn hoofd moest draaien om de kinderhoofden te zien. Als hij de moordenaar was, zou hij niet in staat zijn ze te negeren. Zelf zouden we doen alsof ze er niet waren, en in plaats daarvan zijn non-verbale gedrag gadeslaan in relatie tot de hoofden – en zijn perspiratie, zijn respiratie.

Ditmaal verkeerde ik echter in twijfel. Ik had deze methode duizenden keren aanbevolen, volgens het recept van John Douglas. Maar de voorwerpen die bij vroegere gelegenheden een lage tafel in een hoek van 45 graden op het gezichtsveld van de verdachte hadden getooid, waren minder overdreven geweest. Dat was bijvoorbeeld het moordwapen geweest, een mes of een bebloede baksteen of iets heel anders. Ik vroeg me af of twee afgesneden kinderhoofden de meeste mensen geen verhoogde polsslag en ademhaling zouden bezorgen. En in het tegenovergestelde geval – als de man psychopaat was – was de kans groot dat hij helemaal geen sjoege zou geven. In elk geval zou ikzelf een groot probleem hebben, maar ik ging er- van uit dat als ik aan de andere kant plaatsnam, ik misschien zodanig kon komen te zitten dat Bertal Sifhs lichaam me het zicht op de hoofden zou benemen.

Hij was degene die die obscene brief had geschreven, hij had in totaal 24 krankzinnige brieven met de hand geschreven. Dat had Sam me eerder die nacht verteld nadat de politie met Eisik was weggereden. De brief aan Frosh was met dezelfde oude typemachine geschreven die hij vreemd genoeg had gebruikt op een enkele envelop, die een van de obscene brieven bevatte. Een heel klein foutje, in dezelfde orde van grootte als Fish oor- spronkelijk zelf had begaan. Ik ging op de stoel tegenover Sam zitten.

"De indiciën zijn er", gaf Sam toe, alsof dat hem irriteerde. "Hij woont inderdaad in een grijs huis. Het is grijs van binnen en van buiten. Ik heb een paar technici naar zijn huis gestuurd om wat muurverf van de buitenmuren te schrapen, maar ik heb een rechterlijke vergunning nodig om hem vast te hou- den, het huis te doorzoeken en zijn maag te checken – tenzij hij ons toestemming geeft."

"Hoe oud is hij?" vroeg ik.

Sam rommelde wat in zijn papieren, pakte er een op en keek er kort naar.

"Hij is 66."

Ik stond op, keek door de spiegelruit en zag hoe de twee dienstdoende agenten een oudere man het verhoorlokaal bin- nenleidden. Hij zag er veel ouder uit dan zijn 66 jaar. Op zijn minst tien jaar ouder. Broos, klein, hoogstens 1,70 m lang. Zo te zien onschuldig, bijna mild, een beetje voorovergebogen. Hij leek iemand aan wie ik mijn plaats zou afstaan in de bus.

De agenten leidden hem naar zijn plaats halverwege de lange kant van de tafel. Ik deed mijn best op hem te focussen, maar ving onvermijdelijk een glimp van de hoofden op. Ik voelde me misselijk worden en ging zitten. Sam stond op en begaf zich naar de ruit. Hij snoof.

"Hij bekijkt geen ene moer. Zit maar wat aan zijn nagels te frunniken – hij schuift zijn nagelriem omhoog."

"Laat hem even zitten", zei ik. Ik haalde een paar keer diep adem.

"Wat is dat daar, verdomme?!" riep Sam opeens uit, waarna hij zich met een sprakeloos gezicht naar me toe keerde. "Heb jij die kinderhoofden daar neergezet?"

"Mmm", bromde ik.

"Als dit uitkomt, krijgen we meer dan alleen maar een berisping wegens schandalige omgang met lijken. Besef je dat wel?"

"Het zijn geen lijken. Het zijn alleen maar hoofden. En ik ben hier verantwoordelijk voor."

Sam begon in zijn haar te woelen. "De man is psychopaat, hij reageert er niet op." Hij pauzeerde en zond me een misprijzende blik. "Je bent aan een heksenproef bezig."

"Een heksenproef?"

"Net als in de Middeleeuwen. Ze gooiden die meiden in het water, en als ze verdronken, waren ze onschuldig, en als ze bleven drijven, werden ze als heksen op de brandstapel verbrand, nietwaar? Wil je een kauwgummetje? Jij bent met hetzelfde bezig. Als hij op die hoofden reageert, is hij schuldig, als hij niet reageert, is hij psychopaat."

Ik schudde langzaam mijn hoofd, gehypnotiseerd door de manier waarop hij het pakje kauwgum openscheurde, en voelde opnieuw hoe de spiertjes op mijn voorhoofd strak werden getrokken.

"Ik ben nergens op uit. Ik tast in den blinde, ik ben op jacht naar een uitgangspunt, het een of ander, maakt niet uit wat. Misschien mik ik op zoiets onwaarschijnlijks als dat de man een psychopaat met een geweten is. Net als Albert Fish. Ik wil horen wat hij zegt onder maximale druk, verder heb ik niet gedacht, geloof ik."

Maar op dat moment had ik het gevoel dat die maximale druk op mezelf lag. Ik had mezelf in een situatie gebracht waarin ik met twee afgesneden kinderhoofdjes in dezelfde kamer moest zitten. En het was nog maar net een uur of vier geleden dat ik was overvallen door een oude kerel met een snoeischaar. Onophoudelijk werd mijn netvlies gevuld met beelden van de naakte oude tuinman, die zich vergreep aan bange kinderen, zijn afschuwelijke plooienhuid over hen heen drapeerde en hen verminkte met zijn snoeischaar. Wanneer ik aan Bertal Sifh dacht, zag ik Eisik Malko voor me. Mijn hersenen waren een warboel, en ik voelde me kortom helemaal niet klaar voor een verhoor. En verder was er nog het detail dat het meer dan tien jaar geleden was dat ik voor het laatst een verhoor had geleid. Ik bereidde verhoren voor, instrueerde, gaf adviezen met betrekking tot methode en aankleding, maar ik voerde ze zelden zelf uit. Als je het niet regelmatig doet, dan ontwikkel je het ritme niet, dan train je de intuïtie niet die nodig is voor het opbouwen van een effectief verhoor. Al met al voelde ik me daarom helemaal niet ijskoud, superieur en gehard genoeg om een psychopaat aan te pakken, hoewel ik, althans theoretisch, wist hoe die mij zou aanpakken.

"Hoe laat is het?" vroeg ik, alsof dat belangrijk was.

Hij keek op de klok boven de deur. "Het is zeventien minuten over vier."

"Kom nou", zei hij terwijl hij opstond. Hij opende de deur en keek me ongeduldig aan.

"Heeft hij te horen gekregen wat zijn rechten zijn?"

"Ja, ja. Kom nou!" Hij zuchtte. Ik pakte onwillig mijn tas, stond op en liep achter Sam aan, die aan het eind van de tafel plaatsnam met direct uitzicht op de hoofden. Ik ging aan het andere eind zitten, zodat ik Bertal Sifh van opzij, in profiel en in half profiel kon zien. Sam had me nog even in het kantoor moeten laten zitten. Ik was helemaal niet klaar. Maar misschien zou ik dat nooit geworden zijn.

Hij was een dor mannetje, met grijs haar en een grijze, afhangende snor. Zijn gezicht was geteisterd en zijn handen waren voortdurend in beweging: hij balde zijn vuisten en opende ze weer, balde ze, opende ze. Ik deed mijn best niet naar zijn handen te kijken, maar me op zijn gezicht te concentreren. Zijn ogen waren waterig. Ze keken rechtuit, naar de muur tegenover hem, naar de tafel, maar helemaal niet naar de hoofden.

Ik zat hem geruime tijd aan te staren zonder een woord te zeggen. Het licht in het verhoorlokaal was slecht. Dat was bewust zo gedaan. Ik voelde Sams ongeduldige blik aan de andere kant. De veel te dikke map lag naast me. Ik haalde mijn papieren, de echte, uit de kalfsleren tas. Legde ze op tafel, keek er kort naar en toen naar Bertal Sifh. Sam verbrak het stilzwijgen en introduceerde ons, kort en kil. Toen keek hij, kort en kil, naar mij.

"Dank u wel dat u op dit tijdstip hiernaartoe wilde komen", zei ik ten slotte. Mijn stem klonk helemaal niet zoals het moest, toen die eindelijk het lange stilzwijgen verbrak. Ik knikte naar de twee dienstdoende agenten bij de deur. Ze verlieten het lokaal.

Ik overhandigde Sifh kopieën van de obscene brieven.

"Die brieven zijn niet de enige reden waarom we met u willen praten", begon ik. "Maar laten we daarmee beginnen. De handschriftexperts van de technische afdeling hebben vastgesteld dat de brieven met uw handschrift zijn geschreven. Dus dat staat buiten kijf – wilt u me daar gelijk in geven?"

Hij knikte – de blik op de bovenste brief genageld. Ik zweeg. En keek. Er verstreek enige tijd waarin niemand iets zei.

"Is dat verboden?" vroeg hij plotseling, mij met een kwetsbare blik aankijkend. Zijn stem was als fluweel, hij sprak zachtjes.

"Verboden en verboden ..." Ik trachtte hem in de ogen te kijken, maar ik moest het opgeven. Zijn blik had iets appellerends over zich, waardoor ik aan het twijfelen raakte. Zat ik hier in werkelijkheid met een vriendelijk, wat pervers aange-legd mannetje en stond ik op het punt hem van onnoembare zaken te beschuldigen?

"Er zijn een paar artikelen over bescherming van het privé-leven, die met dit soort brieven niet zo goed te rijmen vallen. En het is overigens verboden om menselijke excrementen per post te sturen, zoals u dat heeft gedaan in de brief aan de ho-teldirecteur." Ik glimlachte krampachtig. "Maar daar zijn we hier niet voor gekomen."

Waarom was ik nu zo vriendelijk? Waarom glimlachte ik naar hem? Ik moest hem aan de praat zien te krijgen. Ik moest erachter komen wie hij was. Hij moest me zijn niveau laten zien.

"Het problematische ..." vervolgde ik, terwijl ik zonder veel succes zijn blik trachtte vast te houden. "Het problematische is dat u die brieven niet zelf hebt geschreven. Alle brieven zijn stuk voor stuk exacte kopieën van brieven die zijn geschreven door een zekere Albert Fish. Maar dat weet u zeker wel?"

Hij keek me alleen maar aan, maar ik kon niets aan zijn ge-zicht aflezen. "Dat weet u zeker wel, of niet soms?" herhaalde ik.

Hij knikte. Zijn gezicht was neutraal. Er stond niets op te le-zen. Ik ging door: "En het wordt er niet minder problematisch op wanneer we dit hier lezen."

Ik overhandigde hem een kopie van de getypte brief aan Frosh. Hij knikte opnieuw met zijn onleesbare gezicht.

"Waarom hebt u die brieven gekopieerd?"

Hij zat een tijdje. Haalde toen zijn schouders op.

"Ze waren goed."

"Ze waren goed?" herhaalde ik langzaam, hem aanstarend. Toen keek ik weg. Ik was geschokt en had geen flauw idee wat ik moest zeggen. Als hij nu had gezegd: "Dat is de manier waarop ik mijn kicks krijg", dan zou het nog enigszins te begrijpen zijn. Maar om te beweren dat ze goed waren?

"Wat bedoelt u met goed?" vroeg ik, me vermannend, veel te laat.

"Ik houd van woorden. Albert Fish was goed in woorden."

Ik keek in Sams richting. Die keek een andere kant op en schudde zijn hoofd. Ik had zin het dorre mannetje toe te roepen dat Albert Fish helemaal niet goed in woorden was, dat hij niet eens kon spellen of komma's kon zetten. Maar dat deed ik niet. En eigenlijk bedoelde ik ook iets heel anders.

"Albert Fish deed heel wat meer dan brieven sturen, dat beseft u zeker wel?"

Hij knikte.

"Wilt u zo vriendelijk zijn ons te vertellen wat Albert Fish nog meer deed behalve brieven schrijven?"

Hij begon te praten. Het was alsof hij ineens opleefde, alsof hij ineens wat minder fragiel werd. Maar zijn vuisten gingen nog steeds dicht en open. Hij vertelde ons gedetailleerd wat Albert Fish had gedaan vanaf zijn vroegste jeugd tot het moment dat hij naar de elektrische stoel werd geleid. Buiten werd de duisternis steeds lichter, en toen hij klaar was, was het ochtend geworden. De mensen begonnen zich te verdringen bij de bushaltes met hun mappen en hun tassen in hun hand.

"Hij kon er wat van, hè?" vroeg ik toen hij uitgepraat was. "U hebt bewondering voor hem?"

"Ja, hij kon er wat van."

"Wij vinden feitelijk ook dat u er wat van kunt", zei ik, hem toeknikkend. "We hebben bewondering voor uw werk. Fantastisch dat u die kinderen hebt kunnen fiksen zonder enig spoor achter te laten, dat wil zeggen ..." Ik keek naar de zwellende map die met blanco papier was gevuld. "... zonder erg veel sporen achter te laten." Ik probeerde hem te doorgronden. Het enige teken van onzekerheid was een trekje bij zijn mond. Hij keek me aan.

"Tussen woord en daad is een hele afstand", zei hij langzaam. "Ik heb die brieven geschreven, en ja, ik vind dat hij er wat van kon. En ik zou nooit die dingen kunnen uithalen die die man heeft gedaan."

"Welke man?" vroeg ik.

"Die mannen – Albert Fish en degene die hier in de stad kinderen ontvoert en vermoordt. Jullie zijn op zoek naar hem, en dat is de reden waarom jullie met me willen praten, is het niet? Omdat jullie denken dat ik het heb gedaan. Je hoeft me niet als een idioot te behandelen."

Hij klonk niet boos. Alleen maar een beetje geïrriteerd. Ik stond net op het punt te berde te brengen dat Albert Fish ook zes kinderen had, maar toen begon hij weer: "Waarom staat er in de krant dat jullie een precies portret van de dader hebben – en dan slepen jullie mij midden in de nacht hiernaartoe?"

Ik negeerde de vraag, en begon: "We hebben een man die zich toelegt op het ontvoeren ..." Maar hij viel me in de rede: "En waarom moet jij me verhoren, waarom doet die Pool dat niet?"

Hij knikte in de richting van Sam. Ik keek naar Sam, die zijn wenkbrauwen optrok en zijn kin in zijn handen liet rusten.

Ik probeerde verder te gaan: "We hebben een man die zich toelegt op het ontvoeren ..." Maar hij viel me opnieuw in de rede: "Jullie moeten wanhopig zijn. Is dat niet de reden waarom jij me verhoort? Wat kan jij dat die Pool niet kan, doctor Fanny?" Zijn stem klonk lichtelijk spottend. Ik leunde achterover in de stoel.

"We gaan door wanneer u klaar bent. We hebben alle tijd."

Hij haalde zijn schouders op en zweeg, dus ik probeerde het voor de derde keer: "We hebben een man die zich toelegt op het ontvoeren en vermoorden van kinderen en die al met al een gedrag aan de dag legt dat het gedrag van Albert Fish kopieert. En nu hebben we een man, u, die net als Albert Fish schilder is, zijn brieven kopieert en alles van hem afweet. Ligt het dan niet voor de hand dat wij ons voor u interesseren? Wanneer we bovendien weten dat u het huis van Frosh en de bijzondere kleuterschool hebt geschilderd?"

Sam voegde eraan toe: "En de school waar Greco op zat."

Ik wierp Sam een korte blik toe, en haatte hem. Dat had hij me moeten vertellen. Ik sloot mijn ogen om mijn concentratie terug te krijgen. Toen ik, nog steeds ongeconcentreerd, mijn ogen weer opende, zag ik dat Sifh achterover leunde in de stoel en er nadenkend uitzag. Nu bevonden de hoofden zich volledig in mijn gezichtsveld, tenzij ik een andere positie innam, en dat zou niet doelmatig zijn. Ik trachtte op hem te focussen, maar de kinderhoofdjes zweefden aan de periferie van mijn gezichtsveld, en dat zorgde ervoor dat mijn hart bonsde en de adrenaline ijskoud bruiste, vlak onder mijn huid.

Hij keek me aan, boorde zijn uitdrukkingsloze ogen in de mijne en zei: "Nee, daar denk ik anders over. Er is een hele afstand, Fanny, tussen woord en daad. Er is een hele afstand tussen gefascineerdheid en chaos. Ik ben geen heilige. Maar ik ben ook geen moordenaar."

Hij laste een pauze in, waarin hij alleen maar staarde; het was alsof hij groter was geworden, en ik kon mijn ogen niet van hem afhouden. Dat smerige kereltje, probeerde ik te denken, voordat hij weer doorging: "Niemand van ons is een heilige. Niemand van ons. Kijk maar in de spiegel, Fanny-lief, en vraag dan aan je god of je rein bent."

Ik voelde me duizelig. Voor mijn ogen veranderde hij in Eisik Malko, en de kleren vielen hem van het lijf. Verleidster, boeleerster, schreeuwde hij me toe, terwijl hij zijn magere karkas tegen me aan drukte, zoals ook dit kereltje hier het zou kunnen doen. Er bestond een blote versie van hem. Onder zijn kleren was hij bloot. Zijn huid zou hangen, en hij zou vreselijke dingen kunnen zeggen. Maar waarom vroeg hij of ik rein was? Wat wist hij van me? Ik knipperde met mijn ogen en focuste op de oude man, die nu alleen maar naar me staarde. Eisik had me beloerd en had me de meest intieme dingen zien doen, zonder dat ik daar een flauw idee van had gehad. Het ijskoude zweet stond in mijn handen. Ik legde mijn handen in mijn schoot. Hij was sterk geweest, Eisik, net zoals de man daar voor me sterk zou zijn. Ik greep met beide handen de tafelrand vast en trok me omhoog, keek naar de tafel en probeerde me kil voor te doen. Ik kon het niet. Want wat wist hij over me, wat kon hij van me afweten, er viel immers niets te weten?

Plotseling werd ik razend, waarschijnlijk op mezelf. Hij was nu de baas, maar ik zou hem wel klein krijgen. Hoe durfde hij? Hoe durfde hij over hem en mij te praten als mensen die iets met elkaar gemeen hadden, menselijkheid, ervaring, wat dan ook? Hoe waagde hij het intiem te worden en mij bij mijn voornaam te noemen?

Ik keek hem aan. Hij keek mij aan. Zijn gezicht was uitdrukkingsloos. Nu moest ik hem vermorzelen. Want hij zei immers niets anders dan wat je kon verwachten van een psychopaat.

Maar hij ging door: "En kijk, juffrouw Fiske." Hij sprak het woord juffrouw schamper uit, en zijn ogen hadden nu een glocd gekregen die afstak tegen al het grijze. "Jij bent nooit meer dan een juffrouw geworden, want jij hebt geen liefde in je voor een echtgenoot en kind. Wanneer jij doodgaat, kunnen je jongens je niet meer helpen. Dan is het afgelopen. Maar ik heb mijn zoons, en die heb ik goed opgevoed. Die zijn getuchtigd en hebben leren tuchtigen. Ik heb mijn erfenis doorgegeven aan mijn jongens, en ik zal verder leven in hen. Niemand kan jou erven, Fanny-lief. Wat zonde!"

"Z-z-zonde?" Vragend, met open mond, volkomen verlamd – ik weet niet precies in welke staat ik verkeerde – keek ik alleen maar naar zijn waterige, lichtelijk triomfantelijke ogen.

En toen vervolgde hij: "En jullie tweeën, juffrouw Fiske – jij en Albert Fish – hebben meer met elkaar gemeen dan je lief is. Jullie zijn familie van elkaar, heel in de verte, jazeker, maar jullie zijn familie van elkaar."

Nu moest ik hem negeren, doen alsof ik hem niet hoorde, doen alsof mijn neus bloedde en hem gewoon vermorzelen. Dat had ik al een hele tijd geleden moeten doen. In plaats daarvan riep ik als een kind: "Mijn familie komt uit Rusland." En ik dacht aan mijn overgrootvader, die Colchester verliet vanwege een vrouw met de naam Antonina.

"Jazeker, jazeker", zei hij poeslief. En even poeslief vertelde hij me dat Fiske geen Russische naam was, dat iedereen met die naam oorspronkelijk uit het Suffolk van de vijftiende eeuw kwam, dat we van vissers afstamden. Net zo poeslief vertelde hij gedetailleerd hoe het Oudnoorse f-i-s-k-r samenviel met het Oudengelse f-i-s-c, dat het een naam was die alleen de vissers hadden. Dat wist ik natuurlijk allemaal al, maar in zijn mond klonk het als een noodlottige vertelling, een vonnis, dat me hypnotiseerde en het zwijgen oplegde, zoals ik daar naar hem stond te staren. Hij wist alles over mij en de erfzonde.

Hij was opgestaan, en deed nu een stap in mijn richting.

"Jullie zijn allebei vissers", vervolgde hij zonder zijn blik van me af te wenden. "Jij vist jouw jongens en je doet dat met plezier, en hij viste de zijne – en reken maar dat hij daar plezier in had. Zo zit dat, Fanny. We zitten allemaal met lusten opgescheept, maar jullie – al die lieden die Fish en Fiske en Fyske heten – jullie komen aan jullie trekken bij het binnenhalen van de vangst."

Van vader op dochter, van moeder op zoon, van vader op zoon, van moeder op dochter, zo gaat de zonde in allerlei vertakkingen zonder ophouden van geslacht op geslacht, met de hele bagage aan genen, opgedane kennis tijdens kinderjaren en jeugd. De erfzonde, de oorspronkelijke overlast.

Hij had het vermoedelijk aan me gezien, ik heb er geen idee van, nu bewoog ik me naar de deur als een bezopen oud wijf, maar ik slaagde er nog in te zeggen: "Rechercheur Berkowic wil u graag alleen spreken" – voordat ik het lokaal uit wankelde, de deur achter me dichtsmeet en naar het toilet holde, waar ik zonder maagkrampen overgaf. Het liep, stroomde en spoot uit me als een natuurkracht. Hij had Albert Fish in me geplant. Hij had Roman Fiske in me gezien. Het was hoog tijd dat die er nu uitkwamen.

Ik spuugde in de wc-pot, en nu voelde ik het branden in mijn keel. Ik kreeg tranen in mijn ogen van nijd en zelfmedelijden – en maagzuur. Ik richtte me op en begaf me naar de wasbak. Ik spoelde mijn mond een paar keer. Keek in de spiegel. Ik zag er helemaal niet goed uit. Donkere wallen onder mijn ogen. Ingevallen wangen. De razende rimpel was weer bezig zich in mijn gezicht te boren.

Ik waste mijn handen en maakte aanstalten in mijn tas te duiken, op zoek naar mijn poederdoos. Maar ik had geen tas. Geen tas. Ik was een naakt, oud wijf.

"Nee, *howdy!* Heb je een spook gezien?" Ik draaide me om en zag Lisa's vrolijke gezicht in de deuropening.

"Nee, nee, nee!" riep ik, waarna ik haar opzij duwde en met grote passen de gang uitliep.

"*Fy fan!*", hoorde ik haar mompelen. Ik zette het op een lopen. Toen klonk er een brul uit het verhoorlokaal.

22

Het was lang geleden dat ik hem op die manier had horen roepen.

"*Fucking* psychopaat", schreeuwde Sam met een stem die zowel enorm als machteloos was.

Ik stopte. En werd wakker. Nu merkte ik dat ik in staat was me te vermannen. Op de keper beschouwd was mijn vader heel normaal. En diens vader ook. Maar die kerel daar? Dat vale kereltje. Dat was inderdaad een *fucking* psychopaat.

Ik liep naar de deur van het lokaal. Hoorde gedempt gemompel. Toen ging de deur open. Sifh stapte met gebogen hoofd, maar kordaat langs me, de gang door naar de deur die toegang gaf tot de vrijheid. Ik keek hem even na en liep toen het verhoorlokaal binnen, waar Sam op zijn stoel zat en razend naar het tafelblad keek. En hij vloekte met hele zinnen in het Pools, voor zover ik het kon verstaan. Ik pakte mijn kalfsleren tas en werd mezelf.

"Wat gebeurt er?"

Sam bleef naar het tafelblad kijken. Ik zag hoe hij een beetje trilde. Ik wist dat het woede was.

"Hij provoceerde me gewoonweg, die ..." Sam klemde zijn lippen opeen om zijn ziedende speeksel binnen te houden. "Weet je wat hij zei, weet je wat hij zei? Nee, het begon ermee – geloof ik – dat ik zei dat Albert Fish een psychopaat was. Toen werd hij pisnijdig. Hij zei dat Fish een held was. Hij zei: 'Wie zich inspanningen getroost, is een held!' Ja maar, nou vraag ik je! *Popierdolony psychopata*. Het was zo provocerend dat ik me niet kon beheersen, dus ik herhaalde steeds maar dat Fish een *fucking* psychopaat was. En dat was als het ware, ja het deed deugd om dat te zeggen. Hij werd razend, en toen ik op het laatst zei dat hij een *fucking* psychopaat was, mompelde hij zoiets als dat hij hier niet meer wenste te zijn. Dat hij nu zou opstappen en dat ik hem niet kon tegenhouden." Sam keek op en zag er totaal wanhopig uit.

"En dat kon ik inderdaad niet. Ik kon hem niet vasthouden op grond van indiciën. Zijn alibi is in orde, ik heb geen concreet bewijsmateriaal tegen hem, ik heb geen getuigenissen die tegen hem pleiten – als jij naar Polly-Jean Harvey gaat en haar deze zaak voorlegt, moet zij toch ook wel kunnen zien wat ze aanricht met haar vervloekte richtlijn?"

"Dat moet je zelf doen. Ik kan niet aan de gang blijven me hiermee te bemoeien, dat is mijn taak niet. Je moet om toestemming vragen tot huiszoeking en inhechtenisneming onder uiterst verscherpte omstandigheden, en die toestemming moet je toch zeker wel kunnen krijgen met die indiciën?"

Hij snoof. "Het hangt er verdorie vanaf of P.J. toevallig vindt dat er hier sprake is van uiterst verscherpte omstandigheden."

Ik hoorde hoe de mensen zich verdrongen in de deuropening, maar hield mijn blik op Sam gericht en vervolgde: "En concentreer jullie inzet op hem. Onderzoek zijn alibi nog een keer. Stuur er een paar agenten op uit met zijn foto ..."

"Je moet mij niet komen vertellen hoe ik mijn werk moet doen", spuugde hij, waarna hij kauwgumpjes uit het pakje begon te rukken.

Plotseling voelde ik een nervositeit die ervoor zorgde dat mijn concentratie op Sam verslapte. Hij bleef doorschelden in lange ritmische zinnen, maar het drong niet tot me door wat hij zei. Ik had het gevoel dat ik iets was vergeten. Het was iets belangrijks, waaraan ik op dit moment diende te denken, maar dat nog steeds ergens in mijn achterhoofd lag te smeulen en slechts met moeite tot mijn bewustzijn kon doordringen.

"Dus hou je bek nou maar, Fanny", hoorde ik hem plotseling zeggen, als afronding van een tirade die ik niet had gehoord. Ik keek hem aan. Hij was opgewonden, en raakte steeds meer over zijn toeren, zijn lippen en kin waren nat van het speeksel.

"Bemoei je er niet mee. Donder op. Ik heb werkrust nodig, en verder moet ik naar P.J. om permissie te vragen om naar de rechter te stappen – en dat moet nu. Ik wil die man inrekenen, ik wil niet dat hij daarbuiten rondrent. Dag, rot op! Ik heb het druk."

"Berkowic!" klonk het vanuit de deuropening. Sam en ik keken in die richting en zagen twee agenten en een technicus van de recherche.

"We hebben een match gevonden bij de verf van Sifhs huis. Het is geverfd met Lutex 16 en met precies dezelfde pigmentatiegraad, zowel inwendig als uitwendig", zei de technicus terwijl hij op ons toeliep. Hij legde een vel papier voor Sam, wiens gezicht onmiddellijk opklaarde toen hij het papier oppakte. De technicus ging weg, en de twee agenten begaven zich naar het bureau. Een van hen – ik kende hem niet, hij was hier nieuw – wierp me een vreemd wellustige blik toe. Ik deed mijn ogen dicht, ik was daar helemaal niet voor in de stemming.

"Berkowic", begon de ander, ene Reuben Rosoff. Hij had een dikke, bruine envelop in zijn hand. "We hebben Malko's huis onderzocht, en we willen even met je overleggen wat we hiermee aan moeten. Store Koontz heeft een paar foto's genomen die je even moet zien."

Rosoff overhandigde de envelop aan de nog steeds withete Sam.

"Ik wil meekijken", zei ik, me een weg banend langs Rosoff en de agent met de wellustige blik tot aan de andere kant van Sams bureau.

Sam ging zitten en haalde een stapel foto's voor de dag. Rosoff wierp mij een verwijtende blik toe. Op de foto's waren donkere, rommelige kamertjes te zien: een huiskamer, een keuken, een slaapkamer. Maar wat de vertrekken met elkaar gemeen hadden, was dat de wanden waren bedekt met foto's van mij en mannen, alle mogelijke mannen, op heterdaad betrapt in mijn bed, op een manier die het op een misdaad deed lijken. Ik voelde de misprijzende blikken van twee mannen op me rusten en ook de kilte van Sams rug. Of misschien verbeeldde ik me dat alleen maar. Hij bladerde door de stapel in een bedaard, welhaast sadistisch tempo en zei boe noch ba.

Toen hij klaar was met bladeren, deed hij de foto's terug in de envelop, langzaam en elegant.

"Mooi zo. Dat duidt erop dat die poging tot aanranding geen plotselinge impuls was. We zullen er wel voor zorgen dat hij tot zijn dood de bak indraait, die ouwe viezerik", zei Sam. Hij keek met een ongeduldige blik naar de twee mannen.

"Schiet op! Ik heb het druk."

"Wacht even", zei ik, voornamelijk tegen de twee agenten. Ik voelde hoe mijn oeroude, oorspronkelijke woede in me opsteeg en de vage gêne verdrong die door de blikken van de agent waren opgeroepen.

"Als dit uitlekt naar de pers, als er ook maar één van deze foto's in handen van een journalist valt, of alleen al het minste flintertje van dit verhaal ..." Ik keek dreigend van de een naar de ander, en dat miste zijn uitwerking niet, vertelde hun geschrokken gezichtsuitdrukking, "... dan heb ik voor het allerlaatst voor de politie van Cornwell gewerkt."

Sam reageerde prompt met een langgerekte Poolse brul, die vermoedelijk betekende dat ik een rotwijf was. Ik drukte mijn kalfsleren tas in mijn armen, vloog de deur uit en holde de gang door. In een paar sprongen was ik de trap naar de parkeerkelder af. Zodra ik in de auto zat, opende ik het handschoenenvakje, haalde de handschoenen eruit en trok ze aan. Ze waren van kalfsleer en pasten bij mijn tas.

Met gierende banden racete ik de parkeerkelder uit als een *teenager* zonder rijbewijs en reed rechtstreeks naar Eisiks houten huisje aan de rand van het bos in Cornwell Zuid. Ik was er maar één keer geweest, namelijk toen ik een mand met lekkernijen voor zijn deur had gezet toen hij 70 was geworden. Het huis was afgezet met gele tape. Ik dook eronder door en begaf me naar de voordeur. Op slot. Ik probeerde alle ramen. De achterdeur, die uitkwam op een klein tuintje met een nog kleiner aardappelbed aan het eind. Op slot. Op slot. Op slot. Maar in de achterdeur zat een ruit.

Ik keek om me heen. De buurt lag er verlaten bij. De huizen lagen ver uit elkaar. En er was geen geluid te horen. Ik keek naar de deur. Ik onderscheidde vagelijk de contouren van mijn pagehaar in het glas. Toen beukte ik mijn gehandschoende vuist door de glazen deur vlakbij de deurklink en betrad een smerig gangetje, dat vol stond met klompen, laarzen en aardappelkistjes. Aan de wand hingen planken, volgepropt met allerlei tuingereedschap, stukken touw, werkhandschoenen en een heleboel plastic dingetjes, die ik niet kon thuisbrengen, en een kapstok vol met vuil werkgoed. Aan de bovenkant van de wand, vlak onder het plafond, hingen drie foto's van mij en een man in mijn bed. Ik kon niet zien wie het was, en dat deed er ook niets toe. Maar de kwaliteit van de foto's was slecht; ze waren waarschijnlijk met een nachtcamera genomen, allemaal vanuit dezelfde hoek, vanaf het slaapkamerraam, ze waren scheef, en de benen vanaf de knieën en lager ontbraken.

Ik zette twee aardappelkistjes boven op elkaar, ging erop staan en verwijderde de foto's. De rode punaises waarmee ze waren vastgezet, stopte ik in mijn zak. Met de foto's in mijn hand liep ik de keuken binnen. Hier hingen ze overal aan de wanden, de foto's van mij met verschillende heren in mijn bed; ook op de koelkast, de kastdeuren – alle vlakken waren met foto's bedekt. Ik haalde ze allemaal naar beneden, en toen de keuken van foto's was ontdaan, vormden de rode punaises een zichtbare bult in mijn jas. Ik liep door naar de huiskamer en vervolgens naar de slaapkamer. Ik verwijderde ze allemaal en legde ze in stapels op de keukentafel. Toen doorzocht ik zijn kasten, zijn lades, al zijn schuilplaatsen. Ik vond dozen onder zijn bed, vier grote dozen, allemaal vol met negatieven. Ik zette de dozen in de keuken. In de onderste la van de commode in de slaapkamer vond ik 23 videofilms, die allemaal het opschrift 'Fanny' droegen, waarna het jaar en de maand volgden waarin hij had gefilmd. Hij had mij 23 maanden geobserveerd en gefilmd, dat was makkelijk uit te rekenen. Ik dacht na. Hij werkte – om precies te zijn – al 25 maanden voor me.

In de keukenla vond ik een heleboel plastic zakken. Daarin legde ik de cassettes en zette ze toen naast de keukentafel.

Zijn diverse camera's lagen in een oude chiffonnière van mahoniefineer. Ik haalde alle filmpjes eruit en gooide die in een andere plastic zak. In de keuken smeet ik ook de vele kilo's foto's in plastic zakken. Toen zette ik de plastic zakken in aardappelkistjes – drie in totaal – en droeg het hele zaakje naar de jeep. Daarna de vier grote dozen met papieren foto's.

Toen zette ik koers naar Crematorium Zuid – zo heette het in feite. Het crematorium bij het meer was weliswaar dichterbij, maar ik gaf de voorkeur aan Crematorium Zuid omdat ik de crematoriumassistent daar kende. Hij heette William, hij was Eisiks voorganger, en ik had hem het baantje als crematoriumassistent bezorgd, dus hij stond bij mij in het krijt.

Ik stopte bij de telefoon op de poort en kondigde mijn komst aan. "Heb je iets in de oven?" vroeg ik. "Zo dadelijk, ja", antwoordde William. "Maar ik zet nu een bakje koffie, kom maar binnen."

"Wacht even met de verbranding, ik heb iets wat er misschien bij kan."

De telefoon schetterde en de poorten gingen open. Zodra ik binnen was, gingen ze weer achter me dicht. Wat de bedoeling is van al die veiligheid, was me nooit duidelijk geworden.

Ik was moe aan het worden en had de hele dag nog niets gekregen dat op koffie leek, dus ik dronk het verse bakje dat William me aanreikte met grote dankbaarheid. Ik had ook nog energie over voor een dankbare blik, ditmaal op de vlammen,

die hun tongen lieten zien achter de open ovendeur. Die pa-
raat leek te zijn om de kist in ontvangst te nemen die op de
glijplank voor ons stond.

Toen droeg ik de dozen naar binnen. William hielp me en
wilde natuurlijk weten waar het om ging. Dat wilde ik niet
zeggen. En opeens realiseerde ik me wat het probleem was.
Aan één kist en één lijk had ik niet genoeg, ik had er in elk geval drie nodig. Ik stelde me namelijk voor dat er maar twee
aardappelkistjes op een kist konden staan en twee kartonnen
dozen op de volgende en dan de rest op de derde.

Ik keek op mijn horloge. Het was twee uur. "Hoeveel moet
je er vandaag verbranden?"

"Ik heb er nog maar één over", zei hij glimlachend. "Maar
het is een drukke dag geweest."

"Nee toch!" riep ik uit.

"Wat is er, dokter?" William had nooit begrepen dat ik geen
arts was.

"Ja maar dan kan ik vandaag maar een gedeelte laten verbranden – ik wil de hele boel weg hebben!" Mijn stem was
huilerig. Ik werd haast beroerd van mezelf.

"Dat is geen probleem." Hij pakte een aardappelkistje en zette dat op de kist, voorop. Toen pakte hij het volgende en zette
dat erachter. Hij keek me vergenoegd aan. Toen pakte hij het
volgende en zette dat erbovenop, en nu snapte ik wat hij wilde.
Ik wierp een steelse blik naar de oven. Die was immers enorm
groot, in elk geval erg hoog. William stapelde domweg de dozen boven op elkaar – en verder geen flauwekul. Toen hij klaar
was, drukte hij op de knop zodat de kist naar binnen begon te
glijden.

Het was een pak van mijn hart toen de deur dichtviel achter
mijn, of liever gezegd Eisiks dozen. Ik voelde me gelukkig en
onspannen en had nog maar één wens over: slapen. En misschien een vage, onredelijke wens dat wat ik zojuist had gedaan
niet een grove en vrij domme overtreding van de wet was.

23

Toen ik door de poort reed en Crematorium Zuid achter me had gelaten, keek ik schuins naar mijn PDA. Die was uit. Dat was heerlijk geweest. Maar je moest een goede zaak niet overdrijven. Rosa had er een hekel aan om op de telefoon te passen, en ik kon haar niet missen. Ik zette het ding aan, toetste mijn code in, liet mijn stem checken, werd herkend als eigenaar en gebruiker en toetste code 2 in.

"Wat nou weer?" schreeuwde ze bijna in de hoorn.

"Wat is dat voor een ontvangst?"

"Als je ontevreden bent, *Schnuckelchen*, moet je me ontslaan of zelf op je *verdammte* telefoon passen. Ik houd het geen minuut langer vol. Vanaf het moment dat je naar Quantico ging – en waar ben je eigenlijk op dit moment? Want ik weet dat je niet in de vs bent."

"Ik zit in mijn auto."

"Aha, maar sinds jij daar naartoe ging, heb ik niets anders gedaan dan jouw telefoon opnemen en aan idioten op de hele wereld verklaren dat jij onbereikbaar bent en dat ik er geen idee van heb waar en wanneer je weer te bereiken bent. En ik heb nog niet opgehangen, of de volgende belt alweer."

"Maandag ben ik terug. Zeg tot dan toe dat ze privé naar mijn huis kunnen bellen, dan zorgt het antwoordapparaat ervoor. Ik heb domweg geen tijd om met Jan en alleman te praten over hun boek en hun film en de *job*-kansen binnen de profileringsbranche. En ik kan ook geen opdrachten aannemen voordat we deze hier te pakken hebben. Alleen maar tot maandag, ik beloof je dat het niet langer duurt – okay?"

"Okay. Maar als je maandag niet terug bent onder de stervelingen, dan kun je net zo goed op zoek gaan naar mijn vervanger."

"Ik beloof het je! Is er één enkel belangrijk bericht? Iets wat ik moet weten?"

"Niet voor zover ik het kan bekijken – niet iets wat niet tot maandag kan wachten."

"Je bent een schat, ik moet er nu vandoor."

"Hé, wacht even – wat gebeurt er met je verjaardag?"

"Het gewone programma, als je het tenminste aankunt."

"Natuurlijk. Zelfde tijd en plaats? *Same procedure as last year?*"

"*Same procedure as every year.*"

Ik deed de PDA weer uit en knipperde toen een paar keer met mijn ogen om wakker te worden. Het had geen zin dat ik nu ging slapen. Ik had geen tijd. Ik parkeerde de auto in de parkeerkelder en onderweg naar de lift belde ik Loretta op op de derde verdieping, waar ze research en databasechecks verrichten. Ik zei dat ik er aankwam en vroeg of ze andere koffie hadden dan dat bocht uit de automaat.

Het stond allemaal voor me klaar, verse koffie met melk en suiker, een gemakkelijke stoel en haar onweerstaanbare glimlach.

Loretta Adaboy had oorspronkelijk statistiek gestudeerd, maar was in haar studentenbaantje blijven hangen omdat ze er dol op is. Ze heeft gepermanent blond haar, een slechte huid en een heel klein neusje, dat beweegt wanneer ze praat. Ze lijkt nog het meest op een jeugdige tante, en ik vermoed dat ze ergens een koekdoos met bolle koekjes heeft staan. Maar je moest je niet in Loretta vergissen.

Zodra ik was gaan zitten, begon ze. Ze riep een bestand op waarin te zien was dat Bertal Sifh anderhalf jaar geleden in de gemeente Cornwell was geregistreerd. Samen met zijn gezin:

Sluva Sifh en de kinderen: Robert, Albert, Frank, Hamilton, Howard en Edgar. Ze stond op het punt iets te zeggen, maar ik onderbrak haar: "Wacht eens even – hij heeft zijn kinderen vernoemd naar alle aliassen van Fish. Wat pervers."

Loretta knikte en stond weer op het punt iets te zeggen, maar ik viel haar opnieuw in de rede: "Met uitzondering van Edgar. Hoe is hij daar aangekomen?" De vraag was hoofdzakelijk tegen mezelf gericht, maar Loretta antwoordde.

"Dat heb ik me ook afgevraagd, maar misschien heeft hij de jongen naar Edgar Allan Poe vernoemd – dat was de lievelingsschrijver van Fish."

"Hoe weet jij dat?" Ik stond paf. Ze had gelijk. Fish was speciaal gecharmeerd geweest door Poe's Arthur Gordon Pyms Avonturen, waarin mensen mensen eten.

"Ja maar Fanny, ik heb zijn dossier bestudeerd, ik kan toch zeker lezen en denken, ik ben geen machine. Die paar zoekwoorden die jij me hebt gegeven, zijn niet genoeg."

"Sorry, dat weet ik best, maar ik had niet gedacht ..."

Ze viel me in de rede en vervolgde: "Dat wil zeggen dat Bertal Sifh Albert Fish is, dat kan zelfs een kind uitrekenen, maar Sluva ...?"

Ik zat een poosje met mijn hoofd te schudden, denk ik, want ik verstond niet wat ze zei: "Wat kan een kind uitrekenen?"

"Dat Bertal een anagram is voor Albert en Sifh voor Fish." Ze ging ervan uit dat ik het letterspelletje van de man had gesnapt – en dat terwijl het absoluut niet bij me was opgekomen. Ik had gewoon gedacht dat het de zoveelste krankzinnige naam was. We hebben immers allemaal krankzinnige namen. Maar Loretta beweerde dat elk kind dit kon zien, en ik had niets gezien. Er waren al met al tamelijk veel dingen die ik gewoon niet had gezien – al stonden ze vlak voor me te kwispelstaarten. Ik verzonk in mijn ergste vrees: waren mijn hersenen moe en oud geworden? En zo ja, wat kon ik er dan in 's hemelsnaam aan doen? Ik kende nog geen kuur voor slappe synapsen.

Loretta praatte verder. Dat het infantiel was om anagrammen te maken. Dat haar vriendinnen en zij dat als twaalfjarigen hadden gedaan. Ze had het over identificaties en verstoppertje spelen. Ik luisterde niet zo goed naar wat ze zei. Want de huid onder mijn kalfsleren horlogebandje jeukte. Ik deed het horloge af en legde het op tafel.

"Maar Sluva – die kan ik niet kraken!" Ze keek me aan met een lief rimpeltje op haar neus. Ik schudde mijn hoofd en krabde op mijn pols.

"Laat Sluva maar voor wat het is, misschien heet ze gewoon zo", zei ik. Nu wilde ik verder. "Heb je gezocht naar de aliassen van Fish – Frank Howard enzovoorts?"

Ze keek naar de computer en was in de weer met een paar commando's terwijl ze antwoordde: "Ik heb alle aliassen en combinaties geprobeerd. Ik heb het geprobeerd met Fish, en heb het geprobeerd met Sifh in Rotterdam. Hij kwam uit Rotterdam, dat kan ik hier op de passagierslijst zien – maar kijk hier eens." Ze had een bestand opgeroepen dat afschriften liet zien van de gemeente Rotterdam, vlak voordat hij in het bevolkingsregister van Cornwell was geregistreerd. Ze leunde achterover en keek me aan.

"In Rotterdam is er niemand onder die naam geregistreerd, in heel Nederland niet – nooit. Hij heeft dus op de een of andere manier aan een pas en aan papieren weten te komen met die achternaam, zonder dat er ergens een naamsverandering is geregistreerd."

Ik zei niets. Ze ging opnieuw de toetsen te lijf, waarna de resultaten opdoken van al de keren dat ze naar verschillende anagrammen van Albert Fish had gezocht. Talber Fihs. *No hits*. Reblat Hifs. *No hits*. Enzovoorts. Ze lachte uitgeput. "Ik begrijp best waarom hij Bertal Sifh heeft gekozen. Dat is de minst idiote combinatie."

"Maar ..." Ze staarde naar het scherm en riep nog meer bestanden op. "Ik heb een heleboel verdwenen kinderen gevonden. Daar hebben we niets aan. Er zijn er domweg te veel.

Maar – in Rotterdam zijn drie kinderen verdwenen, wier botten opdoken in een bos, waar ze door elkaar op een hoop waren gegooid. Kijk, hier is het overzicht van die zaak." Ik staarde naar het scherm zonder te lezen. Loretta vertelde me wat er stond.

"Alle botten waren afgezaagd in lengtes van vijftien tot twintig centimeter. En ze waren brandschoon en fraai, net als die van ons. Dat was, laat eens kijken ..." Ze staarde kippig naar het scherm. "Ja, ze vonden de botten kort nadat Bertal Sifh in Cornwell in het bevolkingsregister was opgenomen, maar het eerste kind verdween twee jaar geleden en de andere kinderen over een periode van in totaal twee maanden."

"Escalatie", zei ik. Ik sloot mijn ogen en nipte aan de koffie, die lauw was geworden. "Zowel qua tijd als shockwaarde."

Ze knikte en ging door: "Moet je horen, drie jaar geleden hadden ze in Düsseldorf een zaak met een paar tweelingen die van een speelplaats verdwenen. Hun botten werden door een duiker op de bodem van een meer buiten de stad gevonden, ook doorgezaagd. Er kunnen er natuurlijk meer zijn geweest, maar ze vonden maar twee sets botten. Alles bij elkaar verdwenen er over een periode van drie jaar in Düsseldorf en omstreken, dus vanaf het moment dat de tweelingen verdwenen tot het moment dat de kinderen in Rotterdam verdwenen – alles bij elkaar verdwenen er tien kinderen. Dus zijn portie kan alles van twee tot tien zijn geweest."

Ze hield een pauze en keek me aan. Ik zei niets.

"En zo kunnen we wel aan de gang blijven", vervolgde ze. "Maar we schieten er geen zier mee op. We hebben een naam nodig. Het zit er dik in dat hij voortdurend een andere naam heeft genomen. De namenlijsten zijn oneindig, we hebben geen personeel om ze door te nemen en allemaal te onderzoeken, en het blijft hoe dan ook je reinste giswerk. Ik ben genoodzaakt je om een andere invalshoek te vragen. Nieuwe ingangen, nieuwe woorden, nieuwe namen, meer informatie. Ik zit vast."

"Probeer aangiftes van obscene brieven", probeerde ik zwakjes. Ze schudde haar hoofd. "Dat gaat niet. Ze registreren dat soort dingen niet."

Ik verkeerde in een toestand, in een van mijn half slapende toestanden, waar ik het gevoel had dat mijn hersenen waren uitgeschakeld. Dat gebeurt wel vaker wanneer ik in gezelschap ben van iemand die iets beter doet dan ik.

"*Fucking* psychopaat", siste Loretta grijnzend, waarna ze de bestanden van het scherm weer opborg. Er ging een schok door me heen en schudde mijn hoofd. Zo voelde het althans aan. Als een plotseling ontwaken.

"*Fucking* psychopaat?" herhaalde ik met open mond, en met mijn ogen op haar gericht.

Ze grijnsde. "Ik zei *fucking* psychopaat omdat ..." Ze lachte opnieuw, "... de geruchten over Berkowics optreden – solo voor ontstoken stembanden – een tijdje geleden tot de derde verdieping zijn doorgedrongen."

Ik zat een tijdje na te denken, zonder helemaal te beseffen waarover. Waarom had Sam dat ook alweer gezegd? Omdat Sifh had gezegd dat Albert Fish een held was. En toen was Sifh beledigd, omdat Sam Fish een *fucking* psychopaat had genoemd. Waarom was hij beledigd geraakt? Misschien omdat zijn identificatie totaal was, en omdat hij dacht dat hij Albert Fish was? Of misschien was Albert Fish gewoon de grote held in zijn leven, en mocht je zijn naam niet bespotten. Maar misschien ging het om iets heel anders.

"Hoe is het gesteld met jouw toegang tot de Amerikaanse databases?"

"Ik heb uitsluitend toegang tot gegevens vanaf het jaar 2000 wegens millenniumfouten in het oude systeem. Ze hadden Anno Domini moeten gebruiken om die te herstellen, dan zouden we nu overal toegang toe hebben gehad, in plaats van het te moeten bestellen bij Neets."

"Neets?"

"Anita Sasson in de Data-archieven van de FBI."

"Ik ken die dame niet – hebben ze expresprocedures?"

"Natuurlijk, maar dat kost kapi..."

"Doet er niets toe – ik wil graag weten wat er met Albert Fish's zes kinderen is gebeurd. Ik wil weten hoe ze heetten, of ze hun namen hebben veranderd na het doodvonnis van hun vader, wat er van hen geworden is – of ze een criminele loopbaan hebben gehad, en zo ja, welke? En hun kinderen? En die van hen – hoeveel generaties hebben we inmiddels? Fish was in 1936 64 jaar. Ik wil weten hoe ze heetten, allemaal, alle namen van de stamboom." Loretta knikte, maar stak niettemin een vinger op en kneep haar ogen samen en stond op het punt iets te vragen, maar plotseling liet de computer een luide pieptoon horen. We draaiden ons om en op het scherm stond met flikkerende rode letters:

POTENTIAL INTRUDER ALERT

Loretta zuchtte. Ze riep het inlogbestand op en begon dat de onderzoeken. "Dat is vast Lech of Billy weer, die hun password zijn vergeten." Ik stond op en rekte me uit.

"Nee," vervolgde ze, "hij heeft verdorie Sifhs dossier te pakken, dan is het Berkowic zeker, die vergeet het ook altijd – wacht eens even. Het is verdorie Berkowic! Maar het kan Berkowic niet zijn die het heeft geprobeerd. Eens kijken ..." Ze positioneerde haar neus tot vlakbij het scherm en liet haar vinger glijden langs iets wat ik vanuit mijn positie niet kon zien. "Zevenentwintig! Het kan onmogelijk Berkowic zijn die 27 keer een verkeerd password heeft ingetoetst. Hij moet niet goed wijs zijn of anders ..."

Ze pakte de telefoon en belde op. Ik begon mijn ene arm in een jasmouw te wurmen, maar gaf het op en legde de jas over mijn arm.

"Dag, zit jij aan je computer te klooien?" vroeg ze met een scheve glimlach. Maar de glimlach maakte snel plaats voor opgetrokken wenkbrauwen.

"Ja, ja, neem me niet kwalijk!"

Ze hield de hoorn een eindje van haar oor vandaan, zodat ik Sam kon horen schreeuwen.

"Jawel – ja maar, ze zit hier bij me. Wil je haar even hebben? Aha ..."

Ze hing op. "Berkowic wil al een uur lang met je spreken, en hij klinkt heel erg boos." Ze vouwde haar armen over haar borst en keek me nadenkend aan. Toen haalde ze haar schouders op en wuifde me weg.

"En dit hier ...?" Ik wees naar haar computer.

"Dat is vast niks bijzonders, ik zoek het uit." Ze draaide zich naar het scherm toe. Ik begon weg te gaan, maar stopte toen ze riep: "Maar wat moet je daarmee, met die stamboom en de kinderen en ...?"

"De erfzonde", antwoordde ik, me omdraaiend. "De kinderen van alcoholisten worden alcoholisten. De kinderen van geweldsmisdadigers worden geweldsmisdadigers. De kinderen van krankzinnigen worden krankzinnig." Ik haalde mijn schouders op. "De kinderen van Albert Fish worden ... Albert Fish? Ik wil weten hoe Bertal Sifh heet. Ik wil het vandaag weten. Ik heb die informatie vandaag nodig."

Loretta zag er geschrokken uit. "Ik zal mijn best doen."

Ik stampte in razende vaart door de derde verdieping, want ik had allang in de smiezen wat Sam van me wilde. En daar stond hij, aan het eind van de gang, met zijn handen in zijn zij me dreigend aan te kijken toen ik de lift verliet en de deur liet dichtvallen met een zuiging van vacuüm.

"Idiote teef! *Popierdolona kurwa!*" schreeuwde hij. Voor mijn geestesoog zag ik hoe de nekharen van elke agent en kantoormedewerker van pure ontzetting overeind gingen staan.

"Ben je kinds geworden? Heb je *fucking* Alzheimers gekregen? Ben je ... *popierdolony przyglup?*"

Meer kan ik me niet herinneren, maar hij bleef daar maar staan roepen tot ik voor hem stond. En toen ik voor hem stond, was ik feitelijk ook razend geworden.

"Wat verbeeld je je wel om zo tegen mij te spreken?" blies ik luidkeels.

"Jij haalt krankzinnige dingen uit – DAAROM!" schreeuwde hij recht in mijn gezicht.

"Ik haal geen krankzinnige dingen uit, Sam. Wanneer heb ik ooit een krankzinnig ding uitgehaald?"

"Waar moet ik beginnen? Wat zou je zeggen van vanmorgen? Hoe noem je een verhoor zoals jij dat vanmorgen uitvoerde? Is dat niet krankzinnig?"

"En dat zeg jíj? Jij bent degene die *fucking* psychopaat zit te roepen zodat die psychopaat hem smeert, de straat op, om nog meer *fucking* psychopathische dingen uit te halen! Idioot!" voegde ik er brullend aan toe – met mijn mond een centimeter van de zijne vandaan.

"Kom hiernaartoe!" Hij trok me zijn kantoor binnen en smeet de deur nadrukkelijk achter ons dicht. Toen stond hij wat te piepen, als een hond die niet wist of hij razend of machteloos was.

Zo opgewonden had ik hem niet gezien sinds hij zijn auto had afgetuigd. Hij raakte opgewonden in prestatiesituaties, waarin alle *odds* tegen hem waren, precies zoals nu het geval was.

Toen hij uitgepiept was, koerste hij naar de stoel achter zijn bureau en nam plaats. En toen deed hij precies zoals hij had geleerd op een van de talloze cursussen in razernijbeheersing, die hij onder dwang had moeten volgen. Hij masseerde met beide handen de lucht ter hoogte van zijn solar plexus en haalde diep adem. Hij streek de razernij van zich af, onwillig, maar precies zoals hij het had geleerd en vroeg toen op ijskoude toon: "Heb jij ingebroken bij Eisik Malko en bewijsmateriaal verwijderd?"

"Nee", loog ik even ijskoud. Toen knikte hij. Hij opende een van de lades van zijn bureau en pakte er een sigaret uit. Hij had in geen negen jaar gerookt. Met trillende handen stak hij hem aan. Toen keek hij me verbeten aan en zei tussen het hoesten door: "Als ik erachter kom, als ik er ooit achter kom dat jíj bewijsmateriaal uit Eisik Malko's huis hebt verwijderd, draai ik je nek om."

"Je doet maar, hoor. Maar misschien zou je me kunnen vertellen over welk bewijsmateriaal je het hebt."

"*Kurwa!* Je duwt me!" zei hij trillend terwijl hij overeind kwam als een stier. "Je duwt tegen mijn geduld, je duwt me uit mijn vel."

Dat klonk echt heel idioot. Het klonk als een klakkeloze vertaling van een Poolse zegswijze, die zoiets betekende als dat ik zijn geduld ernstig op de proef stelde.

"Welk bewijsmateriaal, Sam? Ik ben doodmoe, en mijn hoofd staat helemaal niet naar je. Ik heb vannacht nog niet eens twee uur geslapen, en ik heb de hele dag in Sifhs voetsporen rondgehold." Hoe meer ik loog, des te beter het me afging. "En gisteren ben ik bijna verkracht door een oude man met een snoeischaar. Leg me even uit, heel kalmpjes, waar je het over hebt." Nu begon hij te twijfelen. Dat was waarachtig ook de bedoeling.

"Ja maar ik heb het over die foto's van jou en die ..."

"Wat?" schreeuwde ik, gevoelens voorwendend die ik volstrekt niet had. "Hebben ze de foto's gestolen? Zeg, hoor eens, zijn jullie hier een stelletje amateurs? Je hebt me beloofd dat er niets naar buiten zou komen over die foto's, en dan laten jullie toe dat ze gepikt worden? Hebben jullie geen bewaking gehad bij dat huis?" Ik liet me meeslepen door mijn gefingeerde hysterie en begon me oprecht hysterisch, bovendien wakker en geamuseerd te voelen.

"Als er morgen of op elke willekeurige andere dag ook maar iets over mij en Francis Zanf en Eisik Malko in de kranten staat, dan ben ik weg, foetsie, en zie je me nooit meer terug!" krijste ik tegen Sam, die zijn handen voor zijn ogen hield en veel weg had van iemand die zin had om dood te gaan.

"Rustig nou", zei hij vermoeid. "Rustig nou."

"Ja, jij hebt mooi praten. Interessant dat iemand als jij dat zegt", zei ik met ingehouden woede.

"Ik weet dat jij het hebt gedaan", zei hij nog steeds met zijn handen voor zijn ogen. "Ik begrijp het ook best."

"Ik heb niets gedaan. En overigens begrijp je er niets van. Ik ook niet trouwens. Het ene moment voel je een 'vreemde tederheid' voor me, en het andere moment ben ik een idiote teef. Ik kan er met mijn pet niet bij."

Hij schudde zijn hoofd. "Zen", siste hij. Hij vouwde zijn handen op het bureau, maar zijn ogen waren nog steeds gesloten. "Zen", herhaalde hij fluisterend. "We moeten nu relaxen."

"Eerst schreeuw je idiote teef, zodat iedereen het hier kan horen. En dan doet het er allemaal opeens niets toe, en moeten we relaxen", zei ik met een stemregister dat nog nooit van Zen had gehoord. "Ik smeer 'm, ik heb hier niks te zoeken, ik wil iets doen."

Ik stond op om weg te gaan, maar zijn arm schoot als een adder uit over het bureau en ving me. En hield me vast.

"Ik ben wanhopig, Fanny. Ik ben volledig van de kaart. Ze bellen constant. Ze bellen van de kranten, de ouders bellen, de hele Familie Cornwell Zuid belt en verlangt resultaten, en op dit moment zit Polly-Jean Harvey gegarandeerd nog steeds in haar walgelijke zwarte kleren tegen mijn verzoek aan te kijken en 'is bang' en 'weet het nog zo net niet'. Wat kan ik anders doen dan schreeuwen?"

"Hoe zit het met zijn maaginhoud?"

Sam liet me los. "Daar wilde hij natuurlijk geen toestemming voor geven."

Ik ging zitten. We deden er een poosje het zwijgen toe. En hoorden de deur helemaal niet opengaan.

"Ik heb een idee", begon ik; ik stond op het punt hem over mijn seance op de derde verdieping te vertellen.

"Het is te laat voor ideeën", zuchtte hij.

"Daar kun je donder op zeggen!" klonk een stem achter me. Ik draaide me om, Sam verwijderde zijn handen van zijn gezicht.

Lisa stond in de deuropening. Ze glimlachte niet.

"We hebben zijn kont gevonden", zei ze.

24

DE TELEFOON GING en verbrak de stilte. We zaten ons allebei aan Lisa te vergapen, die als een bedroefd standbeeld en met een asgrauw gezicht in de deuropening stond. Maar misschien was ze alleen maar moe. Sam pakte de telefoon zonder haar met zijn blik los te laten. Toen glimlachte hij. Hij bedankte. Het klonk buitengewoon beschaafd. Buitengewoon Zen. Toen hing hij op.

En toen drukte hij glimlachend op een van de knoppen van zijn intercom en blafte zijn enthousiaste order naar Vainer Neit, een van de ruige binken, die de laatste drie jaar bij de narcoticadienst had gezeten, maar die door toedoen van Sam naar de moordafdeling was overgeplaatst.

"Je kunt aan de gang gaan. Binnen tien minuten komt er een bode met de papieren, dus je kunt nu gaan pissen en die ijslolly uit je mond halen. Ik kom zo gauw mogelijk."

Sam hing op, wreef in zijn handen en glimlachte. "We rekenen hem nu in. P.J. heeft het licht aanschouwd. En ze is zo clever geweest om de papieren rechtstreeks naar Leopold Tkatz te sturen. We kunnen Sifhs bezittingen en zijn zure maag onderzoeken. En als we iets vinden in zijn maag, in het huis of in de auto, mogen we hem houden." Toen schoot hem te binnen dat Lisa er was, en hij richtte zijn blik op haar. "Wat zei je daarnet?"

Ze haalde haar schouders op. "Ik zei dat we Greco's ... achterwerk hebben gevonden."

Ze begaf zich langzaam naar ons toe, in de richting van de stoel naast me. Ze ging zitten. "Twee agenten hebben het gevonden in het park. Ik weet niet hoe het heet, het is het park bij Crematorium Zuid."

Ik sloeg mijn blik neer. Zij vervolgde: "Het lag in een vuilnisbak naast een bank, vlakbij de ingang. Het stak er bovenuit, zeiden ze." We keken haar zwijgend aan. "Ik ben bijna klaar met de autopsie, ik had even een pauze nodig." Ze zuchtte en schudde haar hoofd. "Hij heeft het van de rug afgesneden bij de onderste rugwervel en vlakbij de heupgewrichten. Het heeft in een oven gelegen. Er zijn duidelijke, zwarte strepen van het rooster. Verdomme – het lijkt op iets wat je zou kunnen kopen in een *grillroom* in de hel. Hij heeft plakjes van de ene bil afgesneden." Ze hield een pauze. Sam staarde haar aan en bewoog geluidloos zijn lippen.

Lisa vervolgde: "Als er hongersnood was, verdomme, zou je zeggen dat dit zwelgerij was." Ze hield nog een pauze. Ze wilde nog meer zeggen, maar het leek alsof ze geen woord over haar lippen kon krijgen. Haar lippen bewogen alleen maar. Ze slikte een keer, en toen zei ze: "Het was gemarineerd." Ze sloeg haar ogen neer. "Ik zag het aan de huid. Ik laat het nu analyseren. Maar heeft dat eigenlijk nog wel zin?"

"Natuurlijk heeft het zin. Laat het analyseren." Hij staarde vermoeid voor zich uit. "Ik snap alleen niet waarom hij opeens op een heel andere stijl overstapt. Waarom doet hij dat, Fanny?"

"Geen idee. Om te plagen, omdat hij ongeduldig is, misschien omdat hij zich onder druk voelt staan. Of misschien is hij gewoon verzadigd – in overdrachtelijke zin."

Niemand van ons antwoordde. We zaten alleen maar te wachten.

"Wat doen we als we niets vinden?" vroeg ik.

"We vinden iets." Sam zat te knikken tegen beter weten in, zonder overtuigd te zijn van wat hij zelf zei.

Ik stond op en zei: "Kom, we gaan ernaartoe. We kunnen hier niet zitten dreutelen. Er zijn kinderen in het spel, we zijn genoodzaakt zijn kinderen mee te nemen wanneer ze hem arresteren."

Opnieuw had ik het gevoel dat er iets in mijn achterhoofd was dat op de voorgrond zou moeten treden en zich kenbaar moest maken, maar dat zich om de een of andere reden gedeisd hield.

"Ga je ook mee?" vroeg ik aan Lisa. Ze schudde haar hoofd.

"Ik moet mijn werk afmaken – en de technici van het lab tot haast aanzetten, zodat ik de resultaten zo snel mogelijk kan krijgen." Stil en geluidloos verliet ze het kantoor. Maar ze was amper weg of Loretta stond in de deuropening.

"Er zijn indringers geweest in onze computer, en ze hebben Bertal Sifhs dossier te pakken gehad."

Sam keek haar met dode ogen aan. "En wat dan nog? Er staat toch niks bijzonders in dat bestand."

Loretta en ik keken elkaar ongelovig aan. "Ja maar, Sam!" riep ik uit. "Behalve wij is er niemand die er überhaupt weet van heeft dat Bertal Sifh verdacht wordt."

Sam rommelde verstrooid in zijn zak en keek niet eens op toen hij zei: "Probeer er dan achter te komen wie het is. Neem contact op met die – hoe heet die nieuwe chef databeveiliging ook alweer? Laat die het maar uitzoeken." Sam had gevonden wat hij zocht, en nam er een slok van. "Het doet er niets toe", vervolgde hij schouderophalend. "We hebben hem nu."

Sifhs huis lag in Cornwell Zuid, aan de rand van de stad. Toen we onze auto's achter een pick-up truck parkeerden die van Sifh moest zijn, liep het me koud over de rug. Dat was het grijze huis. Ik had het gezien in mijn dromen, tijdens de nacht die ik in het vliegtuig naar de vs doorbracht. In mijn dromen had het geregend. Vandaag, in de werkelijkheid, was het droog. Er stond een briesje. Ik keek op. De hemel zat vol met zware wolken. Maar het regende nog niet. We liepen op het huis af. Het maakte een dode indruk. Het leek op een oude grijze man, die midden in het groene landschap was omgevallen.

Sam ging naar binnen zonder eerst aan te kloppen. Binnen bevond zich een Spartaanse keuken. Er waren geen losse voorwerpen, het was er keurig netjes. Er waren dichte kasten, en daar moesten de spullen zijn. De keukentafel en het aanrecht waren leeg, er stond niet eens een fles sap of een bloem in een glas water. Geen kopjes. Geen krant. Geen enkel speelgoedje. Er was helemaal niets in gebruik. Er was geen enkel spoor van kinderen in dit huis. Geen spoor van leven.

Achter in de keuken bevond zich een open deur en ergens aan de andere kant van de drempel waren zachte stemmen te horen. Vainer Neit en zijn maat, Lashowicze, torenden boven de kleine, vale Sifh uit, Vainer met een kartonnen doos in zijn armen. Achter hen, tegen elkaar aan gedrukt op een zitbank, zaten zes jongens. Twee kleintjes van een jaar of vier, vijf zaten bij een grote jongen op schoot, die vermoedelijk elf of twaalf jaar was. Hun gezichten waren moedeloos, schrikachtig, gesloten. Hun kleren waren grijs, maar niet van hetzelfde soort grijs. Ik moest denken aan nuances van grijs. Dit was een heel nieuw palet.

We stonden stil in de deuropening te kijken. Sifh liep nu met Vainer en Lashowicze mee. Sam en ik maakten ruim baan toen ze ons passeerden. Vainer stopte midden in de keuken en liet Lashowicze met Sifh naar buiten gaan. Ik bleef in de deuropening staan en keek naar de kinderen op de zitbank en kon amper horen wat Vainer tegen Sam zei. Maar ik hoorde het woord 'vies'. Ik was nog steeds in de ban van het grijze palet, en ik had het gevoel dat wat ik was vergeten, dat wat ik in mijn herinnering moest oproepen, zo dadelijk aan de oppervlakte zou komen.

Het was het grijze. Albert Fish was grijs. De mensen beschreven hem als een 'grijze man'. Hij droeg grijze kleren, had een grijze baard, grijs haar, hij was totaal onopvallend. Hij verborg zich in zijn grijsheid. En zijn daden – die verborg hij in het huis dat alleen stond.

"Wisteria Cottage", fluisterde ik. De grijze man had zijn slachtoffers ook nooit mee naar huis genomen. Hij had ze een beurtje gegeven in het huis dat alleen stond. Wisteria Cottage.

Ik keek op. Sam en Vainer waren nu bij de deur aangekomen. Ik liep achter hen aan. Hun stemmen waren gedempt, vermoedelijk met het oog op de kinderen. Sam trok aan zijn haren. De pijl in zijn veelsnarige gevoelsleven stond weer op 'wanhopig'. Want ze hadden niets gevonden, hoorde ik, dat ook maar in de verte op 'bewijsmateriaal' leek. Later kwam ik aan de weet dat de doos een houten hamer bevatte waarin bloedige spijkers staken, een kat met negen staarten, twee linnen zakjes waarin spijkers zaten, en twee wortels met onmiskenbare resten van menselijke excrementen erop.

Toen ze buiten waren, begonnen ze luider te praten. "Hij heeft verscheidene keren moeten kotsen. Hij zei dat hij ziek was", zei Vainer. Hij keek steels naar de kartonnen doos, die hij nog steeds in zijn armen hield, en voegde er fluisterend aan toe: "Die man is werkelijk ziek!"

Sam stond hoofdschuddend naar het grijze huis te kijken en vloekte in het Pools. "Er moet verdomme toch nog wat in die maag over zijn. Naar het bureau met hem", riep hij. Vainer en Lashowicze knikten, en Vainer liep naar zijn auto en zette de kartonnen doos in de kofferbak. Ik stond in de open voordeur.

"Sam! Het huis dat alleen staat, het lege huis, dat met die slingerplanten, heb je daar iets aan gedaan?"

Hij antwoordde afwezig: "Schei toch uit. Er zijn duizenden huizen 'die alleen staan' in deze stad. En wat betekent dat eigenlijk: 'een huis dat alleen staat'?"

"Maar dat betekent een afgelegen huis zonder buren in de directe omgeving."

"We hebben alle onbewoonde huizen in heel Cornwell en omgeving onderzocht aan de hand van een lijst die we van de Dienst Ruimtelijke Ordening hebben gekregen", zei hij, slechts gedeeltelijk aanwezig – met zijn aandacht bij Lashowicze. Ik volgde zijn blik, die nu aan Lashowicze en Sifh kleefde op weg naar de auto. Sifh liep braaf mee, ze hadden hem geen handboeien omgedaan. Maar halverwege de auto en het huis bleef Sifh opeens stilstaan, boog zich voorover en gaf over. Het leek niet meer dan een klodder slijm te zijn, maar Lashowicze sprong ontzet opzij.

"Hij is goddorie ziek", riep Lashowicze. Sam vloekte en schudde zijn hoofd. Toen Sifh klaar was, richtte hij zich op en keek Lashowicze smekend aan, die naar een papieren zakdoekje zocht in zijn broekzak en hem dat gaf. Sifh veegde zijn mond af en stopte het zakdoekje in zijn zak. Toen begaf hij zich naar de politieauto. De agenten liepen achter hem aan.

Ze lieten hem op de achterbank plaatsnemen, Lashowicze ging naast hem zitten. Vainer ging achter het stuur zitten. Vainer startte de auto en begon te rijden, maar toen trapte hij op de rem – het achterste portier aan de andere kant ging open. We holden er naartoe en zagen Sifh uit het portier hangen met zijn ene hand op het binnenste handvat en de andere op het kozijn. Hij moest overgeven. Er kwam niets uit. Het waren alleen maar kramptrekkingen van een lege maag.

"*Kurwa mac*", siste Sam, naar zijn auto benend.

Sifhs maag zou leeg zijn. In het huis hadden ze geen belastend materiaal kunnen vinden. Sifh zou waarschijnlijk weer gauw terug zijn. Maar die kinderen moesten hier vandaan.

"Zorg ervoor dat de kinderen worden opgehaald", riep ik tegen zijn rug. Hij gaf geen antwoord.

Ik ging het huis weer in. Binnen was het stil. De keuken staarde me leeg aan. Mijn voetstappen weergalmden toen ik over de planken van de keukenvloer liep. In de deuropening van de huiskamer stond ik stil. De kinderen zaten nog steeds op de bank, precies zoals tevoren, hun bleke gezichten gesloten en onleesbaar. Zo veel kinderen, en dan zo stil. Ik wilde graag iets tegen hen zeggen, maar ik kon niet op de juiste woorden komen. De kinderen keken me aan. Wat waren die gezichten? Moedeloos? Versteend? Misschien. Maar ook iets anders. Ik liet mijn blik van de kinderen naar de rest van de kamer glijden. Ook hier waren geen spullen te bekennen. Er was geen tafeltje bij de zitbank, maar een enkele harde stoel vlak ernaast. Rechts stond een gebeitste commode tegen de wand, maar die stond net zo alleen als de bank. Bij de andere wand stond een ladekastje. Ik aarzelde, keek naar de kinderen, die me zwijgend gadesloegen vanaf de bank. Ik moest me vermannen toen ik vroeg: "Waar is de badkamer? Het toilet?"

Een van de grote jongens wees naar achteren naar een deur een eindje van de bank vandaan. Ik liep ernaartoe; opnieuw dreunden mijn stappen tegen de plankenvloer; de kinderen volgden me met hun ogen.

In de badkamer deed ik de deur op slot. Er was geen enkele reden om dat te doen, maar ik deed het toch. Ik opende het toiletkastje, dat propvol medicijnenflesjes was. Ik bekeek alles. Er was brintoverilte, chloorhexidine, vloeibare paracetamol, hoestsiroop, anti-histamine en een bijna leeg flesje, dat ik herkende van mijn kinderjaren. 'Ipecacuanha' stond er op het flesje – 'braakmiddel ter verwekking van braakreacties bij kinderen'. Op het etiket zag ik dat het alleen op recept verkrijgbaar was, dat het flesje een paar jaar oud was en dat de medicijn op naam van een van de kinderen stond. Ik stopte het flesje in mijn jaszak en sloot het medicijnkastje zorgvuldig.

Ik bewoog me voorzichtig terug over de plankenvloer, maar maakte onvermijdelijk lawaai. De kinderen staarden me aan vanaf de bank. Midden in de huiskamer vermande ik me; ik draaide me om en glimlachte naar ze.

"Als ik iets voor jullie kan doen of als jullie mij graag iets willen vertellen, dan moeten jullie het vooral zeggen", zei ik; ik voelde me totaal onmogelijk. Niemand van de kinderen antwoordde, ze staarden alleen maar. Ik kon mijn blik niet van hen afhouden. Ten slotte schudde de grootste jongen zijn hoofd. Ik glimlachte nog meer. En toen verliet ik hen.

In de keuken lag Sam op handen en voeten met zijn hoofd in een keukenkast. Zijn ademhaling was blazend. Ik bleef even staan om naar hem te kijken. Hij keek niet op. "De technici komen zo dadelijk, maar ik wilde even ..."

"Succes ermee", onderbrak ik hem, waarna ik naar buiten ging.

Nu was alleen het huis nog over. Het andere huis.

Ik ging in mijn jeep zitten en trachtte me te concentreren. "Hij woont in een grijs huis," had Gro Mari Björke gezegd, "maar er is ook een ander huis, met slingerplanten ..." Ik haalde Fish's dossier uit de kalfsleren tas. Wisteria Cottage was de naam die de plaatselijke bevolking had gegeven aan het huis dat Fish vaak voor zijn afschuwelijke daden had gebruikt. Wisteria was een slingerplant, als ik me niet vergiste. Ik bladerde ontredderd wat in het dossier, en het duurde een hele tijd eer ik een beschrijving van Wisteria Cottage vond. Het was een onbewoond huis van twee verdiepingen, dat op een heuvel was gebouwd, een flink stuk van de weg vandaan. Het was aan drie kanten door dicht struikgewas omgeven en was op die manier onzichtbaar voor de buren. En het gras rond het huis stond vol met paardebloemen. Die paardebloemen had zij geplukt terwijl hijzelf het huis was binnengegaan en zijn kleren had uitgetrokken. Hij had haar jas en haar hoed onder een veldkei verstopt voordat hij naar binnen was gegaan. Ik schudde het beeld van me af en ging verder met het huis. Het had een laag plafond en had jarenlang leeg gestaan; het rook er sterk naar bederf en schimmel. De wanden waren bedekt met gestreept, vlekkerig behang, dat op veel plaatsen was gaan rafelen, en de vloer was bezaaid met excrementen van diverse knaagdieren. Hoewel er geen gordijnen voor de ramen hingen, zou een voorbijganger er moeite mee hebben om naar binnen te kijken, want het glas was zo vuil dat alles werd buitengesloten, uitgezonderd het zonlicht dat gefilterd tot de kamers doordrong.

Terwijl Grace bloemen op het grasveld had geplukt, was Fish naar de eerste verdieping geslopen, naar een kamer van waaruit hij haar kon zien. Hij was neergeknield onder het raam en had zijn helse gereedschap uit het stuk linnen gehaald waarin hij het had gerold, en het op de vloer gelegd. Ergens in de beschrijving stond er, herinnerde ik me, dat Grace zijn gereedschap voor hem had vastgehouden; zij had met het bundeltje gezeten

waarin zijn zaag, zijn hakmes en zijn aan twee kanten snijden-
de mes lagen. Zij had er geen flauw idee van. Zij hielp alleen
maar een aardige oude man, die haar had uitgenodigd voor
een verjaarspartijtje.

Binnenshuis had hij zijn kleren uitgetrokken, het raam
geopend en haar geroepen. Zij was gekomen.

Het vertrouwen van kinderen, hun open gezichten – en degenen die hen misbruikten. Ze was naar hem toe gegaan met
bloemen in haar hand.

Toen ze de blote oude man in de gaten kreeg, was ze gaan
schreeuwen om haar moeder. Ze had haar bloemen laten vallen en had geprobeerd weg te lopen, maar hij had haar gevangen, en hoewel ze had gebeten en gerukt en geschopt, en hoewel hij niet meer dan 60 kilo woog en klein van stuk was, kon
hij met gemak zijn vingers in haar hals boren en haar wurgen.
Ze was immers niet meer dan tien jaar.

Ik concentreerde me op de papieren in mijn hand. Dat huis
moest ik vinden. Sifh kopieerde, en als ik geluk had, kopieerde
hij alles. En verder waren er slingerplanten – Wisteria – bij het
huis dat alleen stond.

Maar dit was in New York gebeurd. In Worthington, twintig mijl ten noorden van de stad. Het was veel te lang geleden
om van enig nut te kunnen zijn bij wat ik aan het doen was.

Ik smeet de papieren op de passagierszitting en startte de
auto. Ik ving een glimp op van Marcella Blatt, een maatschappelijk werkster die ik kende. Ze zat naast de chauffeur in een
politieauto, die bij het huis halt hield op het moment dat ik
met mijn jeep naar de ringweg koerste. Waarom moesten die
kinderen in 's hemelsnaam door een politieauto worden gehaald?

De zon stond heel schuin aan de hemel. Nog even en de dag
zou in schemering overgaan. Toen ik aan de rand van de stad
was gekomen, keek ik wat de kilometerstand was en rekende
uit wat de teller over 20 mijl of 32 kilometer moest aangeven.

Het was nogal vergezocht, en ik deed het uitsluitend omdat ik niets anders kon bedenken. En ook een beetje omdat het zo lang in mijn onderbewustzijn had geknaagd. En dat was nu eenmaal verstandiger dan ik.

De zon was aan het verdwijnen toen ik zag dat er nog twee kilometer ontbraken voordat ik tweeëndertig kilometer ten noorden van de stad was. Ik reed al een hele tijd op de oude, smalle, kromme wegen, die aan weerszijden geflankeerd waren door heggen of oeroude stenen wallen zo hoog dat je de horizon niet kon zien. Maar de weg kronkelde als een slang, dus ik moest verscheidene kilometers aftrekken van het getal van de kilometerteller om te weten hoe ver ik in werkelijkheid van de stad af was. Het bleef hoe dan ook giswerk. Ik had er geen idee van hoe ver ik nu weg was, en ik wist ook niet of dat van enig belang was. De bordjes ontbraken of waren overwoekerd.

De afstand tussen de huizen werd nu steeds groter, en elke keer wanneer ik er een zag, ging ik langzamer rijden om het te onderzoeken. Maar overal waren er tekenen van leven. Een glimp van een menselijk wezen in een raam, een auto die er geparkeerd stond, een goed verzorgde tuin, een schommel. Toen de kilometerteller aangaf dat ik nu 40 kilometer had gereden, was de schemering gevallen, en ik besloot er de brui aan te geven, maar ik kon niet omkeren op de smalle weg en moest doorrijden tot ik een afrit of keerplaats vond. Juist toen dat besluit genomen was, kreeg ik een houten huis in de gaten, dat gebouwd was op een helling. Het was omringd door struikgewas, niet door bos, hoefvormig naar achteren toe. Het huis zag er kaduuk uit, en was duidelijk onbewoond. En bedekt met blauwe regen. Ik ben geen botanicus, maar blauwe regen ken ik, want het groeit in trossen tegen mijn huis aan en kruipt het dak op. Ik parkeerde mijn auto voor het huis en belde naar William in het crematorium. Hij was er niet. Ik pakte mijn adressenboekje uit mijn tas en vond zijn privé-nummer. Mijn voormalige tuinman nam onmiddellijk op. Het klonk alsof hij kauwde, misschien at hij zijn avondeten. Mijn maag kromp ineen. Die was leeg.

"Is blauwe regen Wisteria?"

"Mmmm", bromde hij, zijn mond leeg etend. "Wisteria Sinensis, een zeer snelgroeiende klimplant."

"Klimplant? Kun je het geen slingerplant noemen?"

"Jazeker wel!"

"Dank je, dank je wel!" Ik verbrak de verbinding en overwoog heel even of ik Sam zou opbellen, maar besloot zelf eerst op onderzoek uit te gaan. Ik had geen zin in nog meer ten hemel gewende ogen of boze grimassen van zijn kant. Ik opende het handschoenenkastje en pakte mijn staaflantaarn. Het was nog niet donker, maar de schemering was bijna afgelopen.

De voordeur stond halfopen en hing aan het bovenste scharnier. Als de deur had gekraakt, zou ik de moed hebben verloren. Hij kraakte niet. Direct erachter voerde een houten trap naar boven. De treden waren gebogen en versleten in het midden. Ik ging naar boven. Aan het eind was een overloop met een deur aan weerszijden. Ik opende de linker en liet de lantaarn door het vertrek schijnen. Er waren spinnenwebben in de hoeken en op de ramen; dorre bladeren, vuil en een stukje papier van een ijslolly op de houten vloer. Verder niets. Ik deed de deur achter me dicht en liep de andere kamer binnen. Het eerste wat ik ontwaarde, was een motorzaag. Die lag in een hoek. Een hele rij verfpotten met het deksel erop stond langs de wand, die een raam had. Het rook er vreemd. Ik had naar de motorzaag moeten lopen om het merk te controleren, maar dat deed ik niet. De houten vloer zat onder de vlekken, vlekken in alle mogelijke formaten. Ze waren zwart, voor zover ik het kon bekijken. Of donkerrood. Ik deed de deur dicht en rende de trap af. Ik vond een contact en deed het licht aan in de gang. Het was een kale peer, die aan een snoer hing. Vanuit de gang kon je maar één kant op, en ik belandde in iets wat op een keuken leek. Ik probeerde het licht aan te doen, maar dat deed het niet. Ik bleef in de deuropening staan en scheen in het rond: op een aanrecht met witgeschilderde kastjes eronder, op een gasfornuis met twee grote, oeroude, ijzeren pannen, waarin ik maar liever geen kijkje wilde nemen. Op de keukentafel tegen de wand stond een oude schrijfmachine. Ik waagde me wat verder in de keuken en liet de lichtkegel over het linoleumoppervlak van het aanrecht gaan. Er waren geen vlekken, maar in de gootsteen lag een donkere dweil, die zo te zien nog steeds vochtig was. Ik draaide me om en scheen op de andere wand. Een oude diepvrieskist stond naast een koelkast. Ik richtte de lichtkegel op de vloer en keek naar beneden. De vloer vertoonde vlekken van iets wat olie had kunnen zijn, ware het niet dat ze donkerrood waren. Een paar schoenen, maat 41 à 43 schatte ik, hadden de vlekken uitgesmeerd op de vloer. Ik hoorde een geluid en keerde me om naar de gang, die verlicht was door de kale peer. Het licht leek nu groenig. Mijn hele systeem bevroor, ik hield mijn adem in. Het had geklonken als een vogel die een raam raakte. Maar het zou ook iets anders kunnen zijn. Ik zocht in mijn broekband naar mijn PDA, maar die was er niet. Die lag in de auto. Ik keek naar het raam in de gang. De ruiten waren donker. Buiten was het nu donker. Hij zou daarbuiten naar binnen kunnen staan kijken, zonder dat ik hem kon zien. Hij zou mij kunnen zien. De tijd. Ik was mijn gevoel voor tijd kwijtgeraakt. Mijn horloge lag op Loretta's bureau. Hoe lang had ik in mijn jeep bij Sifhs huis gezeten? Hoeveel tijd had ik ervoor nodig gehad om hiernaartoe te rijden? Hoe lang duurde het om Sifhs maag te checken? Dat was immers het enige wat ze moesten doen. Hij was waarschijnlijk allang weer losgelaten. Ik wilde me graag bewegen, maar ik kon het niet. Mijn ademhaling klonk te luid. Waar zou hij naartoe gaan wanneer hij werd losgelaten? Zou hij hiernaartoe gaan omdat hij me kende, omdat hij wist hoe ik dacht? Omdat hij wist dat ik alles van

Albert Fish afwist? Ik sloot mijn ogen en probeerde het geluid te dempen van mijn eigen ademhaling en van mijn hart, dat tegen mijn borstkas aan bonkte. Ik zocht op de tast naar het stun-knuppeltje in mijn tas en doofde de lantaarn. Toen vermande ik me, bewoog me naar de schakelaar in de gang en deed het licht uit. Ik bleef in de gang naast de schakelaar staan. En wachtte af.

25

Zo STOND IK, badend in de duisternis, elektrisch van angst in al mijn ledematen. Ik heb geen idee hoe lang ik daar stond te luisteren naar het geluid van mijn eigen ademhaling. Er waren geen andere geluiden. Er gebeurde niets. Op het laatst vermande ik me en liep op de tast door de donkere gang naar de deur. Toen ik de deurklink in mijn hand voelde, haalde ik diep adem. Toen rukte ik de deur open en holde naar buiten; de deur viel uit zichzelf terug in het scharnier. Ik rende naar mijn jeep toe zonder achterom te kijken, ging zitten, deed het portier op slot, startte de jeep, keerde om en reed terug langs de weg waar ik eerder had gereden. Toen mijn ademhaling normaal was geworden, belde ik Sam op.

Ze hadden hem laten gaan. Zijn maag was brandschoon geweest. En het bloed op de houten hamer was van hemzelf geweest. De technici waren vezels uit de auto aan het analyseren, maar dat beloofde niet veel goeds. De kinderen waren onderzocht. Niets duidde erop dat die lichamelijk overlast hadden geleden, maar hen hadden ze laten blijven, in de hoop dat ze op een gegeven moment iets zouden zeggen. Maar hem, hem hadden ze laten gaan. Cormio Vittantonio. Ik moest met Cormio Vittantonio praten, dacht ik, toen ik de PDA afzette.

Mijn maag was in de knoop en mijn handen trilden. Dat kwam vermoedelijk ook doordat ik niets te eten had gehad en ik me niet kon herinneren wanneer ik voor het laatst had geslapen. Ik ging op de 'bezette' bank in het verhoorlokaal naast Sams kantoor liggen met mijn jas om me heen gewikkeld. Ik voelde nog net het medicijnenflesje in mijn jaszak, maar ik draaide me gewoon om en viel toen in slaap.

Kort na mijn telefoontje was het Wisteria-huis overstroomd geraakt met technici, die de hele avond doorwerkten. Ik had ze opgewacht bij een benzinetank aan de rand van Cornwell en hun de weg gewezen naar het huis, maar zelf bleef ik niet lang. Ik wilde niet weten wat er in de oude diepvrieskist lag, maar ik had niet kunnen vermijden te horen dat er genoeg was voor een paar smakelijke maaltijden, en dat er geen sprake was van nouvelle cuisine. En Marco Greco's hoofd had er ook gelegen. Ik ving ook nog op dat de zaag in het rechter vertrek op zolder een Fluger-zaag was. Wat er in de verfdozen zat, ben ik nooit aan de weet gekomen. Ik vroeg er ook niet naar. Ik droop af naar het politiebureau en ging op de bank liggen.

Het was vier uur 's nachts toen Sam me wekte. "Kom", zei hij terwijl hij me ongeduldig door elkaar schudde. Hij had het over haar en vezels en bloed die bij elkaar pasten, maar ik sliep zo diep dat ik alleen maar overeind ging zitten, het flesje uit mijn zak opdiepte en het aan hem gaf. Toen ging ik weer liggen om te slapen. Maar hij schudde me opnieuw door elkaar en zei dat dat flesje er niets toe deed.

"Kom nou", zei hij, me met geweld door elkaar schuddend. "Ik heb verdomme ook in geen tijden geslapen. Ik wil dat je meegaat." Ik opende mijn ogen.

"Ja maar waarheen?" vroeg ik, worstelend met de slaap die mij trachtte te overmeesteren.

"Sifh halen. En jij moet mee."

Sam pakte me bij mijn schouders en zette me overeind. En schudde me door elkaar. "Nou hebben we hem." Ik begon wakker te worden, maar voelde hoe de uitputting me zwaar maakte.

"We kunnen er zo naartoe rijden om hem van zijn bed te lichten en in een cel te zetten. Nou hebben we hem, Fanny!"

Hij pakte me onder mijn armen en trok me overeind.

"Kom op nou. Morgen ben je kwaad op me, als je niet mee-komt."

Ik steunde op hem met mijn ene arm en wreef in mijn ogen. "Ik moet even wat water op mijn gezicht doen", zei ik, waarna ik de deur uit wankelde en me naar het dichtstbijzijn-de toilet begaf. Ik durfde mezelf niet in de spiegel te bekijken en plensde gewoon een paar keer ijskoud water tegen mijn ge-zicht aan. Dat hielp, maar ik was nog steeds uitgeput en ver-vuld van een matheid, een bloedeloosheid, die aanvoelde als gewichten in al mijn ledematen. Toen ik naar buiten kwam, stond Sam daar te trappelen. Hij reikte me een plastic bekertje met zwarte koffie aan, waaraan ik nipte terwijl we door de gang liepen, naar zijn auto toe, die vlak voor het gebouw stond geparkeerd.

Toen we het grijze huis naderden, was het vijf uur in de ochtend, maar het was nog steeds pikdonker. Er brandde licht in het huis. Sam hield een eindje van het huis vandaan halt, en we stapten uit. Hij liep voorop, ik liep achter hem aan. We stopten abrupt toen er een schot klonk in het huis. Gevolgd door een lange dierlijke schreeuw. Sam pakte zijn .38-kaliber pistool, zette het op scherp en hield het krampachtig vast. Het schreeuwen in het huis hield aan. We keken elkaar kort aan en stonden op het punt de twee stenen trappen bij de voordeur op te lopen toen we nog een schot hoorden, gevolgd door een lange brul die maar niet wilde ophouden. Sam opende voor-zichtig de deur en we slopen naar binnen. Het schreeuwen bleef maar doorgaan, en het was afkomstig uit de Spartaanse huiskamer. Ik bleef midden in de keuken staan en zag hoe Sam naast de kamerdeur ging staan met zijn rug naar de wand toe. We keken elkaar aan, Sam met het pistool ter hoogte van zijn oren. Hij keek de kamer in. Ik kon zijn gezicht niet lezen. Hij was ijskoud. Het schreeuwen in de kamer begon te trillen. Ik bewoog me langzaam naar Sam toe en wierp voorzichtig een blik langs de deurpost.

Midden in de kamer lag Sifh op zijn rug met zijn bloedige, stukgeschoten knieën in zijn handen, ineengekrompen, in een plas bloed. Hij schreeuwde. Zijn vingers schraapten trillend over zijn knieën, zijn handen gingen dicht en open, dicht en open. Michael Frosh stond naast hem, hij hield een pistool op zijn gezicht gericht. Frosh zag ons niet. Hij had handschoenen aan. Vanuit mijn ooghoeken zag ik hoe Sam zijn pistool liet zakken. Frosh mikte nu op Sifhs kruis. Zo stond hij een poosje, voordat hij de trekker overhaalde. Ik kneep mijn ogen dicht en wankelde weg, de keuken in, en ging er met mijn rug naartoe staan. Het schreeuwen veranderde in een blaten, dat tegen de wanden op kroop en bleef hangen. Ik keek naar Sam. Die kneep zijn ogen dicht.

"Hou je d'r buiten", riep een stem door Sifhs lange geschreeuw heen. Frosh had Sam blijkbaar gezien.

"Staat dat pistool op jouw naam geregistreerd, Frosh?" hoorde ik Sam roepen.

Ik hoorde Frosh niet antwoorden, alleen een schot, dat een einde maakte aan het geschreeuw.

Sam stond een poosje te kijken. Niemand zei wat. Het klonk alsof Frosh het pistool van zich af gooide. Sam ging de kamer binnen. Ik hoorde ze tegen elkaar fluisteren. Ik weet niet hoe lang ze daar stonden te fluisteren. Maar op een gegeven moment denderden Sams voetstappen over de planken vloer.

"Nu bel ik een ambulance en laat wat versterking komen", riep hij. "Ze hebben er tien minuten voor nodig om hier naartoe te komen."

Ik keerde me naar de voordeur toe, en bleef zo een tijdje staan. Ik voelde de lichte aanraking van Frosh' arm tegen mijn schouder toen hij langs me holde, de deur uit en de nacht in, die nog steeds donker was.

Achter me hoorde ik Sam in de PDA praten. Ik draaide me naar hem toe. Zijn gezicht was uitdrukkingsloos. Het pistool van Frosh lag op het aanrecht.

"We moeten het even met elkaar eens worden", zei hij toen hij de PDA had afgezet. "We kwamen hier aan en hoorden een schot. Toen kwamen we binnen en zagen hem daar op de vloer liggen." Sam trok handschoenen aan, haalde een papieren zakdoekje uit zijn zak en begon het pistool van Frosh af te vegen.

"En wat denk je wat de jongens van de ballistiek en Lisa hiervan zullen zeggen? Die zien meteen dat hij zichzelf niet heeft doodgeschoten. Die kunnen aan de schotwonden en de hoeken en wat-al-niet meer zien dat hij op enige afstand is neergeschoten, dat is toch ..."

"Toch is het een feit: we kwamen hier aan en hoorden een schot. Toen kwamen we binnen, en zagen hem daar op de vloer liggen. En we hebben geen anderen gezien." Sam ging de kamer in. Ik bleef waar ik was. Ik wist dat hij het pistool in Sifhs hand stopte.

Ik hoorde hem op de planken vloer lopen. "De hoofdzaak is ..." zei Sam vanuit de huiskamer, "dat er geen enkele link met Frosh is."

"En het pistool? Van wie was dat?"

"*Curiosity killed the cat*", riep hij. "Hoe minder je weet, des te minder je hoeft te liegen. Dat vertel ik je later wel."

"Wij kwamen hier aan en hoorden een schot. Toen kwamen we binnen en zagen hem daar op de vloer liggen", fluisterde ik.

Plotseling stond Sam voor me. Hij pakte me bij mijn schouders. Hij keek in mijn ogen met een blik die dieper ging dan ooit tevoren. Ten slotte zei hij: "Op een gegeven moment keek Frosh me aan. Hij keek op en keek me aan. Het was geen smekende blik, maar weet je waar ik aan dacht? Het enige waar ik aan dacht?"

Ik zei niets, maar hield zijn blik vast.

"Ik dacht aan de kleine jongen van Frosh."

Ik aarzelde. "Je bedoelt – het kleine meisje?"

Hij schudde zijn hoofd. "Ik bedoel de kleine jongen van Frosh, *laleczko*."

Ik belde een taxi. Toen ging ik naar Sams auto, leunde ertegen aan en wachtte. De ambulance kwam eerst, toen kwam Lisa. Ze knikte me toe toen ze me passeerde, maar zei niets. Toen kwam mijn taxi. Dat is alles wat ik weet.

26

Toen de pda me om halfacht wekte, was ik nog steeds doodmoe. Maar ik was wakker. Ik zette hem af, draaide me om, probeerde door het matras heen te vallen om meer slaap te krijgen, maar ik was te zenuwachtig. Ik stond op, keek steels naar
de badkamerdeur en trok mijn kleren van de vorige dag aan.
Ik sprenkelde een paar druppels water op mijn gezicht, pakte
een bekertje yoghurt en at de helft ervan op. Ik dacht nergens
aan; belde werktuiglijk naar Sams afgezette pda.

Op het bureau probeerde ik Sam te vinden, maar hij was
nergens te bekennen en niemand wist waar hij was. Ik ging
naar Loretta toe en haalde een bekertje koffie uit de machine
vlak voor de deur. Er was helemaal niemand op de derde verdieping. Het was blijkbaar zaterdag. Het eerste wat ik zag toen
ik op de stoel naast haar ging zitten, waren de twee paspoorten
die ze in een afgesloten keukenkastje in Sifhs Wisteria-huis
hadden gevonden. Het ene paspoort was een fraaie vervalsing,
dat zo te zien van een zekere Caspar Wistar was, de sedert lang
overleden Amerikaanse anatoom naar wie de Wisteria-plant is
vernoemd – een klein detail dat Loretta in de loop van de
nacht had ontdekt. Ze had de hele nacht doorgewerkt en zag
nu, om halfnegen, bijna lichtgroen van vermoeidheid. Caspar
Wistar stond geregistreerd als eigenaar en bewoner van het
huis dat alleen stond.

Het andere paspoort was echt, en was van een zekere Ulrich
Deterso.

"Dat was zijn echte naam", begon Loretta, terwijl ze een bestand opriep. "De zoons van Albert Fish veranderden hun achternaam in Deterso en verlieten de vs kort nadat hun vader was gebraden in de stoel van Sing Sing. Ik heb het opgezocht." Ze wees naar het scherm, dat een passage liet zien uit een elektronisch Italiaans woordenboek met het woord "*detergere*" in oranje reliëf gezet.

"Deterso komt van *detergere* en betekent 'reinigen, wegwassen'. Die zoons moeten een grote behoefte hebben gevoeld om van de Fish-naam af te komen, van de dingen die hun vader had gedaan. Ze moeten de wens hebben gekoesterd om schoon schip te maken ..."

"Maar dat kun je niet altijd", viel ik haar mechanisch in de rede.

"Nee, maar het lukte, voor zover ik het heb kunnen bekijken, bij twee van hen. Henry en Eugene trokken naar Milaan, trouwden met Italiaanse meisjes, werkten respectievelijk als meubelmaker en timmerman en gedroegen zich onberispelijk – ja, dat kan ik niet natuurlijk niet zeggen, maar ze hebben in elk geval geen strafblad. Maar John – die zwierf wat rond van de ene stad naar de andere en vestigde zich op het laatst als schilder in Istanbul samen met zijn Oostenrijkse vrouw en twee zoontjes. Hier liep het kennelijk helemaal mis, want hij werd ter dood veroordeeld aan het eind van de jaren 40. Hij had zijn vrouw en de oudste jongen doodgeslagen met een houten hamer met spijkers erin. De kleinste, Ulrich Deterso, dat wil zeggen onze Bertal Sifh, die op dat moment acht jaar was, overleefde het en werd na een aantal maanden intensive care naar een kindertehuis gestuurd. Hij ging op de loop – met zijn paspoort – toen hij zestien was, en moet drie jaar lang ondergronds hebben geleefd, want ik vond hem pas weer toen hij negentien was en in Pontevedra in het noorden van Portugal woonde, waar hij zo te zien aan de kost kwam als schilder. Tot 1965 kan ik hem volgen, dan verlaat hij Portugal. Hij duikt pas weer op in Wenen in 1966, 55 jaar oud. Maar dan begint hij aan een vreemd patroon. Hij woont drie jaar in Wenen, dan verhuist hij naar Debrechen, is daar drie jaar, verhuist naar Düsseldorf, woont daar drie jaar, verhuist – kijk zelf maar!"

Ze riep een bestand op en knikte naar het scherm. Maar ik nam er genoegen mee naar haar te luisteren.

"Toen hij Rotterdam verliet, moet hij al twee paspoorten op zak hebben gehad, want een zekere Ulrich en Sluva Deterso en hun zes kinderen hadden zich uit het bevolkingsregister van de gemeente Rotterdam laten uitschrijven drie dagen voordat een zekere Bertal en Sluva Sifh en zes kinderen in Cornwell werden geregistreerd."

"Hoe is dat godsmogelijk?"

Ze haalde haar schouders op. "Tja. Het is wat aan de late kant om dat aan hem te vragen."

"En de dochters van Albert Fish?"

"Geen zonderegister, alleen maar ziektejournalen – depressie, tuberculose, dat soort dingen. Ze overleden straatarm in New Jersey aan het eind van de jaren 60. Typisch meisjes, die vreten het op."

"Wat deed hij op de plaatsen waar hij woonde, Sifh, nee, Deterso?"

"Hij was schilder." Loretta zag er doodmoe uit, en haar ogen dreigden voortdurend dicht te vallen.

"Nee, ik bedoel of hij iets strafbaars heeft gedaan."

Ze schudde haar hoofd en wreef in haar ogen. "Niet voor zover ik het kan bekijken. Maar ik heb gezien dat er op alle plaatsen en binnen de periodes dat hij daar woonde onopgehelderde gevallen van verdwenen kinderen zijn. Maar daar moet je me wat meer tijd voor gunnen, en nu moet ik domweg naar huis om te gaan slapen." Ze zette de computer uit en stond op. Ik bleef nog wat zitten en nipte aan mijn koffie.

Loretta streek me over mijn haren. "Ga naar huis om te slapen, Fanny. Je ziet eruit als een lijk." Toen ging ze weg. Ik knikte afwezig, maar had geen kracht om op te staan en weg te gaan. Ik stond op het punt om in te dommelen toen ik Sam in de deuropening ontwaarde. Zijn gezicht was minstens net zo groen als dat van Loretta; hij leunde tegen de deurpost aan.

"Zo, daar ben je. Waarom heb je je PDA afgezet?" vroeg hij.

Hij strompelde met stijve benen naar Loretta's stoel toe en ging zitten.

"Een slechte gewoonte die ik heb aangenomen. Net als jij."

Ik borstelde wat roos van zijn revers en keek hem onderzoekend aan. Zijn ogen waren bloeddoorlopen, zijn haar was vettig, zijn neus leek groter dan ooit.

"Waar heb je zelf gezeten? Ik heb overal naar je uitgekeken."

"Ik ben even bij Frosh aangewipt. Ik wist best – dat besefte ik toen hij het huis uit holde – dat hij in Sifhs bestand was geweest, maar weet je wat?"

Ik schudde mijn hoofd.

"Dat was een ellendige conclusie." Hij pauzeerde even. "Niet dat hij het was, want dat was inderdaad zo, maar het enige wat hij daar vond, was – voor hem althans – het bewijs van wat jij al wist."

"Je drukt je tamelijk cryptisch uit."

"Ja, ik klets uit mijn nekharen. Hij vond zijn bewijs in het casebestand, niet in Sifhs bestand. Luister – herinner je je dat jij me verzocht te vragen bij wie Ellen op schoot had kunnen zitten?"

"Tja", zei ik aarzelend, want ik herinnerde het me maar vaag. Het was de verandering in Albert Fish's brief. Sifh had geschreven dat Ellen bij hem op schoot had gezeten toen de ouders het niet zagen.

"Je moet hem vragen wie haar op schoot kan hebben genomen terwijl zij niet toekeken, zei je tegen me", vervolgde Sam. "En ik dacht dat het gewoon weer een van je idiote bedenksels was, net zoiets als 'het huis dat alleen stond' en zijn 'grijze huis' ... enzo." Hij aarzelde. "Al dat soort grensgevallen."

Ik wist best wat hij bedoelde met 'grensgevallen'.

"Maar ik vroeg het hem toch, en nu zie ik in dat hij raar opkeek toen ik het hem vroeg. Maar ik stond er verder niet bij stil. Op de dag dat ik hem vroeg wie Ellen op schoot kon hebben genomen terwijl zij niet toekeken, realiseerde hij zich, zei hij, dat Sifh dat had gedaan. De dag ervoor was hij net in ons casebestand geweest, waar zijn aandacht was gevallen op dat detail met het restje verf op Ellens oor, welk merk en welke pigmentatiegraad het was. Dat had ik hem natuurlijk niet verteld, ik zei gewoon: grijze verf. En de reden waarom het hem was opgevallen, was dat Sifh enorm aangedrongen had bij Frosh toen hij hun huis zou verven, en hij er op het laatst bijna in was geslaagd hem ertoe over te halen het te laten verven met Lutex 16, een matte, grijzige kleur. Maar uiteindelijk werden hun muren abrikooskleurig, zoals ze dat hadden gewenst. Maar toen was hij verbanden gaan leggen en verrichtte zijn eigen onderzoek. Hij wist de klantenlijsten van de verffirma's te *hacken* en ontdekte hetzelfde als Froikin en Beider – de twee mensen die ik naar de verf had laten kijken – namelijk dat er ongelooflijke hoeveelheden Lutex 16 in juist die kleur werden verkocht. Maar Frosh ontdekte ook dat Bertal Sifh extreem veel Lutex 16 had ingeslagen, zeker als je bedacht dat hij maar een eenmansbedrijfje had."

"Dat hadden Froikin en Beider ook moeten ontdekken."

"Achteraf ziet alles er zo simpel uit."

We zaten een poosje zwijgend voor ons uit te staren. Ik voelde hoe de irritatie als een klomp deeg begon te rijzen in mijn buik.

"Ja maar we hadden helemaal niets op Sifh aan te merken. Frosh had een idee gekregen, net zoals jij ideeën krijgt. Die kant noch wal raken. Alleen maar beelden, vage gevoelens, vermoedens. Maar zo werken wij niet. We hadden niks op hem aan te merken."

"Jullie hadden toch zeker precies hetzelfde als Frosh. Jullie hadden de verf. Wanneer Frosh die verf kon gebruiken, konden jullie dat toch zeker ook wel?"

"Nu moet je ophouden! Die kleur, dat merk, wordt het meest gebruikt in alle openbare kantoren en instellingen in de hele staat. Kijk maar naar de brandweerkazernes, ziekenhuizen, scholen, kleuterscholen, bejaardencentra, raadhuizen – als het een willekeurige andere kleur was geweest, zouden wij waarschijnlijk ook wat alerter hebben gereageerd."

Ik zuchtte. Het was nutteloos. Frosh had namelijk iets wat de anderen niet hadden: een kind dat was vermoord en opgegeten.

"Maar waarom heeft Frosh niets gezegd? Als hij zo zeker wist dat Sifh het was, waarom heeft hij dan niets gezegd?"

Sam keek me wanhopig aan. "Ja waarom heeft hij in 's hemelsnaam niets gezegd, denk je?"

Touché. Ik zat een poosje na te denken en deed mijn best om niets te zeggen, maar toen vloog het toch mijn mond uit.

"Het was verdorie moord, Sam. Moet je horen, jij bent medeplichtig – voel je je daar dan helemaal niet beroerd bij?"

"Vraag je of ik me beroerd voel omdat die smeerlap zijn verdiende loon heeft gekregen?" riep hij kwaad. "Denk je dat Lisa zich daarbij beroerd zou voelen? Denk je dat Vainer zich daarbij beroerd zou voelen? Denk je dat Lashowicze zich daarbij beroerd zou voelen? En zeg eens eerlijk – voel jij je er beroerd bij?" Hij hield een pauze, waarin hij me alleen maar aanstaarde.

Touché nummer twee.

Maar toen kneep hij zijn ogen dicht en zei stilletjes: "Vergeet niet dat wij hier de onderzoekende autoriteiten zijn."

Er liepen koude rillingen over mijn rug, maar ik wist niet wat ik moest zeggen.

Ik vouwde mijn handen op mijn schoot en schraapte mijn keel. Het zou goed zijn om nu een vraag te stellen.

"Zo, dus Frosh was degene die zich toegang verschafte tot Sifhs bestand?"

Sam knikte. "Verschillende keren."

"Kan Loretta of een van de anderen niet zien dat Frosh het was?"

Sam schudde zijn hoofd. "Ik heb het hem gevraagd. Hij lachte schamper. Het hoofd databeveiliging bij de Federale Bank lachte schamper naar me."

"Maar wat heeft hij dan gevonden in Sifhs bestand?"

"Hij vond niet zo erg veel. Maar hij kwam er onder andere achter dat Sifhs vrouw de 40 watt-peer van de politie had beschoten met Sifhs .32 pistool – dat aan Sifh werd teruggegeven toen we met haar klaar waren. Het was volkomen legitiem en stond op zijn naam geregistreerd."

"Het pistool werd aan Sifh teruggegeven. Maar jullie vonden geen pistool toen jullie huiszoeking verrichtten?"

"We vonden het niet, want op dat moment had Frosh het al weggenomen."

"Weggenomen? 'Gepikt' zul je bedoelen. Bedoel je dat Frosh Sifhs eigen pistool heeft gebruikt? Je neemt me in de zeik!"

"Toen hij zich realiseerde hoe de vork in de steel stak, deed hij een ronde door Sifhs huis."

"Heeft hij inbraak gepleegd bij Sifh?"

"Precies."

"Om het pistool te pakken te krijgen?"

"Yep."

"Maar hoe is hij in vredesnaam binnengekomen?"

"En dat vraag jíj?! Hij drukte een ruitje in en deed een deur van het slot. Net als jij deed toen je bij Malko inbrak."

"Dat heb ik niet gedaan." Ik keek een andere kant op en hoopte dat de warmte, die ik voelde opstijgen naar mijn hoofd, niet te zien was.

"En heeft Sifh geen aangifte gedaan van de inbraak?"

Sam schudde zijn hoofd en vervolgde: "Maar toen we Sifh voor de tweede keer lieten lopen, was de maat vol voor Frosh. Kun je dat begrijpen?"

Ik knikte. Dat was ontzettend makkelijk te begrijpen.

We zaten een poosje zwijgend voor ons uit te staren.

"Ga toch naar huis om te slapen, Sam, je ziet eruit als een lijk." Ongelooflijk, zoals we er allemaal als een lijk uitzagen.

"Er is nog iets wat ik je niet heb verteld."

Sam deed zijn ogen dicht en woelde met zijn tong door zijn mond.

"Weet je wat Sifh zei? Weet je wat hij me vroeg? Toen ik hem vergezelde naar het laboratorium voor die tests?"

"Vertel."

"Hij vroeg of het me had gesmaakt. En toen vroeg ik natuurlijk wat hij bedoelde, nietwaar? En toen vroeg hij of ik niet vond dat hij een goede kok was – en toen lachte hij satanisch. Weet je nog dat ik een tandenborstel van jou wilde lenen?"

Ik knikte. "Je had iets gegeten waarin te veel knoflook zat."

"Ja, het was een eenpansgerecht dat Sifh had klaargemaakt en waar ik een portie van kreeg toen ik bij hem was om een paar vragen te stellen over zijn vrouw. Weet je wat het was?"

"Als je het op die manier vraagt – een stuk van Ellen Frosh?"

Hij knikte. "Wat kan het anders geweest zijn?"

"*Come on!*"

"Wat kan het anders geweest zijn? Waarom zou hij het anders op die manier hebben gevraagd? Het smaakte werkelijk merkwaardig." Sam zag eruit als iemand die een grote, slijmerige pad had gegeten. "Ik heb het opgegeten. Het is allang verteerd. Het heeft niet eens zin om te gaan overgeven." Zijn ademhaling werd sneller, en als ik pech had, zou hij zometeen een potje gaan grienen.

"*Perwersyjny skurwysyn*", fluisterde hij. Er stonden tranen in zijn ogen. "Die smeerlap heeft mij mensenvlees laten eten."

Ik had mijn buik vol van hem. Ik was domweg te moe.

"Kom nou, rustig nou maar", zei ik langzaam, in een poging mijn irritatie te verbergen. "Het is gewoon vlees. De enige reden waarom wij vinden dat het vies is, is omdat we daarvoor geprogrammeerd zijn. Wij zijn ervoor geprogrammeerd onze eigen soortgenoten niet op te eten, eenvoudigweg om de overleving van de soort veilig te stellen. Die zou immers niet veel kansen hebben als wij elkaar van de straat oppikten wanneer we honger hadden."

"Stel nou dat ik er Creutzfeldt en gekke-koeienziekte van krijg? O *kurwa!* Dat krijg je als je je eigen soort eet."

Nu was het genoeg. Hoofdschuddend draaide ik me om en begon weg te gaan.

"Ja maar je hebt me zelf verteld over die lui op New Guinea die hun overledenen opaten en die de kolder in hun kop kregen!" riep hij me achterna.

Ik bleef stilstaan, draaide me om en riep terug: "Jij krijgt helemaal geen kolder in je hoofd of BSE of Creutzfeldt, Sam – maar je wordt stapelgek als je op die manier doorgaat. En ik ook trouwens. Ga naar huis om te slapen. Het is voorbij."

"Mag ik met je mee?" piepte hij.

"Nee. Ik moet slapen."

Het was halftwaalf toen ik in mijn bed kroop, en hoewel mijn maag een lunch eiste, volstond ik met het beeld van een paar reuzengarnalen overgoten met gekruide kreeftsaus en gegarneerd met paprika's, en toen sliep ik. Toen ik de volgende morgen wakker werd, was het niet alleen halftien. Het was ook mijn verjaardag.

Ach nee. Niet opnieuw.

27

Ik GING LANGZAAM overeind in bed zitten en sloeg mijn handen voor mijn ogen. Ik wist dat Sonia vanavond een open huis in mijn kamers had georganiseerd; dat deed ze elk jaar. Maar de dag had ik helemaal voor mezelf. Ik rekte me uit en voelde me zo goed als nieuw. Ik stak een arm uit naar mijn rode kimono, trok die aan, stapte langzaam het bed uit en liep nog langzamer naar de keuken. De krant lag op de mat bij de voordeur, en vandaag had ik tijd om hem te lezen. Ik zette koffie, liet me in een van mijn Provençaalse rieten stoelen vallen, legde mijn benen op tafel, bladerde loom in de Cornwell Bugle en vond mezelf onder VERJAARDAGEN op de voorlaatste pagina. De kop was een reuzevraagteken en de signatuur was van Hanif Kureishi. HAIKU. Wat origineel. Die man irriteerde me.

Het was het oude liedje: hoe oud was ik in werkelijkheid, en o, wat was het toch interessant. Ik liet de krant zakken. Ik besefte dat ik een hele dag voor de boeg had waarin ik me kon amuseren, en dat ik bovendien behoefte aan wat amusement had. Het was hoog tijd dat ik Hanif een geduchte les gaf, tot lering en vermaak.

Hanif Kureishi was een knappe man, daarover bestond geen twijfel. Een knappe man, die verscheidene pogingen had gedaan het met mij aan te leggen. Aan mijn lijf geen polonaise – ik voelde er namelijk niets voor om verguisd te worden. Mijn drang tot zelfbehoud is gelukkig veel groter en sterker dan de overige driften.

Hij was de ergste geruchtenverspreider, de ergste roddel-tante, en daarbij de best betaalde journalist van de stad, zo niet van de hele staat, en je moest werkelijk op je tellen passen. Hij deinsde nergens voor terug. Hij verkocht met alle plezier zijn vrouw, die tien jaar lang lief en leed met hem had gedeeld, in een boek dat hem een voorschot van 500.000 euro opleverde – en waarin hij haar bladzijdenlang aan de kaak stelde als een vette, vervelende 40-jarige, en hun gemeenschappelijke kinderen als irritante, anonieme aanhangseltjes van zijn stormachtige leven. Hij was met alle vrouwelijke medewerkers van de krant naar bed geweeWst en had zonder blikken of blozen hun geheimen in zijn kolommen prijsgegeven, zonder ooit hun naam te noemen, maar altijd zo dat ze herkenbaar waren voor de kring van ingewijden op wie hij indruk wenste te maken. En hij kreeg er nooit genoeg van.

Ik was hem om de drommel niet vergeten, ik had hem alleen maar voor later bewaard – als toetje, bedacht ik opeens. Alles op zijn tijd. Dus wat zou ik met Hanif doen?

Zou ik hem verleiden en hem na afloop honen?

Te gemakkelijk. Te banaal.

Ik smeet de krant in een hoek en ging naar de badkamer. Ik nam een stevige slok van de Vecchia uit het kastje en vervolgens nam ik een bad. Zou ik hem op mijn bed installeren in onmiskenbaar geërigeerde staat, hem een zwieper met mijn stun-knuppel verkopen en een paar foto's maken?

Te vulgair.

Zou ik hem ertoe bewegen mij indiscreties te vertellen en die opnemen op mijn nieuwe dictafoon?

Te lastig.

Ik droogde me af en checkte mijn gezicht in de spiegel. Een beetje foundation en wat lipstick zouden soelaas kunnen bieden. Toen trok ik een badjas aan, ging op bed liggen, sloot mijn ogen en stelde me op Hanif in. En op zijn grote penthouse-flat, waar altijd een zwak geparfumeerde mannenlucht hing. De wanden waren diepgroen, al het andere was knalrood. De keuken was rood, de vloerkleden, de stoelen, de banken en de gordijnen waren rood. Alles was zo schoon, zo duur, zo stijlvol – zo Hanif. Hij moest een beetje door het slijk gehaald worden. Ik zou niet weten waarom ik opeens aan garnalen moest denken. Misschien kwam het doordat Sonia's cateringvoedsel altijd uit fantasievolle composities van zalm en garnalen bestond. Lekker, maar lekker voor beperkte tijd. En hoe ik de garnalen met Hanifs holle koperen gordijnstangen wist te verbinden, herinner ik me evenmin. Maar plotseling ging ik overeind in bed zitten en wist ik wat ik zou doen – op een dag dat ik me wat jolig voelde en werkelijk niets anders te doen had.

Ik zou garnalen in zijn gordijnstangen proppen.

Het zou niet veel dagen duren voordat de stank in zijn flat onverdraaglijk zou zijn. En met het verstrijken van de dagen kon het alleen maar erger worden. Hij zou een schoonmaakbedrijf huren om zijn woning te desinfecteren en elke verdwaalde mijt te steriliseren. Maar ze zouden nooit aan de gordijnstangen denken. Hij zou zijn dieprode vaste vloerbedekking laten verwijderen en nieuwe laten leggen. Maar de flat zou nog steeds stinken. Op het laatst zou hij een makelaar opbellen, vervolgens een verhuisbedrijf, waarna hij zijn hele knalrode inboedel naar een nieuwe penthouse-flat zou verhuizen.

Hanif zou de gordijnstangen meenemen. Zo zou het gaan. Hij zou een lesje krijgen, en ik zou me amuseren. Het is belangrijk je te amuseren zo lang je dat kunt. Nog even, en mijn feest is voorbij. Ik heb nooit een muurbloempje willen zijn. Over vijf jaar moet ik officieel met pensioen. En dan mag de waarheid voor de dag komen. Maar eer het zover is ... als er geen plaats was voor een stuk of wat gordijnstangen en een paar kilo garnalen ...

De rest van de dag lag ik in bed te lezen en aan lekkere zalmhapjes te knabbelen waar Sonia mee langskwam. 's Middags om drie uur nam ik opnieuw een douche en bracht toen een paar uur voor de spiegel door, waar ik goedgemutst jurken paste en aan Calva's nipte. Om vijf uur kwamen Sonia en haar favoriete cateringsbedrijf en zetten glazen en borden in de huiskamer. De etenslucht drong zwakjes tot me door toen ze Sonia's buffet naar binnen begonnen te dragen, en ik merkte hoe opgewonden mijn maag werd. Maar ik raakte mijn eetlust volledig kwijt – juist toen ik onder bescherming van mijn slaapkamer een verleidelijk Lainey Keogh-model aan het aantrekken was – toen Sam plotseling kwam binnenstormen en de deur achter zich dichtgooide.

"Ik moet mijn geweten ontlasten", begon hij.

Ik heb nooit begrip kunnen opbrengen voor de timing van lieden die hun geweten komen ontlasten. Wanneer ze hun geweten ontlasten, geven ze die last namelijk altijd – in grotere of geringere mate – door aan de toehoorder, juist op het moment dat die goedgeluimd is.

"Kan dat niet even wachten?" smeekte ik. "Ik ben net weer een beetje mezelf aan het worden."

"Onmogelijk. Eisik Malko komt morgen voor de rechter, en we kunnen hem niet aanklagen voor jouw hamster en Francis Zanf. Ik ben genoodzaakt je te vertellen waarom."

Ik zei niets. Hij haalde een pakje kauwgum uit zijn zak en vervolgde: "Ga even zitten." Ik ging zitten.

"Je vroeg me of ik je hamster wilde doodschieten. Dat kon ik niet over mijn hart verkrijgen. Hij was zo klein." Hij hield een pauze. "Toen was ik op bezoek bij mijn neef, die onderzoeker is bij het Veterinaire Onderzoekscentrum. Wil je een kauwgumpje? Ze zijn nieuwe vaccins aan het maken voor de pestepidemie in Bombay en doen proeven met de pasteurella. Hij gaf me een petrischaal met een pasteurellakolonie erin, die ik volgens hem in het voer moest gieten. Hij was zelf benieuwd of het een hamster kon doden, zei hij. Het bleek van wel."

"Ja, en ook een volwassen man", zei ik mat met een verlangende blik naar mijn goede humeur dat in rook dreigde op te gaan. "Heb je hem ook losgelaten?"

"Nee, maar ik moest de kooi openen om hem voer te geven, en op de een of andere manier moet ik het deurtje niet goed hebben dichtgedaan, zodat hij er zelf uit kon komen."

"Weet je, dat geloof ik domweg niet."

"Wat geloof je niet?"

"Volgens mij heb je ervoor gezorgd dat die hamster Francis beet terwijl die sliep, omdat je jaloers was! Zo'n knappe jongeman – bekijk jezelf eens!"

"Fanny!" Hij nam mijn arm in een stevige greep en keek me recht in de ogen. "Ik zweer het! Ik had er geen flauw idee van dat Francis in je bed lag. Ik ben helemaal niet in je slaapkamer geweest. Ik heb gewoon die troep in het voer gegoten en ben toen weggegaan."

"Hoe ben je binnengekomen?"

"Malko liet me erin."

"Zei je wat je moest?"

"Ja."

"Dan kan hij daarna naar binnen zijn gegaan om de hamster los te laten – of misschien heeft hij hem gewoon gepakt en heeft hij zijn kopje tegen Francis aan gedrukt."

"Hij kan van alles en nog wat hebben gedaan. Ik kan van alles en nog wat hebben gedaan. We kunnen niets bewijzen. Hij ontkent alles."

"Je kunt me in elk geval niet wijsmaken dat hij uit zichzelf naar Francis is gegaan om hem te bijten. Hij kon weliswaar bijten, maar ik geloof niet dat hij dat zomaar uit zichzelf zou doen. Hij was bang. Daarom beet hij."

Hij haalde zijn schouders op. "Wat ik je wil verzoeken is allereerst dat je me moet geloven. Geloof je me?"

Ik knikte. Ik geloofde hem werkelijk. Ik kon aan hem zien dat hij niet loog, ik kende hem te goed. Ik wist ook dat hij het niet in zijn hoofd zou halen om dat soort dingen te doen.

"En ten tweede wil ik je verzoeken het te vergeten. We komen er nooit achter. Zet er een streep onder. Francis was een doodzieke man. Hij zou hoe dan ook zijn gestorven. Vergeet het."

"Maar hoor eens", begon ik. "Als jij met Malko over die pasteu-rella hebt gesproken, ben je dan niet bang dat hij gaat kletsen?"

Sam lachte geluidloos. "Hij kan de hamster en Francis Zanf niet met elkaar in verband brengen, tenzij hijzelf dat verband is – en weet je wat? Dat kan ik me eigenlijk vrij moeilijk voorstellen."

"Hoeveel jaar kun je die Malko geven?"

"Ik schat zo'n zeven, acht jaar voor gewapende, geplande po-ging tot verkrachting. We hebben foto's van zijn huis, voordat jij die weghaalde ..."

"Ik heb ze niet weggehaald."

"Dat zeggen we dan maar. Maar dat hebben we, en dat zal indruk maken op de rechter, dus wanneer hij de bak uit komt – áls hij eruit komt – is hij een heel oude man."

Ik hoorde steeds meer stemmen in de keuken en stond op. "Zorg dat je wat water op je gezicht doet", zei ik tegen Sam, die nu uit mijn slaapkamerraam stond te kijken. "En kam je haar! En die stropdas!" Ik trok zijn stropdas recht. Hij keek me dankbaar aan.

Er werd op de deur geklopt. Ik deed open, en daar stond Rosa met een enorme taart in haar handen. Ik zag ogenblikke-lijk dat er veel te veel kaarsjes op stonden, en joeg haar naar de badkamer, waar ik er een stuk of 25 kaarsjes uithaalde en die doorspoelde in de wc. Toen gebruikte ik de tandenborstel als spatel en dekte alle gaten toe die de overtollige kaarsjes in de slagroom hadden gemaakt.

Ze deed dit elk jaar, en elk jaar deed ook ik hetzelfde. Ik schold haar niet eens meer uit. Dat was nu eenmaal ons ritueel.

Het hele Instituut was er, de hele forensische afdeling, en daar stond Lisa midden in mijn huiskamer als een paard te lachen. Ze hield een champagneglas in haar ene hand en kruimelde op mijn vloerkleed met de zalmsandwich, die ze met haar an-dere hand in het rond zwaaide. Juist toen ik me omdraaide om een bordje voor haar te halen, kwam de hele moordafdeling binnenvallen, met aan kop John Smith met een groot rood pak in zijn armen. Vorig jaar had er in zijn grote, rode pak een bijtende en gulzige hamster gezeten. Zou mij ook dit jaar een minuscuul huisdiertje cadeau gedaan worden, dat ik na verloop van tijd wil laten afmaken?

Sonia manoeuvreerde hem naar de cadeautafel toe, en ik pakte een glas champagne en deelde handen en knuffels uit, zoals dat betaamt.

Sam kwam uit de badkamer en zag er een tikkeltje beter uit. "Waar is Loretta?" vroeg ik hem.

"O ja, ik moest je de groeten doen en zeggen dat ze vertraagd was, ze wilde even iets afmaken." Hij liet zijn ogen rollen. "En dat op een zondag."

De gesprekken hadden Bertal Sifh en Albert Fish als onderwerp. Het ene morbide commentaar loste het andere af. De hele moordafdeling had zijn huiswerk gedaan. Hoe Albert Fish op het laatst tevreden was geweest om in de elektrische stoel te belanden – als de laatste grootse belevenis voor een man wiens leven altijd om pijn had gedraaid, en hoe Sifh zelf voor een pijnlijke dood had gezorgd. De meesten neigden naar de theorie van de ultimatieve masochistische boetedoening. Anderen zeiden hoofdschuddend dat ze er geen touw aan vast konden knopen. Maar iedereen, zowel de door de wol geverfden als de nieuwelingen, geloofden in het verhaal van Sifhs zelfgekozen pijnlijke dood. Uit mijn ooghoek zag ik hoe Sam stiekem een gebruikt kauwgumpje uit zijn mond haalde en dat onder het tafelblad plakte.

En toen begonnen ze aan het 'wat-kunnen-we-hieruit-leren-gepraat'. En of ik het niet vervelend vond dat ik de kans niet had gekregen om hem te 'begrijpen', hem in kaart te brengen en hem in te toetsen in de periferie van een onwaarschijnlijke statistiek?

Als hij op de gang voor ter dood veroordeelden had gezeten, geloof ik niet eens dat ik er tijd voor zou hebben vrijgemaakt om met hem te praten. Maar dat zei ik niet. In plaats daarvan vroeg ik: "Weten jullie wat Douglas zei over Ed Gein en al zijn huidjurken?"

Ze schudden het hoofd en spitsten hun ogen en oren.

"Hij zei dat hij zich dikwijls het hoofd had gebroken over Geins misdaden en dat hij zich vaak had afgevraagd wat die konden vertellen over de persoon die ze had gepleegd, en hoe die kennis de politie had kunnen helpen. Douglas zei dat hij er geen flauw idee van had, en dat hij zich er ongetwijfeld het hoofd over zou breken tot zijn sterfdag."

"Dus vergeet die hele Sifh," zei ik bij wijze van afsluiting, "... of hoe hij ook mag heten. Wat hij heeft gedaan, is voor iedereen volslagen onbruikbaar."

De telefoon ging en Rosa nam op. Natuurlijk nam Rosa op; ik had de stekker eruit moeten trekken. Ik maakte een grimas naar haar en schudde mijn hoofd.

"Het is Loretta", zei ze. Ik gaf mijn glas aan Sam en pakte de hoorn.

"Ik wil je alleen maar even waarschuwen", zei Loretta. "Je wordt opgebeld door iemand van de moordafdeling van Station 13 in Wenen. Ze willen graag jouw hulp inroepen bij de dertien gevallen van verdwenen kinderen die ze de afgelopen vijf jaar hebben gehad. Het is een beetje mijn schuld, ik wilde een paar inlichtingen verifiëren die ik van hun database kreeg. Begrijp je, ik bedacht opeens – vind je niet dat Sifh een beetje oud was om vader te zijn van zes jonge kinderen?"

"Tja", zei ik. Daar had ik natuurlijk aan gedacht. Maar er waren lieden als Picasso, die op een leeftijd van 80 nog kinderen kregen.

"Ik heb net ontdekt dat Sifh uit een eerder huwelijk nog zes kinderen heeft: twee jongens en vier meisjes. De twee zoons wonen in Wenen en zijn 29 en 31 jaar oud."

"Hebben ze kinderen?"

"Alles bij elkaar vijf, en twee op komst."

Ik hing op en verzocht Rosa de telefoon aan te nemen als die ging.

Toen de PDA me de volgende ochtend wekte met het blijde, oude nieuws van Bertal Sifhs geoutreerde zelfmoord, was ik moe en had hoofdpijn. Champagne is niets voor mij. Ik rolde mijn bed uit, deed 60 *push-ups* en besloot dat ik Rosa domweg niet durfde op te bellen om te zeggen dat ik direct naar Wenen ging. Mijn vliegticket was besteld en lag op me te wachten in de luchthaven, had *herr* Carl Hopffelz van Station 13 in Wenen me verzekerd toen ik gisteravond laat met hem sprak en hem verzocht de twee Oostenrijkse zoons van Bertal Sifhs aan een verhoor te onderwerpen.

Ik kwam overeind van de vloer, pakte de rode zijden kimono van het bed en begaf me naar de keuken. Overal lag gebruikt servies en eten – eten dat niet langer geurde. Ik ging terug naar de slaapkamer en deed de deur dicht. Pakte mijn weekendkoffer en legde een Margit Menia-jurk uit mijn jeugd op bed. Toen ging ik snel even douchen. Bedacht dat ik het onderwijs zowel dinsdag als woensdag moest afgelasten. Ik huiverde bij de gedachte aan Rosa's reactie en wierp een steelse blik op de klok boven de commode in de gang. Als ik nu naar het kantoor belde, zou haar vriendelijke antwoordapparaat het bericht in ontvangst nemen. Dat deed ik, snel en pijnloos. Toen belde ik naar de kliniek om een afspraak te maken voor een laser resurfacing over drie weken, maar de stem op het bandje deelde me mee dat de kliniek om acht uur openging. Ik stond op het punt Cormio Vittantonio op te bellen, maar toen drong het kennelijk pas tot me door hoe laat het was, voordat ik het opgaf en de zoveelste automatische stem hoorde vertellen dat ik weer te vroeg was opgestaan. In plaats daarvan wiste ik al mijn berichten, zette de PDA af en borg hem op in de kalfsleren tas. Een dode PDA was een heerlijke, slechte gewoonte aan het worden.

Toen ik de auto achteruit de carport uitreed, dacht ik aan mijn vader. Op een gegeven moment moest ik hem toch maar eens opbellen.

ALLE DETAILS OVER Albert Fish (1870-1936) zijn in overeenstemming met de werkelijkheid – zijn brieven, zijn daden, zijn gedrag, zijn dood – met de volgende uitzonderingen: hij heeft nooit de hand geslagen aan zijn eigen kinderen en hij heeft hen ook nooit bij zijn perversies betrokken. Hij kreeg maar zes kinderen, hoewel hij naar het heet verschillende keren getrouwd is geweest zonder de moeite te nemen zich eerst te laten scheiden.

Ik weet niet wat er nadien met zijn kinderen is gebeurd. De Fish-nakomelingen, die in dit boek optreden, zijn fictief.

S.S.